Ukoić duszę
dżentelmena

W serii Romans Historyczny polecamy również

JAK ZOSTAĆ KSIĘŻNĄ
Shana Galen

oraz najnowsze powieści innych bestsellerowych autorek

ECHA WSPOMNIEŃ
Mary Balogh

MIŁOSNY ODWET
Adrienne Basso

SPEŁNIONE ŻYCZENIE
TAJEMNICA LADY MAGGIE
Grace Burrowes

UWODZI W ATŁASIE
Madeline Hunter

ODZYSKANA MIŁOŚĆ
JEGO PRZYJEMNOŚCI
Lorraine Heath

ZWIERCIADŁO KOMPLEMENTÓW
Eloisa James

MIŁOSNA SZARADA
Julie Anne Long

PRZYJACIEL Z DZIECIŃSTWA
Sarah MacLean

KRYSZTAŁOWE OGRODY
Amanda Quick

JAK W NIEBIE
Julia Quinn

PRZEPOWIEDNIA
Mary Jo Putney

w przygotowaniu
RÓŻE MIŁOŚCI
Sarah MacLean

SEKRETNA KOCHANKA
Mary Balogh

SHANA GALEN

Ukoić duszę dżentelmena

Przekład
Agnieszka Kowalska

AMBER

Redakcja stylistyczna
Barbara Nowak

Korekta
Elżbieta Szelest
Renata Kuk

Projekt graficzny okładki
Małgorzata Cebo-Foniok

Zdjęcie na okładce
© Zbigniew Foniok

Druk
Grafarti s.c.

Tytuł oryginału
Making of a Gentleman

ISBN 978-83-241-4692-5

Warszawa 2013. Wydanie I

Wydawnictwo AMBER Sp. z o.o.
02-952 Warszawa, ul. Wiertnicza 63
tel. 620 40 13, 620 81 62

www.wydawnictwoamber.pl

Mojej córeczce, która dotrzymywała mi towarzystwa przez cały czas pisania tej książki swoimi kopnięciami, czknięciami, przewrotami, czknięciami, drgnięciami i (czy już o tym wspominałam?) czknięciami.
Dla ciebie, Bellaboo.

1

Jedenastoletni Armand Harcourt, hrabia de Valère, powinien już spać. Była późna noc. Doskonale wiedział, że nic nie rozgniewa jego niani bardziej niż stwierdzenie, że on wciąż jeszcze nie śpi. Armand nie uważał zamiłowania do lektury za wadę, lecz madame St. Cyr miała na ten temat inne zdanie.

Dlatego, zerkając to na książkę, to na drzwi, Armand, pochylony nad świecą, czytał z zachłannością równą tej, jaką przejawiały wygłodniałe wilki opisywane w powieści. Wiedział, że powinien pójść spać, zanim zostanie przyłapany przez nianię, ale bestie właśnie miały zaatakować małą dziewczynkę. Jakże mógłby w takiej chwili oderwać się od książki?

Oczy Armanda żarłocznie pochłaniały słowa. W połowie strony zaczął cicho nucić. Melodia brzmiała patriotycznie i dziwnie znajomo. Przewrócił stronę, wciąż nucąc, i zdał sobie sprawę, że dźwięki stają się coraz głośniejsze.

Uniósł głowę i książka wysunęła mu się z palców. Czyżby naprawdę słyszał dochodzący skądś śpiew?

Przechylił głowę na bok, prawie nie zauważając głuchego odgłosu upadku książki na pluszowy dywanik przy łóżku.

Czując, jak wali mu serce, Armand zdmuchnął świeczkę i uklęknął na łóżku. Palce lekko mu drżały, kiedy rozsunął zasłony w oknie.

W pierwszej chwili nie widział nic. Na trawniku w dole było ciemno i cicho. Gwiazdy na niebie skrzyły się i migotały. Wtedy spojrzał dalej, na pola. Plamki pomarańczowego światła poruszały się i przybliżały. Były coraz bliżej.

Śpiew przybierał na sile, a ze snującej się nisko nad ziemią mgły zaczęły się wyłaniać sylwetki. Kilkadziesiąt mężczyzn i kobiet z pochodniami w ręku maszerowało w nierównym szeregu w stronę zamku.

Armand, zaskoczony, opuścił zasłony.

Przez długich pięć uderzeń serca siedział jak skamieniały. Nie wiedział, jakie mają zamiary idący w jego kierunku wieśniacy, ale bał się. Czyż jego ojciec, książę de Valère, nie wywiózł rodziny z Paryża właśnie z powodu buntu pospólstwa?

Ale przecież coś takiego nie może się zdarzyć tutaj. Zamek zawsze był dla Armanda spokojną, bezpieczną przystanią.

Lecz śpiew rozbrzmiewał coraz głośniej i groźniej.

Mort à l'aristocratie!

Śmierć arystokracji!

Ogarnęło go przerażenie. Zrobiło mu się zimno i zaczął drżeć. Wyszedł z łóżka, potykając się o książki i zabawki leżące na podłodze jego pokoju.

Bastien. Bastien będzie wiedział, co robić.

Ciężkie drewniane drzwi w przeciwległej ścianie prowadziły do pokoju brata i Armand popędził do nich co sił. Uderzył o nie całym ciężarem ciała, chwycił zimny metal klamki i otworzył.

Potykając się, wszedł do pokoju brata.

– Bastien! – wyszeptał. – Bastien, obudź się.

Pokój był ciemny jak bezgwiezdna noc i Armand szedł po omacku, aż dotarł do łóżka.

– Bastien! – rozgarniał pościel, lecz łóżko było puste

Jego bliźniaczego brata tu nie było.

Armand zaklął i natychmiast zasłonił usta dłońmi. Madame St. Cyr urwałaby mu głowę, gdyby to usłyszała.

8

Madame St. Cyr! Oczywiście! Ona będzie wiedziała, co robić.

Pobiegł do drzwi prowadzących na korytarz, otworzył je i wyszedł w półmrok.

Natychmiast zaczął kasłać, gdy dym podrażnił jego nozdrza i wypełnił płuca.

Rozejrzał się, zdezorientowany. Dym? Skąd tu się wziął dym?

Przed jego oczyma stanął obraz wieśniaków niosących pochodnie i zakręciło mu się w głowie. Nie chciał zaakceptować tego, o czym wiedział, że musi być prawdą: wieśniacy podpalili zamek.

Strach odbierał mu siły. Ugięły się pod nim kolana, lecz siłą woli utrzymał się na nogach. Zerknął przez ramię na bezpieczną przystań swojego pokoju. Ile czasu minie, zanim dym... zanim wieśniacy wedrą się do tego ostatniego azylu?

Musi się stąd wydostać, musi uciec z zamku.

Okna jego pokoju są za wysoko, a wieśniacy na pewno stoją już przy wszystkich drzwiach. W takim razie zostaje tylko sekretny tunel.

Bastien ciągle z niego korzystał. Raz po raz wymykał się z zamku, by wyruszyć na jakąś nową przygodę. Często zabierał ze sobą Juliena, ich starszego brata.

Armand nie protestował, że go zostawiali. Wolał przygody rozgrywające się na kartach powieści.

Ale teraz książki nie mogły mu zapewnić bezpieczeństwa. Musi uciekać, zanim...

Mocno zacisnął powieki.

Nie, nie będzie o tym myślał.

– Wy idźcie tam. Ja pójdę tędy.

Armand otworzył oczy i błyskawicznie odwrócił się w kierunku nieznajomych głosów.

– Jeśli znajdziecie jakichś arystokratów, zabijcie ich.

Zakrył usta dłonią, żeby stłumić krzyk.

Armand wyprostował się gwałtownie, a echo jego krzyku wciąż rozbrzmiewało w pokoju.

Zacisnął zęby – aż zabolała go szczęka – by stłumić ten dźwięk, ale było już za późno. Obudził cały dom.

Znowu.

Niechętnie podniósł się z podłogi, na której spał, i stanął w samych bryczesach, boso, z nagą piersią. Już słyszał zbliżające się szybko kroki i zmusił się, by nie zacisnąć pięści. Nikt nie przychodzi tu po to, by go bić. Przychodzą go pocieszyć.

W myślach widział rękę, która sięga ku niemu, dotyka jego ramienia i poklepuje delikatnie. Wzdrygnął się. Własna słabość budziła w nim wstręt.

Chciał zawołać, zatrzymać ich, ale nie mógł.

Gdzieś głęboko w zakamarkach umysłu wiedział, jak się mówi. Niejasno pamiętał nawet brzmienie swojego głosu. Wiedział, co znaczy krzyczeć, znał radosną ulgę, jaką czuł, kiedy to czynił. Ale słowa, które by to opisały? Nawet jeśli czasami potrafił o tym myśleć, usta nie układały się do formułowania słów. Przez lata jego przeżycie zależało od milczenia. Teraz najwyraźniej jego usta nie pamiętały, jak wypowiadać sylaby, słowa, zrozumiałe dźwięki.

To była jedna z wielu rzeczy, których nie potrafił sobie przypomnieć. A może po prostu nie chciał mówić. Może bał się tego, co mógłby wyjawić – tych przerażających spraw, które ukrył w najgłębszych zakątkach umysłu.

Drzwi do pokoju otworzyły się z hukiem i wszedł jego brat Julien. Julien coś mówił, lecz Armand na próżno próbował się skupić. Słowa brzmiały jak ciche brzęczenie i Armand wpatrywał się w brata pustym wzrokiem.

Julien zmarszczył brwi i szarpnął szlafrok zasłaniający jego nagą pierś. Włosy miał niesforne i splątane, a twarz pokrytą zarostem.

Ten mężczyzna – wysoki, imponujący i władczy – był zupełnie niepodobny do chłopca, którego Armand zaczynał sobie przypominać. Nie, to nie całkiem tak. Tamten Julien w zamglonych, wyblakłych wspomnieniach także był władczy.

Ale im bardziej usilnie Armand starał się uchwycić wspomnienia, tym szybciej one umykały. Zrozpaczony zacisnął pięści, pragnąc, aby wspomnienia z dzieciństwa pozostały. Ale nie miał na to żadnego wpływu…

Julien rozejrzał się dookoła i zamrugał, oślepiony jasnym światłem. Armand przez całą noc miał zapalonych kilka lamp, ogień płonący w kominku i pół tuzina palących się świec. Nie znosił ciemnych, zamkniętych pomieszczeń. Dlatego, mimo że na zewnątrz panował przenikliwy chłód, okno było szeroko otwarte, a szeroko rozsunięte zasłony powiewały poruszane wiatrem.

– Armand?

Tym razem Armand zmusił się, by słuchać, by skupić uwagę.

– Dobrze się czujesz?

Armand patrzył na brata i usilnie starał się zrozumieć sens jego słów. Dawno temu przestał nawet próbować zrozumieć, co inni do niego mówią. Tak było lepiej, bezpieczniej. Teraz musiał codziennie walczyć, by na nowo posiąść tę umiejętność. W dzieciństwie bez trudu dobierał słowa ze swojego bogatego słownika. Teraz te same słowa umykały mu, zanim zdążył je uchwycić.

Brat najwyraźniej nie spodziewał się usłyszeć odpowiedzi i rozglądał się badawczo po pokoju. Armand widział, jak jego wzrok zatrzymywał się na rozsuniętych zasłonach, na świecach. Lecz Julien nie znajdzie niczego niepokojącego. Koszmary nie zostawiają śladów.

W końcu Julien, najwyraźniej zadowolony z tego, co zobaczył, spojrzał znowu na Armanda.

– Wszystko w porządku?

Tym razem Armand skinął głową. Znał to pytanie. Słyszał je tak wiele razy. Mógłby odpowiedzieć, ale wiedział, że zamiast słów z jego ust wydobędą się tylko niezrozumiałe pomruki.

Skinienie Armanda było odpowiedzią na zadane przez brata pytanie, ale nie rozwiało obawy, widocznej we wzroku Juliena. Armand cierpiał, że to on jest przyczyną braterskiej troski, że jest przyczyną aż nazbyt częstych nocnych wizyt w jego sypialni. Cierpiał z powodu niemożliwości porozumienia i traktowania go jak dziecko albo głupca. Nie był idiotą i nie był słaby na umyśle. Już nie.

– Julien?

Jej obraz pojawił się szybciej niż słowa. Kobieta. Delikatna. Kobieta Juliena.

I wreszcie imię: Sara. Armand westchnął. Zapowiada się kolejna wizya.

Kobieta Juliena stanęła w drzwiach. Biały szlafrok miała zapięty pod szyję, brązowe włosy opadały jej na ramiona. Była żoną Juliena. A lekkie zaokrąglenie brzucha wskazywało, że będzie także matką jego dziecka.

Julien odwrócił się do kobiety.

– Nic mu nie jest, Saro – spojrzał na Armanda. – Znowu koszmarny sen?

Armand nie odpowiedział. Wiedział, że nie oczekiwano tego od niego. Był zawstydzony. Zawstydzony tym, że ich tu ściągnął. Zawstydzony tym, że nie potrafił przetrwać nocy bez koszmarów.

Zacisnął zęby i poczuł, że zaciskają mu się pięści. Instynkt podpowiadał mu, by posłać ich wszystkich z powrotem do łóżek. Mógł krzyczeć i miotać się, wybić dziurę w ścianie. Spojrzał na dziury, które zrobił wcześniej.

Nie, to tchórzowskie zachowanie, tak jak ukrywanie się.

Kobieta stała w drzwiach i przyglądała się Armandowi. Jej ciemne oczy patrzyły na niego zamyślone i łagodne. Zawsze okazywała mu dobroć. Gdy wreszcie znalazł się w Londynie, zaprowadziła go do jego matki, mieszkającej w tym właśnie domu. Myślał, że matka to tylko marzenie, które wyśnił w zatęchłej celi, w której gnił latami.

Wszystkie lata zlały się w jedno, podobnie jak wspomnienia i marzenia. Armand sam już nie wiedział, co jest prawdą, a co fantazją. Własny umysł go oszukiwał. Nie mógł się od tych oszustw uwolnić; co doprowadzało go na skraj szaleństwa.

Ale matka nie była fantazją ani snem. Była prawdziwa, choć nie dokładnie taka, jaką zapamiętał.

Nic nie było takie, jak zapamiętał.

Sara weszła teraz do pokoju. Jej drobna biała dłoń wciąż ściskała szlafrok pod szyją. Podeszła do Armanda i stanęła obok niego. Armand zerknął na brata. Julien z czułością patrzył na swoją kobietę. Armand chciał mu powiedzieć, że nigdy nie skrzywdziłby Sary, ale jego próby powiedzenia czegokolwiek tylko by ją wystraszyły.

Wyciągnęła rękę i ujęła jego dłoń. Armand spiął się.

Przez myśl przemknął mu obraz ognia. Gorąco. Boli. Nie!

Tylko dlatego, że Julien ich czujnie obserwował, Armand zniósł ból i pozwolił jej trzymać się za rękę. Wiedział, że to miało go pocieszyć, ale sprawiło tylko, że zacisnął zęby. Jej bliskość, bliskość kogokolwiek – była dziwna i niemal nie do zniesienia.

– Armandzie – powiedziała cicho.

Zerknął na nią i niemal natychmiast na brata.

– Armandzie, Julien i ja rozmawialiśmy o tym – mówiła łagodnie Sara – i sądzimy, że mogłoby ci pomóc dojść do siebie, gdybyś miał opiekę.

Spojrzał na nią.

Opiekę?

To słowo brzmiało znajomo. Nie potrafił sobie przypomnieć, kiedy je ostatnio słyszał, ale było to słowo, które lubił. Opieka, powtórzył w myślach, jakby zamierzał powiedzieć je na głos. Opieka.

Ścisnęła delikatnie jego dłoń, znowu przyprawiając go o kolejną falę cierpienia.

– Chciałbyś mieć nauczyciela? Kogoś, kto pomógłby ci przypomnieć sobie, jak się mówi?

Patrzyła na niego, a on patrzył na nią. Julien stał teraz za nią, trzymając rękę na jej ramieniu. Jej włosy opadały na jego dłoń, a Armand zastanawiał się, czy są tak miękkie, na jakie wyglądają. Kiedyś miał w swojej celi szczura i oswoił go. Jego futerko było miękkie i brązowe, jak włosy Sary.

– Armandzie, pamiętasz monsieur Grenoble'a? – spytał Julien. – Był twoim guwernerem w Paryżu.

Coś w tym nazwisku sprawiło, że serce Armanda zaczęło bić szybciej. Nie wiedział, kim albo czym był monsieur Grenoble, ale to wspomnienie było przyjemne.

Przedtem.

Ten Grenoble... to było coś sprzed lat piekła. Przed ciemnym więzieniem, częstym biciem. Przed tym, jak zostawiono go, by umarł.

Sara uśmiechnęła się.

– Sądzę, że go pamięta – powiedziała do Juliena, odwracając głowę, by spojrzeć na niego przez ramię. – Widzisz, jak oczy mu rozbłysły?

Armand zdawał sobie sprawę, że mówią o nim. Często tak robili, a on tego nie znosił.

Wyrwał dłoń z uścisku Sary, a ona odwróciła się do niego.

– Jutro zacznę szukać – powiedziała, poklepując go po ramieniu. – Znajdziemy kogoś wyjątkowego.

Stanęła na palcach, by pocałować go w skroń, a Armand wbił sobie paznokcie w uda. Tym razem to nie jej dotyk sprawił mu ból, lecz jej zapach. Pachniała słodko, jak jabłka albo brzoskwinie, a jej kobiecy zapach był czymś, z czym jego zmysły niemal nie były w stanie sobie poradzić.

Gdy się odsunęła, mógł znowu oddychać.

– Dobranoc, Armandzie.

Julien przyglądał mu się jeszcze przez chwilę, po czym wyszedł za żoną.

Drzwi zamknęły się za nimi i Armand rozejrzał się po pokoju o pomalowanych na biało ścianach. Chodził po nim tam i z powrotem i wiedział, że ten pokój jest trzykrotnie większy od jego celi w więzieniu; jasny i słoneczny w ciągu dnia, a ciemny, lecz niegroźny, nocą. Na ścianach wisiały obrazy, pomiędzy dziurami, które zostawiła jego pięść.

Kwiaty. Pole. Kolory.

Nie potrafił sobie przypomnieć nazw wszystkich kolorów.

Pomyślał, że powinien położyć się i spróbować zasnąć, lecz tej nocy odgłosy śpiewu wieśniaków były zbyt wyraźne. Odbijały się echem w jego głowie i Armand zamknął oczy, by powstrzymać wspomnienia tamtej nocy sprzed lat.

Ale śpiewu nie dało się uciszyć, a nawet kiedy otworzył oczy i wpatrywał się w migotliwy płomień świecy, nie mógł pozbyć się tych wizji. Płomień rozpalał się i przygasał, tańczył przed jego oczami, syczał i dymił, tak jak płomień tańczący na nocnym niebie przed laty.

Ogień tańczył, kiedy obróciło się w popiół całe życie Armanda.

2

*F*elicity Bennett stała w parku w centrum Berkeley Square i patrzyła na ogromny dom, który miała przed sobą. Nigdy dotąd nie widziała budynku, który miałby tak wiele okien, a w tym szarym, posępnym mieście nie widziała domu tak białego jak ten. Poranna londyńska mgła jeszcze nie opadła i unosiła się wokół innych domów, spowijając je ponurym półmrokiem. Ale nawet mgła nie odważyła się dotknąć tego domu. Jego biała fasada lśniła w promieniach słońca, które właśnie wyłaniało się zza twierdzy nisko wiszących chmur.

Felicity wzięła głęboki oddech. To było do niej niepodobne, żeby czuła się onieśmielona, a jeśli zaraz nie zbierze się na odwagę, nie przejdzie przez park i nie zastuka do drzwi – tych ogromnych drzwi ze złotą kołatką w kształcie lwiej głowy – spóźni się na umówione spotkanie.

Spóźni się już pierwszego dnia pracy.

A to nie byłoby dobrze, zwłaszcza że tak bardzo starała się zdążyć na czas. Najpierw godzinę szła z probostwa do gospody, potem przez osiem godzin jechała dyliżansem, wciśnięta między tęgą kobietę i mężczyznę, który kasłał, jakby za chwilę miał wypluć płuca, a wreszcie niemiłosiernie trzęsącą dorożką dotarła tutaj.

Podróżowała całą noc bez chwili snu, mając do jedzenia tylko kawałek sera i trochę trzydniowego chleba. Bolały ją wszystkie mięśnie i ściskało w żołądku, ale nie zamierzała dać po sobie poznać zmęczenia i głodu. Stłumiła je i skupiła się na uciekającym czasie.

Jej ojciec zawsze powtarzał, że nie ma innego czasu poza czasem obecnym i Felicity zawsze przyznawała mu rację. Ale było tak, ponieważ nie miała nic przeciwko gotowaniu obiadu, uczeniu się matematyki albo zamiataniu. Zupełnie natomiast nie podobała się jej perspektywa pracowania dla jakichś nadętych arystokratów, którzy – jeśli są tacy sami jak wszyscy, których znała – okażą się protekcjonalnymi hipokrytami. Krótko mówiąc, Felicity nie miała ochoty spędzić życia na służbie.

Ale, mówiąc szczerze, jaki miała wybór? Cóż, alternatywą było…

Niemal podskoczyła, kiedy dostrzegła czyjąś obecność na prawo od siebie. Odwróciła się gwałtownie. Jakiś mężczyzna w obcisłych bryczesach, dobrze dopasowanym płaszczu z delikatnej granatowej tkaniny i wykrochmalonej białej koszuli z idealnie zawiązanym fularem wyłonił się zza jednego z drzew w parku i skinął na nią. Felicity spojrzała na niego i zamrugała, pewna, że to tylko złudzenie. Miała nadzieję, że to tylko złudzenie. Czy powinna go zignorować? Udać, że go nie zauważyła?

Skinął ponownie, tym razem dodając zniecierpliwione spojrzenie, toteż zerknęła ukradkiem na wielki dom i pospieszyła w stronę mężczyzny.

– Co tu robisz? – szepnęła, stając za drzewem i mając nadzieję, że nie widać jej z domu. – Nie powinno cię tu być.

– Moja narzeczona w końcu przybywa do Londynu, a ja nie mogę się z nią zobaczyć? Bzdura. – Mówił tylko odrobinę niewyraźnie, co było dobrym znakiem.

Kolejnym zaś jego eleganckie ubranie. Może zaczął wygrywać przy karcianych stolikach? Może zostawi ją w spokoju?

– Skąd wiedziałeś, gdzie będę? Jeszcze nie spotkałam się z rodziną mojego podopiecznego ani nie dostałam posady.

Mrugnął do niej.

– Mam pewne koneksje – poklepał modny kapelusz, który trzymał pod pachą. – Nie zapominaj o tym.

Wyciągnął rękę, najwyraźniej zamierzając złapać ją za ramię, lecz ona gwałtownie odsunęła się od niego.

Parsknął śmiechem i obrzucił przeciągłym spojrzeniem, które sprawiło, że szczelniej otuliła się płaszczem.

– Spodobasz im się – skinął głową. – A oni są bogaci. Bardzo bogaci. Dokładnie tacy, jakich szukamy.

Jej kryteria były zupełnie inne, ale nie zaprzeczyła mu.

– Mam tylko nadzieję, że płaca będzie odpowiednia. Ile jesteś winien swoim wierzycielom?

Wyszczerzył zęby w uśmiechu.

– Bardzo chcesz się mnie pozbyć, co? – Pochylił się bliżej i wyczuła zapach alkoholu w jego oddechu. – Powiem ci. Za dwadzieścia pięć funtów zapomnę o naszym małym układzie.

Strzelił palcami, a ona mimowolnie drgnęła.

– Jeśli nie dasz rady zapłacić przed początkiem roku, to... cóż, szykuj się na zapowiedzi, kochanie.

Wzdrygnęła się. Kiedyś pomysł poślubienia Charlesa St. Johna był jej ulubioną fantazją. Teraz chciałaby tego uniknąć za wszelką cenę. Dlaczego jej ojciec go nie przejrzał? Dlaczego ona się na nim nie poznała? Dwadzieścia pięć funtów równie dobrze mogłoby być milionem, ale musiała znaleźć jakiś sposób, żeby je zdobyć.

– Zrozumiałam warunki. A ty trzymaj się z dala od tego domu – wskazała na wielki budynek za nimi. – Jeśli zobaczą cię ze mną...

– Tak, tak – machnął lekceważąco ręką. – Przypomnij mi, kim masz zostać? – spojrzał na nią spod przymrużonych powiek.

– Guwernantką – wycedziła przez zaciśnięte zęby. Kiedyż on w końcu sobie pójdzie!

– Nowa guwernantka nie powinna być zaręczona. Wyższe sfery tego nie lubią – znowu pochylił się ku niej, a ona wstrzymała oddech. – Wyższe sfery mnie też nie polubią. Zapłać albo pewnego dnia zapukam do drzwi i się przedstawię. Zobaczymy, jak długo zachowasz wtedy swoją posadę.

– Jestem pewna, że to nie będzie konieczne – powiedziała, ale on już się oddalał.

– Znajdę sposób, żeby wkrótce z tobą porozmawiać. Wyślę ci liścik albo będę się kręcił koło ogrodu.

– Charles, nie... – on jednak był już za daleko, żeby ją usłyszeć.

Westchnęła i przełknęła łzy frustracji, które napłynęły jej do oczu. Jakże pragnęła, żeby ojciec jeszcze żył. Jakże chciałaby być z nim przed jego śmiercią, odsunąć pióro ojca, zrobić coś, cokolwiek, żeby nie dopuścić do jej zaręczyn z tym... nie potrafiła wymyślić wystarczająco paskudnego określenia.

Patrzyła, jak Charles St. John się oddala, w kapeluszu zawadiacko nasadzonym na głowę, i starała się udawać, że to wszystko nie zakończy się katastrofą. Oczywiście nie miała czasu na rozmyślania przed wejściem do tej eleganckiej rezydencji. Musiała być pewna siebie. Skupiając się tylko na tym, podniosła swoją niewielką walizkę, wyprostowała ramiona i ruszyła w kierunku ogromnego budynku. Im bliżej podchodziła, tym stawał się większy, wznosząc się nad nią niczym alabastrowy dąb. Serce zaczęło jej bić jak szalone, nogi trzęsły się jak galareta, ale zacisnęła zęby i szła dalej. Nie jestem tchórzem – powtarzała sobie, nie odrywając wzroku od złotej kołatki. W końcu stanęła przed nią i spojrzała prosto w oczy złotego lwa. Wyglądał przyjaźnie, na swój drapieżny, wygłodniały sposób. Sięgnęła ręką do otwartej paszczy uzbrojonej w ostre złote kły, chwyciła zwisające z niej złote kółko i zastukała trzy razy. Mocno.

Opuściła rękę i zbyt późno pomyślała, że dobrze byłoby mieć miskę z wodą, żeby zmyć brud z twarzy. Ale chyba nie mogła wyglądać aż tak źle, jak się czuła...

Nieważne. Bogaci i utytułowani rzadko zwracają uwagę na kogoś takiego jak ona – córka biednego pastora. Usłyszała szczęk otwieranego zamka, drzwi uchyliły się i stanął w nich wysoki, dystyngowany mężczyzna ubrany na czarno.

– Dzień dobry – powiedział. Jego głos brzmiał równie przyjaźnie, jak wyglądały zęby złotego lwa.

– Dzień dobry – z gardła Felicity wydobył się skrzek i odruchowo odchrząknęła. – To znaczy... dzień dobry. Jestem Felicity Bennett. Przyszłam...

O Boże. Jak się nazywa pani domu? Spotkanie z Charlesem tak ją rozproszyło, że i teraz nie mogła sobie przypomnieć szczegółów. Można by sądzić, że wszystko powinno zapaść jej w pamięć, zważywszy, ile razy czytała list z propozycją pracy, ale ten jeden maleńki detal – nazwisko pani – najwyraźniej jej umknął.

Lokaj uniósł brwi, a Felicity uśmiechnęła się nerwowo.

– Jestem umówiona na spotkanie z panią... – przeciągnęła ostatnie słowo, mając nadzieję, że przypomni sobie nazwisko. Ale nie, jej umysł pozostał czystą kartą.

A niech to!

– Księżną – poprawił lokaj, a Felicity natychmiast sobie przypomniała. – Księżną de Valère – dodał z namaszczeniem.

– Felicity Bennett – nerwowy uśmiech ani na chwilę nie zszedł z jej twarzy. Zapewne nie była tak służalcza i przymilna, jak większość gości w tym domu, ale nie była też idiotką. Znała odpowiednie formy grzecznościowe. – Przyszłam spotkać się z Jej Wysokością.

Lokaj skinął głową, a jego twarz nie wyrażała zupełnie nic.

– Jej Wysokość oczekuje pani.

Usunął się na bok i otworzył szerzej drzwi, odsłaniając przestronny westybul, cały wyłożony białym i czarnym marmurem, wielki jak plebania, która była jej domem. Przed sobą widziała wdzięczny łuk szerokich schodów prowadzących na piętro. Wnętrze było dokładnie tak imponujące i piękne, jak obiecywała fasada, a westybul skrzył się światłem. Promienie słońca sączyły się przez niewielkie okno nad drzwiami, rozświetlając kryształki żyrandola i malując tęczę iskier na morzu lśniącego marmuru.

Widok był tak piękny, że Felicity weszła, jakby przyciągana jego magią.

– Proszę zostawić tutaj walizkę – lokaj wskazał miejsce obok drzwi. – Czy to cały pani bagaż?

Felicity zamrugała gwałtownie; jego głos wyrwał ją z krainy lśniących tęcz. Uświadomiła sobie, że oczekiwała, iż dom będzie wyglądał jarmarcznie i pretensjonalnie, ale wystrój wcale taki nie był. Wszystko – od wyrzeźbionej z marmuru statuetki starożytnej Greczynki na piedestale po stojące w rogu krzesło Sheratona z kremowym obiciem – było miłe dla oka i wysmakowane.

Wszystko oprócz lokaja, który nadal badawczo się jej przyglądał.

– Przepraszam? Och nie, moje kufry powinny dotrzeć jeszcze dzisiaj albo jutro – postawiła walizkę na gładkim marmurze. Miała w niej zapakowane ubranie na zmianę i wszystko, co jej było drogie – portret ojca, Biblię matki i nuty. Zdjęła kapelusz i położyła go na walizce.

Może powinna była zabrać jeszcze jedną zmianę ubrania, ale nie potrafiła się rozstać ze swoją ulubioną muzyką, nawet jeśli nie miała jej na czym zagrać. Poza tym nie wierzyła, że mężczyźni, których zatrudniła do transportu kufrów, nie zgubią czegoś albo nie zniszczą.

Nie, ostatecznie doszła do wniosku, że lepiej będzie poświęcić garderobę niż bezcenną muzykę. A poza tym nie będzie miało żadnego znaczenia to, jak się ubierze, pomyślała, gdy lokaj dał jej znak, by poszła za nim na piętro. Jego czarna liberia była o wiele droższa od jej niedzielnej sukni.

W domu, w Hampshire, piękny biały muślin sukni z bufiastymi rękawami zawsze ściągał komplementy, zwłaszcza zestawiony z ciemnoniebieskim płaszczem, który teraz miała na sobie. Odcień płaszcza pasował do jej oczu i ładnie kontrastował z jasnymi włosami. Jednak sądząc ze wszystkiego, co dzisiaj widziała, jej strój dawno już wyszedł z mody.

Ale to i tak nie miało większego znaczenia. Nikt nie przejmuje się tym, co ma na sobie guwernantka. Nie zamierzała chodzić na bale i przyjęcia. Będzie uczyła małego chłopca. Chłopcy lubią bawić się w ziemi i biegać po ogrodzie. Może więc i lepiej, jeśli jej stroje będą raczej praktyczne niż modne.

Gdy stanęli u szczytu schodów, Felicity przyjrzała się wiszącym w korytarzu portretom, szukając wśród nich chłopca. Jego imię zapamiętała: Armand. To było urocze imię, przywodzące na myśl miękkie brązowe włosy, miły uśmiech i różowe wargi. Księżna de Valère w swoim liście dość niejasno wyrażała się na temat jego wieku, lecz Felicity wyobrażała sobie, że ma on sześć lub siedem lat

Lokaj zapukał głośno do wielkich białych drzwi salonu, po czym otworzył je.

– Panna Felicity Bennett – oznajmił.

Jakaś kobieta stała pośrodku salonu, obok pokrytej jaskrawożółtym perkalem sofy, naprzeciwko pięknego fortepianu. Odwróciła się, słysząc głos lokaja, i ku zaskoczeniu Felicity jej uśmiech okazał się miły i ciepły. Co więcej, wydawał się szczery.

– Dziękuję ci, Grimsby. Czy mógłbyś poprosić panią Eggers, żeby przysłała herbatę?

Lokaj skinął głową i dystyngowanym ruchem zamknął drzwi.

– A więc to pani jest panną Bennett – powiedziała kobieta i zbliżyła się do Felicity, wyciągając ręce. Ten gest był zupełnie niespodziewany i zaskakujący. Ta kobieta witała ją jak starą przyjaciółkę.

– Tak. – Felicity zawahała się tylko przez moment, zanim zbliżyła się do niej i podała jej obie ręce. Dłonie kobiety były smukłe i miękkie, ale silne. Podprowadziła Felicity do sofy, gestem zaprosiła, by usiadła, po czym sama zajęła kremowy fotel naprzeciwko.

Felicity usiadła, z opóźnieniem zdając sobie sprawę, że powinna była dygnąć. Ich powitanie było stanowczo zbyt nieoficjalne. Ale może to nie jest księżna. Felicity zmrużyła oczy. Beżowa suknia owej kobiety była uszyta z najlepszego materiału i w najmodniejszym stylu, ale prosta i bezpretensjonalna. Zupełnie nie taka, jakiej można by oczekiwać po księżnej.

Prawdę mówiąc, wcale nie wyglądała na księżnę. Niewątpliwie była piękna. Miała wielkie brązowe oczy i błyszczące brązowe włosy, uczesane elegancko, lecz skromnie. Twarz miała otwartą i szczerą, o wysokich kościach policzkowych i pełnych ustach.

Wygląda na zupełnie normalną osobę, doszła do wniosku Felicity. Z pewnością to nie jest egzotyczna księżna de Valère, żona jednego z najbogatszych i najbardziej tajemniczych książąt w całej Anglii. Tym bardziej tajemniczego, że jego tytuł i pochodzenie były francuskie.

– Nie wyglądam na księżnę, nieprawdaż? – odezwała się kobieta, a serce Felicity zamarło. Czyżby ta kobieta czytała w jej myślach? – Jestem księżną od niedawna, zaledwie od siedmiu miesięcy. Zanim poślubiłam księcia, moja pozycja była taka, jaką będzie pani. Byłam guwernantką.

– Och! – Felicity starała się nie sprawiać wrażenia zaskoczonej, ale przecież nie codziennie książę żeni się z guwernantką. Felicity próbowała sobie wyobrazić, jak by to było poślubić księcia. Być żoną człowieka, do którego należy to wszystko. Rozejrzała się ukradkiem po pokoju z lśniącym drewnianym parkietem, grubymi dywanami, ciężkimi draperiami i kosztownymi dziełami sztuki. Wcale nie była pewna, czy chciałaby być odpowiedzialna za to wszystko.

Z wyjątkiem fortepianu. Ten przyciągał jej spojrzenie. Ile to już czasu minęło, odkąd miała okazję grać na instrumencie tej klasy? Może nigdy nie grała na instrumencie tej klasy, ale stanowczo zbyt dużo czasu upłynęło, odkąd ostatnio w ogóle grała.

– Trochę tego za dużo, prawda?

Felicity spojrzała na księżnę, niepewna, jak zareagować. To był najpiękniejszy pokój, w jakim kiedykolwiek się znalazła, ale za jeden porcelanowy talerz na stoliku niektórzy z jej uboższych sąsiadów w Selborne mogliby się wyżywić przez miesiąc albo i dłużej. Gdyby posiadała choć niewielki ułamek bogactwa widocznego tylko w tym jednym pokoju, nie byłaby teraz tutaj, bez grosza przy duszy, bez domu, z niemal całym dobytkiem spakowanym do małej walizki stojącej przy drzwiach wejściowych.

– To jest piękne.

I jak bardzo świerzbiły ją palce, by usiąść przy fortepianie. Prawie słyszała w myślach muzykę.

– Ale onieśmielające – uśmiechnęła się księżna. – Gdy pierwszy raz weszłam do tego pokoju, byłam tak zdenerwowana, że zwymiotowałam.

Felicity otworzyła szeroko oczy ze zdumienia.

– Och.

– W obecności księcia.

– Och! – Felicity zasłoniła usta dłonią, żeby nie wybuchnąć śmiechem.

– Bardzo dobrze. Chciałam, żeby się pani roześmiała.

Rozległo się pukanie do drzwi i weszła służąca z serwisem do herbaty. Kiedy księżna mówiła, służąca rozstawiła na stoliku piękne porcelanowe filiżanki, nalała herbatę i podała Felicity dużą porcję czegoś, co wyglądało na nieprzyzwoicie pyszne ciasto. Felicity przyjęła ciasto i nabiła na widelczyk spory kawałek. Smakowało wanilią i cynamonem, a kiedy Felicity przełknęła, jej żołądek zaburczał z zadowolenia. Zastanawiała się, czy byłoby bardzo nieuprzejmie poprosić o dokładkę. Zerkając na ciasto, ostrożnie sączyła herbatę. Może dzięki temu ciasto wystarczy na dłużej.

– Chcę, żeby pani wiedziała – kontynuowała księżna – że rozumiem, jakie to wszystko może się wydawać onieśmielające – wskazała ręką salon. – Proszę bez wahania przychodzić do mnie, jeśli będzie pani potrzebowała otuchy lub wsparcia. Obawiam się, że pani zadanie nie będzie łatwe, ale chętnie pomogę w każdy możliwy sposób.

Służąca zniknęła bezszelestnie i Felicity doszła do wniosku, że nadszedł odpowiedni moment, by zadać pytanie.

– Czy może pani powiedzieć mi coś więcej na temat hrabiego de Valère? Jakie będą moje obowiązki jako guwernantki?

Księżna zmarszczyła lekko brwi i Felicity zaczęła się zastanawiać, czy powiedziała coś nie tak.

– Nie powiedziałam, że będzie pani guwernantką. Raczej opiekunką. Hrabia nie potrzebuje już nadzoru.

– Rozumiem.

Felicity najwyraźniej myliła się, wyobrażając sobie, że mały Armand jest aż tak młody. Sądziła jednak, że utytułowani wysyłają swoich synów do Eton, kiedy już nieco podrosną. Ale widocznie obecna księżna jest drugą żoną księcia. A w takim razie chłopiec może być kilkunastolatkiem.

– Rozumiem, że ma pani doświadczenie w edukacji – rzekła księżna. – Pani ciotka, która panią poleciła, mówiła, że uczyła pani w szkole parafialnej niedaleko swojego domu. We wsi Selborne. Czy tak?

– Tak. Mój ojciec był pastorem metodystą i wierzył w edukację ubogich. Zebrał pieniądze na darmową szkołę parafialną, a potem przeznaczył większość własnej pensji, by ją wyposażyć w książki i inne potrzebne rzeczy.

– To godne podziwu. Pani ciotka powiedziała, że niedawno umarł.

Felicity spuściła wzrok, mając nadzieję, że nagłe kłucie pod powiekami nie przerodzi się w potok łez.

24

– Długo chorował.

– A więc to nie było całkiem niespodziewane – głos księżny brzmiał łagodnie i jego czuły ton chwycił Felicity za serce.

– Nie.

Śmierć ojca nie była niespodziewana przynajmniej dla niego. Musiał wiedzieć, jak ciężko jest chory i że zostało mu już niewiele czasu. Ona jednak zawsze sądziła, że ten kaszel minie. To trwało zbyt długo, ale tylko dlatego, że ojciec przemęczał się i nie wypoczywał wystarczająco. Gdyby tylko więcej odpoczywał...

Gdyby powiedział jej, jak poważna jest jego choroba i jakie ma wobec niej plany, ona nie zgodziłaby się pojechać z wizytą do ciotki. Byłaby z nim aż do końca i być może dałoby się uniknąć całej tej sprawy z Charlesem St. Johnem.

Stan ich finansów był żałosny, ale rozwiązanie, jakie wymyślił ojciec, żeby zabezpieczyć jej przyszłość, jeszcze gorsze. Niestety, musiał nie wiedzieć, że Charles St. John sam ma długi, że jest notorycznym pijakiem i hazardzistą. Jak ojciec mógł o tym nie wiedzieć? Charles umiał oszukać każdego. Niewiedzę mogła wybaczyć, ale trudniej było jej się pogodzić z tym, że ojciec podpisał kontrakt zaręczynowy, nawet nie zapytawszy jej o zdanie. Jak mógł oddać własną córkę, jakby była częścią majątku?

Tak oto znalazła się tutaj, w tym bogato zdobionym salonie, i siedziała naprzeciwko księżny, popijając herbatę.

Mimo wszystko życie mogło chyba być gorsze.

Znacznie gorsze.

– Cóż, cieszymy się, że jest pani z nami. Pani ciotka blisko przyjaźni się z kobietą, która jest dla mnie jak matka. Skoro ona panią poleca, wiem, że muszę panią zatrudnić. I to wielkie szczęście dla nas, że mogła pani przybyć tak szybko. Chcielibyśmy, żeby zaczęła pani natych... O co chodzi, Grimsby?

Felicity odwróciła się i ujrzała małomównego lokaja stojącego w drzwiach.

– Wasza Wysokość, pytanie do pani.

– O co chodzi?

– Obawiam się, że to od robotników w pokojach dziecinnych.

– Ach. Czy możesz im powiedzieć, żeby poczekali?

– Tak, Wasza Wysokość – lokaj cofnął się o krok i zatrzymał. – Chociaż mówią, że to raczej pilna sprawa.

Księżna westchnęła głośno i wstała z fotela. Felicity pospiesznie poszła w jej ślady i zauważyła lekkie zaokrąglenie pod lekko opiętą na brzuchu suknią księżny. Księżna była przy nadziei.

– Przepraszam – księżna rozłożyła bezradnie ręce. – Jestem pewna, że to zajmie najwyżej chwilę.

– Oczywiście.

Felicity usiadła z powrotem na sofie i próbowała dopić herbatę. Była bardzo dobra, o wiele lepsza od tej, do której przywykła w domu. Oczywiście ona i ojciec powinni się cieszyć, że mogli pijać herbatę, upomniała sama siebie. Jej ciotka Robbins miała sześcioro dzieci, co dawało osiem osób do wykarmienia, więc herbata była ostatnią rzeczą, jaką przejmowali się kuzyni.

Felicity uśmiechnęła się na myśl o ciotce, wuju i ich wielkiej, szczęśliwej rodzinie. Gdy umarł ojciec Felicity, ciotka zaproponowała jej miejsce u siebie, ale Felicity nie chciała być dla nich ciężarem. A potem, kiedy pojawił się Charles, wymachując tym kontraktem, jej możliwości stały się jeszcze bardziej ograniczone. Tylko pieniądze mogły sprawić, że on i ten wstrętny dokument znikną. Och, mogła odmówić poślubienia go, ale wtedy byłaby w jeszcze gorszej sytuacji niż teraz. Z czego by żyła? Żaden godny szacunku mężczyzna nie poślubiłby tak skompromitowanej kobiety. A kto zatrudniłby kogoś o takiej reputacji? Ciotka, widząc tragiczną sytuację Felicity, pomogła jej zdobyć tę posadę.

Felicity rozejrzała się jeszcze raz, podziwiając salon. Kto by pomyślał, że znajdzie się w takim miejscu?

Jej wzrok spoczął na jednym z imponujących obrazów. Przesunęła dłonią po kosztownym obiciu sofy, ale tak naprawdę najbardziej pragnęła zagrać na tym pięknym fortepianie. I tak się złożyło, że została całkiem sama. A instrument tylko czekał, żeby na nim zagrać.

Przechyliła się, żeby lepiej go widzieć. Był wspaniały. Stanowczo znacznie lepszy niż cokolwiek, na czym miała okazję grać. O wiele lepszy niż ten, na którym się uczyła – stary fortepian, który należał kiedyś do jej matki.

Jej matka też uczyła. Dawno temu. Teraz nie było już ani matki, ani tamtego fortepianu. Matka umarła na suchoty, a fortepian został sprzedany przed dwoma laty dla spłacenia jakiegoś długu.

Zegar na kominku odmierzał kolejne minuty, a księżna wciąż nie wracała. Im dłużej Felicity patrzyła na fortepian, tym bardziej swędziały ją palce.

Przecież to nikomu nie zaszkodzi, jeśli obejrzy go troszkę dokładniej.

Wstała, zerkając to na drzwi salonu, to na fortepian. A gdy była tuż przy nim, musnęła palcami struny i uniesioną pokrywę. Drewno było gładkie i chłodne w dotyku. Kiedy cofnęła palce, nie został na nich nawet najmniejszy pyłek.

Ostrożnie okrążyła instrument, podziwiając go, ale równocześnie uważnie obserwując drzwi salonu. Nie przypuszczała, żeby księżna miała coś przeciwko temu, że tylko popatrzy na instrument.

Ale zagrać... cóż, to zupełnie inna sprawa, pomyślała Felicity, siadając na pluszowym taborecie przed rzędem czarnych i białych klawiszy. Granie na cudzym instrumencie bez zapytania o pozwolenie uważano za niegrzeczne.

Felicity pogładziła klawisze, dotykając jednego po drugim. W myślach słyszała dźwięk, jaki wydawał każdy z nich, i tak, nie naciskając klawiszy, zaczęła grać swoją ulubioną sonatę. Nie była nawet pewna, jaki tytuł ma ten utwór. Było to coś, co lubiła grać jej matka, i czego Felicity od dawna nie słyszała.

Delikatnie zwiększyła nacisk na klawisze, aż muzyka zabrzmiała niewiele głośniej, niż brzmiał w jej uszach wytwór wyobraźni. Naciskała leciutko, głusząc tony, które słyszała, lecz to nie miało znaczenia. Muzyka była piękna.

Zamknęła oczy i wyobraziła sobie dłonie matki na zużytych klawiszach instrumentu w domu. Wyobraziła sobie twarz pochłoniętej grą matki.

Tu następował trudny fragment. Matka zmarszczyła brwi w skupieniu.

A teraz żywszy. Matka uśmiechała się, a jej palce zdawały się płynąć po klawiszach.

Palce Felicity także zdawały się płynąć po klawiszach. Niejasno zdawała sobie sprawę, że teraz gra już całkiem głośno. Zdawała sobie sprawę, ale już się tym nie przejmowała. Nawet jeśli dostanie burę, będzie to niczym wobec piękna muzyki. Nie potrafiła myśleć o niczym innym. Nuty usidliły ją i zniewoliły. Musiała dokończyć tę sonatę. Nie mogłaby oddychać, gdyby nie usłyszała następnej nuty, a potem kolejnej.

Grała z zamkniętymi oczami. Znała tę sonatę tak dobrze, że nie musiała patrzeć na śmigające palce. I mimo wszystko ani razu się nie pomyliła. Kiedy raz usłyszała jakiś utwór, rzadko zdarzało jej się pomylić.

I nagle, gdy sonata niemal dobiegła końca, doznała wrażenia ukłucia. Otworzyła oczy i spojrzała prosto przed siebie.

Jakiś mężczyzna patrzył na nią. Stał tuż przy drzwiach do salonu, z opuszczonymi wzdłuż boków zaciśniętymi w pięści rękoma. Jego koszula i spodnie były najnowszej mody, ale nie nosił kamizelki ani fraka, a koszulę miał rozpiętą pod szyją. Co jeszcze bardziej zaskakujące, był bez butów i skarpetek. Ubranie miał czyste i schludne, lecz włosy w nieładzie, długie i niczym niezwiązane. Brązowe, opadające na ramiona loki były jednak czyste.

Ale to jego oczy sprawiły, że palce Felicity znieruchomiały. Były to najbardziej niebieskie oczy, jakie kiedykolwiek widziała, osłonięte długimi, gęstymi rzęsami i ciemnymi brwiami. W jego oczach było coś, co przyprawiło ją o dreszcz.

Lecz nie dreszcz strachu, chociaż mężczyzna ów był wysoki i na tyle potężnie zbudowany, że mógł stanowić zagrożenie, gdyby tylko zechciał.

Wstrząsnęło nią, gdy uświadomiła sobie, że ten mężczyzna kocha muzykę tak samo jak ona. Felicity czytała to z jego twarzy, z jego oczu. A widząc odzwierciedlenie własnej pasji, zamarła.

Muzyka ucichła i w salonie zapanowała cisza.

Felicity patrzyła na mężczyznę, a on patrzył na nią.

I wtedy zaczął wyć.

3

Armand wiedział, że ten dźwięk przestraszył dziewczynę, ale wydobył się z niego, zanim zdążył nad sobą zapanować. Był wściekły z powodu niespodziewanej ciszy.

Siedział w bibliotece brata, patrząc przez francuskie okno na ogród, kiedy rozległa się muzyka. Lubił ogród – świeże powietrze i otwartą przestrzeń. Często w nim pracował, pielęgnując krzewy lub kwiaty, lecz dzisiaj tylko patrzył, wyobrażając sobie, że jest poza miastem. Wolny od ograniczeń murów. Wolny od ograniczeń własnego umysłu. Musiał się skupić, by powstrzymać napływające obrazy.

Początkowo muzyka była cicha i pomyślał, że dobiega z sąsiedniego domu. Lecz stopniowo stawała się coraz głośniejsza, a wtedy Armand wstał i wyszedł z biblioteki do holu.

Musiał znaleźć źródło tego dźwięku i albo go powstrzymać, albo upewnić się, że będzie trwał. Stał pośrodku czarno-białego marmurowego holu i starał się sobie wyobrazić wszystkie pokoje w domu. Przywoływał w myślach obraz instrumentu, który wydaje te dźwięki, i próbował sobie przypomnieć, czy widział taki instrument w tym domu. Gdyby się postarał, mógłby sobie przypomnieć jego nazwę, ale słowa mogły być niebezpieczne. Jednak dźwięk był czymś znajomym.

W końcu w jego myślach rozbłysnął obraz salonu i stojącego w nim instrumentu. W jednej chwili był na schodach i przeskakiwał po dwa stopnie. Gdy dotarł do drzwi salonu, zatrzymał się.

Co będzie, jeśli otworzy drzwi, a muzyka ucichnie? Jeśli to wcale nie jest muzyka, tylko wytwór jego wyobraźni?

To zdarzało się już wcześniej. W więzieniu samotność powodowała bardzo realistyczne iluzje. Słyszał głosy, muzykę, widział nawet obrazy, które – mógłby przysiąc na własne życie – były prawdziwe. Ale kiedy próbował podejść bliżej, dotknąć, znikały, zamieniając się w zatęchłą celę.

Co będzie, jeśli ta muzyka także zniknie?

Armand stał z ręką na drzwiach i rozmyślał. Pokojówka, ścierająca w pobliżu kurze, obserwowała go. Zorientował się po tym, jak zdenerwowana odwróciła wzrok, gdy na nią spojrzał. Chciał spytać, czy ona także słyszy muzykę, lecz nie potrafił.

Za drzwiami muzyka rozbrzmiewała coraz głośniej i Armand nie mógł czekać już ani chwili dłużej. Przekręcił klamkę i wszedł do środka. Ku jego zaskoczeniu, muzyka nadal brzmiała. Teraz już widział, skąd dobiegała – jakaś kobieta siedziała przy instrumencie, który zobaczył w myślach. Miała…

Żółte. Żółte włosy.

To nie było odpowiednie słowo na określenie tego koloru, ale im mniej myślał o słowach, tym lepiej. Nie mógł ryzykować mówienia. Nie przeżyłby kolejnego pobytu w więzieniu – ciemności, smrodu, doprowadzającej do szaleństwa samotności. Prędzej by umarł.

Kobieta przed nim grała teraz gwałtownie, pochylając się nad klawiszami i kołysząc z boku na bok. Oczy miała zamknięte i nie widziała, jak wszedł.

Patrząc na nią, Armand zaczął oddychać wolniej, a jego myśli się skoncentrowały. Prawie jakby patrzył w ogień. Jakie to słowo? Oczarowanie? Ale nie tylko muzyka przykuła jego uwagę.

Ta kobieta. Nie mógł od niej oderwać wzroku.

Czy wszystkie kobiety mają policzki tak gładkie albo szyje tak długie? Nigdy wcześniej tego nie zauważył. A jej żółte włosy? Podobał mu się sposób, w jaki promienie słońca, zdało się, w nie wtapiały.

Wtedy otworzyła oczy. Były niebieskie – dokładnie w kolorze błękitu nieba, jaki wyobrażał sobie przez wszystkie te lata, kiedy tkwił w więzieniu. Zawsze wiedział, że niebo nie może być tak doskonale błękitne, ale wyobrażając to sobie, mógł nie popaść w szaleństwo. A więc i teraz musiał sobie tylko wyobrazić oczy tej kobiety. Ale nagle ona mrugnęła i wiedział już, że jest prawdziwa.

Wtedy muzyka ucichła. Kobieta zamarła w bezruchu, zaś Armand odczuł brak muzyki jak ból, którego doświadczał, gdy jego ręka uderzała o ścianę. Kobieta patrzyła na niego, a on chciał jej powiedzieć, by grała dalej.

Otworzył usta, by się do niej odezwać, by ją błagać. Nie przestawaj. Więcej muzyki. Więcej poruszania palcami.

Otworzyła szeroko oczy – idealnie błękitne oczy – i odchyliła się do tyłu, a wtedy Armand zdał sobie sprawę, że wyje.

Próbował zacisnąć zęby, ale wycie nie milkło. Fala udręki przetoczyła się przez niego.

Ciszaciszacisza.

W desperacji odwrócił się i uderzył pięścią o drzwi salonu. Rozdzierający ból przerwał wycie, ale było już za późno. Dziewczyna wstała i cofnęła się chwiejnie, starając się odsunąć jak najdalej od niego.

Armand tak bardzo pragnął móc zacząć wszystko od nowa. Nie chciał jej przestraszyć. Czasami zachowywał się jak potwór i nienawidził tego. Nienawidził chwil, kiedy tracił nad sobą kontrolę. Odwrócił się, szukając brata albo kogoś ze służby, kto mógłby uspokoić tę kobietę, ale w pobliżu nie było nikogo. Nawet pokojówka, którą widział wcześniej, uciekła.

Kobieta cofnęła się jeszcze o krok, potykając się o stołek od fortepianu. Upadła na podłogę, a Armand bez namysłu podbiegł do niej. Uniosła rękę i odsunęła się do tyłu.

– Proszę się cofnąć – rozkazała. – Ostrzegam pana...

Przestraszona. Jej oczy wpatrzone w niego. Strach.

Ogarnął go gniew, skoczył naprzód i chwycił ją za rękę. Wrzasnęła, kiedy jej dotknął, i chociaż ten dźwięk był bolesny dla jego uszu, nie puścił. Pokaże jej, że nie zawsze jest potworem. Trzymał ją delikatnie, tak delikatnie, jak kiedyś trzymał oswojonego szczura. Był tak delikatny, że dopiero po chwili uświadomił sobie, że nie miała rękawiczek.

Dotykał jej nagiego ciała.

Skóra zaczęła go palić tam, gdzie stykała się z jej skórą, i spojrzał w jej błękitne jak niebo oczy.

Przestała już wrzeszczeć i teraz patrzyła na niego. Patrzyła to na jego dłoń, to na twarz, i była całkiem spokojna. Gdyby nie czuł jej ciepła, mógłby pomyśleć, że jest posągiem.

Spojrzała na swoją drobną białą dłoń zamkniętą w jego dużej dłoni i Armand podążył za jej wzrokiem. Delikatnie ścisnął dłoń dziewczyny, mając nadzieję, że ten gest doda jej otuchy. Sara i matka często ściskały jego dłoń, dlatego domyślił się, że to ma uspokajać.

Nie zaczęła znowu wrzeszczeć, więc doszedł do wniosku, że jego akcja odniosła sukces.

Ale dziewczyna wciąż leżała na podłodze, toteż Armand cofnął się i lekko ją pociągnął, dając do zrozumienia, że chce pomóc jej wstać. Skinęła głową, jakby zrozumiała, więc pociągnął mocniej.

– Może mnie pan teraz puścić.

Zapomniał, że powinien się skupić, więc słowa przelały się przez niego, nie znacząc zupełnie nic. A potem, kiedy próbował się skoncentrować, jego ciało na to nie pozwoliło. Ona była zbyt blisko; tyle Armand zrozumiał od razu. Tak blisko, że widział ciemną otoczkę jej oczu w kolorze nieba. Czuł jej zapach, który powinien go przytłoczyć. Ale teraz tak się nie stało. Chciał przysunąć się bliżej, wchłonąć go.

Znowu spojrzał jej w oczy i właśnie w chwili, gdy ona spróbowała cofnąć dłoń, on zdał sobie sprawę, że cały czas ją trzyma, cały czas jej dotyka.

I zdał sobie sprawę z czegoś jeszcze: wcale nie czuł bólu.

Jej dotyk nie sprawiał mu bólu!

Zaskoczony, przyciągnął jej dłoń do swojej piersi. Opierała się, ale on był silniejszy i jej dłoń dotknęła materiału jego koszuli tuż pod szyją.

Nadal nie bolało.

To nie miało sensu. Dotyk zawsze sprawiał mu ból.

Dlaczegodlaczegodlaczegodlaczego…?

Wyobraził sobie jej dłoń na swoim ciele i uniósł ją do policzka. Kilka tygodni wcześniej zgolił brodę, którą nosił od lat, i teraz lokaj Juliena golił go co kilka dni. Zrobił to właśnie dziś rano i Armand czuł, że skóra na jego twarzy jest naga i bardzo wrażliwa. Napiął mięśnie, szykując się na przeszywający ból w chwili, gdy jej palce dotkną tej wrażliwej skóry, ale kiedy przycisnął dziewczęcą dłoń do policzka, poczuł tylko ciepło i miękkość. Nigdy nie doznał równie miękkiego dotyku jak dotyk dłoni tej kobiety.

Znowu spojrzał w jej błękitne oczy. Były wielkie i okrągłe, ale nie widział w nich strachu. Zauważył kolor na jej policzkach – nie mógł znaleźć odpowiedniego słowa.

Czerwony. Czerwony na białym.

Zastanawiał się, jaka może być w dotyku skóra o takim kolorze. Skoro jej dłonie są miękkie, twarz musi być jeszcze miększa.

I ledwie to pytanie przyszło mu do głowy, wiedział już, że musi poznać odpowiedź. Jednym szybkim ruchem objął ją w pasie i przyciągnął do siebie. Początkowo stawiała opór; poczuł, jak jej ciało napięło się i zesztywniało. Armand nie chciał jej do niczego przymuszać – nie potrafił sobie nawet wyobrazić, że mógłby zmuszać jakiekolwiek stworzenie do zrobienia czegoś wbrew woli – więc rozluźnił uścisk. Ona sama musi zbliżyć się do niego, w przeciwnym razie ją puści.

Przez myśl przemknął mu obraz tej kobiety odchodzącej stąd. Zacisnął zęby. Ale chociaż ten obraz mu się nie spodobał, był gotów ją uwolnić.

Jednak kiedy rozluźnił uchwyt, ona się nie odsunęła. Patrzyła na niego, a ich twarze dzieliło tylko kilka cali. Czuł teraz na sobie jej ciepło, a jej zapach spowił go niczym jedwabny szlafrok, który podarował mu Julien.

Oddech miała przyspieszony i dotykała go piersią przy każdym zaczerpnięciu powietrza. Wszędzie była miękka, wszędzie zaokrąglona i Armand poczuł silne ukłucie czegoś, czego rzadko doświadczał wcześniej – potrzeby, pragnienia, pożądania. Zamrugała i przechyliła głowę na bok.

– Czego pan chce? – jej głos był teraz cichy i spokojny. Dźwięczał jak dzwonki.

Oprócz tego lekko drżał, podobnie jak jej ciało. Nie spuszczając z niej oczu, Armand znowu przyciągnął ją do siebie i powoli, bardzo powoli przyłożył policzek do jej policzka. Był tak miękki jak się spodziewał – miększy niż futerko jego oswojonego szczura, miększy niż każdy materiał, jaki przychodził mu do głowy. Przez cztery uderzenia serca napawał się dotykiem jej skóry na swojej skórze.

I właśnie wtedy uświadomił sobie jeszcze jedno uczucie – dotyk jej ciała przyciśniętego do jego ciała. Muśnięcie jej przyspieszonego oddechu na swojej szyi. Delikatne uginanie się jej ciała pod naciskiem. Zdawał sobie sprawę, że jej usta od jego ust dzielą zaledwie cale. Wiedział, że gdyby tylko nieznacznie obrócił głowę, mógłby dotknąć wargami jej warg. Nigdy wcześniej nie czuł pokusy, by kogoś lub coś pocałować, ale teraz czuł, że właśnie to musi zrobić.

A równocześnie wiedział, że nie może... wiedział, że trzymając ją w taki sposób, posuwa się za daleko. W tym nowym towarzystwie obowiązywały reguły – reguły, których nie zawsze przestrzegał, ale mimo wszystko reguły. Łamał je często, choć zwykle niechcący, i doskonale wiedział, że jedną z nich łamie właśnie teraz.

Powinien ją puścić. Powinien się odsunąć, pozwolić jej odejść...

– Armand!

Czując się jak niegrzeczne dziecko, Armand odskoczył od tej kobiety i odwrócił się w kierunku drzwi. Zmysły miał wyostrzone, gotów bronić się przed wrogiem, kimkolwiek się okaże. Atakujący zwykle nadchodzili z tyłu. Ale zamiast napastnika zobaczył kobietę swojego brata, z lekko otwartymi ustami. Pokojówka, którą Armand widział wcześniej w holu przed salonem, stała tuż za nią. Nie odwracając się, Sara poleciła jej:

– Proszę, idź po Jego Wysokość. Pospiesz się.

Pokojówka skinęła głową i pobiegła, zaś Sara weszła do pokoju i zamknęła za sobą drzwi. Armand zacisnął pięści. Nienawidził zamkniętych drzwi. Sara spojrzała natychmiast na kobietę o żółtych włosach, która teraz opierała się o instrument, trzymając smukłą jasną dłoń przy policzku tam, gdzie dotknął jej swoim policzkiem. Promienie słońca wpadały przez okno i poruszały się w jej włosach. Wydawało się, że te włosy płoną. Armand musiał się oprzeć pokusie, by znowu do niej podejść.

– Czy coś się pani stało, panno Bennett? – spytała Sara.

Panna Bennett. To musi być jej nazwisko. Zapamiętał je, myśląc, że być może spróbuje powiedzieć je w nocy, kiedy będzie sam w swoim pokoju.

– Nie, nic mi nie jest – odparła panna Bennett tym samym spokojnym głosem. – Ja... nie sądzę, żeby on chciał mi zrobić krzywdę – machnęła dłonią przy twarzy, jakby się wachlowała. Właściwie... nie wiem, co się wydarzyło.

– Może usiądziemy – zaproponowała Sara.

Ale zanim zdążyły dojść do foteli, drzwi otworzyły się z impetem i do środka wpadł Julien. Był w płaszczu i butach do konnej jazdy, włosy miał rozwiane wiatrem.

– Co się dzieje? – szybko obrzucił wzrokiem całą scenę, a kiedy napotkał spojrzenie Armanda, ten zmarszczył brwi. Teraz, bardziej niż kiedykolwiek dotąd, żałował, że nie może swobodnie mówić. Język z każdym dniem stawał się dla niego bardziej zrozumiały. Umiał mówić. Kiedyś mówił kilkoma językami i w kilku językach czytał. Ale potem wszystko się zmieniło. Słowa były zakazane, niebezpieczne. Odsunął od siebie umiejętność mówienia, a jeśli czasami jej pragnął, słowa były niejasne, jakby pływały w mętnej wodzie. Jeśli próbował je chwytać, umykały mu. A może to on sam pozwalał, by mu umykały?

– Weszłam tu – mówiła Sara – a Armand trzymał w objęciach pannę Bennett.

Julien błyskawicznie odwrócił się do kobiety o żółtych włosach.

– Zaatakował panią? Dobrze się pani czuje?

– Tak, to znaczy nie. Chcę powiedzieć, że nie, nie zaatakował mnie, i tak, czuję się dobrze.

– Co się wydarzyło?

Przez chwilę się nie odzywała, a potem spojrzenia jej i Armanda się spotkały. Armand wiedział, że padło ważne pytanie, a teraz ona zastanawia się nad odpowiedzią. Odwrócił wzrok, pewien, że cokolwiek ona odpowie, za kilka chwil zostanie odprawiona i już nigdy więcej jej nie zobaczy.

I może tak byłoby najlepiej. Nie potrafił przewidzieć swojej reakcji, jeśli ona znowu zagra tę muzykę.

– Sądzę, że na tym dżentelmenie – Armand odwrócił się i zobaczył, że kobieta wskazuje na niego – ogromne wrażenie wywarła muzyka, którą grałam.

Próbował się skupić tak usilnie, że aż rozbolała go głowa. Jakieś narzędzie... młotek... dudni mu w czaszce, ale bardzo chciał słuchać, rozumieć.

– Muzyka? – powtórzyła Sara, marszcząc brwi. Podeszła bliżej do Juliena, co nie zaskoczyło Armanda. Jak dotąd nie widział, by znajdując się w tym samym pokoju, nie byli blisko siebie, i zwykle się wtedy dotykali. – Jaka muzyka?

Policzki dziewczyny nabrały intensywniejszych kolorów, z jasnoróżowego przybrały odcień ciemniejszej czerwieni.

– Przepraszam. Zagrałam na fortepianie. Nie grałam od kilku miesięcy i obawiam się, że trochę mnie poniosło. A gdy otworzyłam oczy, on stał w drzwiach. Wyraz jego twarzy... – zamilkła i znowu na niego zerknęła. – Nie wiem, jak to opisać, ale myślę, że podobała mu się muzyka. Niestety, kiedy go zobaczyłam, przestraszyłam się i przestałam grać. To właśnie wtedy zaczął... hm...

– Wyć? – podpowiedział Julien.

Skinęła głową.

– Byłam zaskoczona, cofnęłam się i potknęłam o skraj sukni. Upadłam. Wtedy on pomógł mi wstać i potem... – przygryzła wargę, a Armand zauważył, że kolor jej policzków staje się ciemniejszy. Zastanawiał się, jak bardzo jeszcze może pociemnieć.

– ...wziął mnie za rękę i wtedy... – wsunęła sobie za ucho kosmyk żółtych włosów. – Przyłożył moją dłoń do swojego policzka.

– Dotknął pani? – spytał Julien. – Dobrowolnie?

Słowasłowasłowasłowa.

Niektóre znał, innych nie. Armand wiedział, że znowu rozmawiają o nim. Nienawidził tego, nie podobało mu się, że robią to w jej obecności. Rozważał możliwość demonstracyjnego wyjścia z salonu, ale to oznaczałoby opuszczenie panny Bennett. Chciał jeszcze raz usłyszeć jej głos, przekonać się, czy jej policzki staną się jeszcze ciemniejsze. Nie potrafił oderwać od niej wzroku.

– Tak, on... – spojrzała na Sarę. – Gdy pani weszła, przyciągnął mnie do siebie. Myślę, że po to, by dotknąć policzkiem mojego policzka.

Sara pokręciła głową.

– Chciał pani dotknąć?

– Tak sądzę – spuściła wzrok, najwyraźniej speszona.

Armand znowu zapragnął podejść do niej, tym razem po to, by ją chronić.

Lecz teraz Julien i Sara patrzyli na niego. Niech to diabli. Oczywiście, miał rację co do złamania reguł. Taki właśnie wyraz często pojawiał się na ich twarzach, kiedy złamał którąś regułę.

– Zabiorę go na dół – powiedział Julien. – Armandzie, idziemy.

Armand zacisnął pięści. Pójdzie, kiedy zechce. Jeżeli zechce. Nie zwykł przyjmować rozkazów. W salonie rozległo się westchnienie.

– Ten mężczyzna to Armand? – usłyszał jej pytanie, lecz tym razem jej głos nie brzmiał lekko ani spokojnie. Był poważny i słyszało się w nim niedowierzanie.

– Tak – odparła Sara. – Jeśli da mi pani chwilę, wszystko wytłumaczę.

Lecz Armand nie czekał, by usłyszeć cokolwiek więcej, choć niewiele z tego wszystkiego rozumiał. Zrozumiał ton jej głosu i to sprawiło, że przypomniał sobie, kim jest. Czym jest w jej oczach – odrażającym, ohydnym potworem.

Odepchnął brata, mijając go, i dostojnym krokiem wyszedł z salonu.

4

Wszystko pani wyjaśnię – powiedziała księżna, unosząc rękę. – Nie ma powodu do obaw.

Felicity wpatrywała się, nie zwracając na nią uwagi, w drzwi salonu, za którymi zniknął tamten człowiek. Ten mężczyzna to był Armand? Ten mężczyzna to był jej podopieczny? Wyobrażała sobie małego chłopca, słodkiego i nieśmiałego, a nie dorosłego mężczyznę o orzechowych włosach i kobaltowych oczach. Nie mężczyznę, który był wyższy od niej, silniejszy i – czy odważy się do tego przyznać? – który sprawił, że jej serce zaczęło bić szybciej.

Książę zaklął i wyszedł w ślad za bratem. Felicity zerknęła na księżnę.

– Wcale się nie bałam.

Och nie, nic podobnego. Chociaż może byłoby lepiej, gdyby się bała.

Księżna spojrzała na nią ze zdumieniem.

– Nie bała się pani?

– Przyznaję, że w pierwszej chwili byłam zaskoczona, ale widziałam, że on nie chce mnie skrzywdzić. Był po prostu... – wykonała nieokreślony gest, nie umiejąc nazwać emocji, które dostrzegła na jego twarzy. – Był poruszony muzyką. Oczarowany nią.

Księżna skinęła głową z roztargnieniem.

– Muzyka. Tak. Nie wiem, jak mogliśmy nie pomyśleć o tym wcześniej – postukiwała palcem w podbródek i nagle spojrzała badawczo na Felicity. – A pani umie grać na fortepianie?

– Tak. Przepraszam, że sama najpierw nie powiedziałam o tym. Zobaczyłam instrument i odczułam nieodpartą pokusę. Tak dawno nie miałam okazji grać.

– Nic nie szkodzi. A teraz, kiedy widzieliśmy reakcję Armanda, ta umiejętność przemawiałaby na pani korzyść. Ale nie przypuszczam, żeby pani nadal była zainteresowana posadą?

Felicity pobladła.

– Wasza Wysokość, zakładałam, że szuka pani guwernantki. Ten... mężczyzna... z pewnością nie potrzebuje guwernantki.

Księżna westchnęła.

– Ale potrzebuje opiekunki. Proszę, czy zechciałaby pani usiąść i dokończyć herbatę? – Księżna wskazała sofę, na której Felicity siedziała wcześniej, i nie czekając, sama zajęła miejsce na fotelu.

Felicity nie miała innego wyjścia, jak tylko pójść za sugestią księżny. Nawet ktoś, kto nie przywiązuje większej wagi do tytułów i pochodzenia, nie odmawia księżnej. Wystarczyło spojrzeć na wystrój salonu albo wyjrzeć przez okna wychodzące na Berkeley Square, żeby wiedzieć, że ta rodzina jest bogata i wpływowa i że nie należy jej lekceważyć.

Podchodząc do sofy, Felicity zerknęła przez jedno z wielkich okien na spokojny plac. Usiadła i poprawiła suknię. Nie sięgnęła jednak po filiżankę ani po następny kawałek ciasta, chociaż gardło miała wyschnięte, a żołądek skręcał się z głodu. Teraz nie potrzebowała niczego oprócz czasu, by pomyśleć o posadzie guwernantki, która nie była posadą guwernantki, i o mężczyźnie, który wcale nie był chłopcem, jakiego sobie wyobrażała.

Felicity przygryzła wargę. Prawdę mówiąc, będzie potrzebowała więcej czasu na myślenie o tym mężczyźnie niż o posadzie.

– Miałam nadzieję opowiedzieć o Armandzie, zanim go pani pozna – powiedziała księżna, unosząc filiżankę z herbatą i delikatnie pociągając łyczek. – Jest bratem mojego męża. Spotkali się dopiero niedawno, a wcześniej nie widzieli się przez dwanaście lat. Rozdzielono ich w czasie rewolucji francuskiej. Ich rodowy zamek został zaatakowany przez zbuntowane chłopstwo, ale chłopcom udało się uciec. Mój mąż i jego matka, księżna wdowa de Valère, która także tutaj mieszka, uciekli razem. Żaden z braci nie wiedział, że ten drugi żyje. Prawdę mówiąc, był jeszcze trzeci brat, bliźniak Armanda, lecz do dzisiaj nie wiemy, czy przeżył atak na zamek. Niestety, ojciec chłopców, książę de Valère, został zgilotynowany w Paryżu krótko po napaści na zamek, więc nie ma wątpliwości co do jego losu.

Choć Felicity miała ogromną ochotę uciec, ta historia nieoczekiwanie ją wciągnęła. Napaść na rodzinny dom. Bracia rozdzieleni w dzieciństwie, znowu razem jako dorośli. Ich biedna matka.

– Jakie to szczęście, że bracia się spotkali.

– To prawda, ale okoliczności były raczej tragiczne. Mój mąż odnalazł Armanda… chyba powinnam nazywać go hrabią de Valère… gnijącego w celi paryskiego więzienia, zaledwie przed kilkoma miesiącami. Przebywał tam, zapomniany przez wszystkich… cóż, sama nie wiem, jak długo. Być może dwanaście lat. Widzi pani, kiedy uratowaliśmy hrabiego, on nie umiał mówić.

– Ale może wydawać dźwięki. Nie jest niemy. – Felicity w końcu złamała się i sięgnęła po filiżankę. Wydawało się jej, że od nalania herbaty minęło wiele godzin, ale herbata wciąż była ciepła.

– Nie. Jest w stanie mówić. Mąż zapewnia mnie, że przed atakiem hrabia mówił i czytał w kilku językach, między innymi po francusku i angielsku. Ale nie słyszeliśmy, żeby przemówił, odkąd wydobyliśmy go z więzienia. Myślę, że jeśli tego chce, może rozumieć nasze rozmowy. I sądzę, że może mówić, chociaż z jakiegoś powodu nie chce. Potrzebujemy kogoś, kto w łagodny sposób nakłoni go do mówienia.

Felicity ostrożnie odstawiła filiżankę na spodek.

– Nakłoni do mówienia?

– To nie wszystko – dodała pospiesznie księżna. – On wymaga też lekcji dobrych manier i etykiety. Pani ciotka powiedziała, że w Hampshire prowadziła pani coś w rodzaju pensji dla dziewcząt. Mieliśmy nadzieję, że umiejętności, których pani nauczała, mogłyby być użyteczne również dla Armanda... hrabiego. Jak pani sama widziała, zapomniał wielu zasad obowiązujących w społeczeństwie.

Felicity przełknęła ślinę. Czuła się tak, jakby piękny salon zamykał się wokół niej. To nie był mały chłopiec. To był mężczyzna. Jak mogła nakłonić dorosłego człowieka do mówienia, jeśli on sam tego nie chciał? I jak mogła nauczyć go dobrych manier? To prawda, że uczyła kilka dziewczynek ze wsi etykiety, ale powiedzieć, że prowadziła pensję, byłoby grubą przesadą. Niech Bóg błogosławi ciotkę. Najwyraźniej chciała pomóc siostrzenicy, ale teraz Felicity musiała wyjawić prawdę.

– Szczerze mówiąc – zaczęła – nie nazwałabym tego pensją.

– Cóż, to była katastrofa – powiedział książę, wkraczając energicznie do salonu.

Księżna natychmiast odwróciła się do niego i Felicity urwała w pół zdania.

– Nie mogę zrozumieć, co w niego wstąpiło. Ja... – napotkał spojrzenie Felicity. – Och, pani jeszcze tu jest.

Uśmiechnęła się blado, obserwując, jak patrzy pytająco na żonę. Książę był bardzo podobny do brata, co nie dziwiło. Obaj mieli ciemne włosy i niebieskie oczy. Obaj byli wysocy i długonodzy, lecz książę wydawał się bardziej zadbany, schludniejszy. Nosił frak, fular i... buty. Hrabia, mimo lat spędzonych w więzieniu – a może właśnie dlatego – był większy i potężniej zbudowany. A jego oczy – pełne pasji, dzikie oczy – miały ciemniejszy, kobaltowy odcień i były tajemnicze. W odróżnieniu od starannie ułożonej fryzury księcia, włosy hrabiego były długie i niesforne. Zastanawiała się, czy strzygł je od wyjścia z więzienia.

– Oczywiście, że tu jest – odparła księżna, wstając z fotela. – Zatrudniłam ją, by uczyła Armanda.

– Co takiego? – książę spoglądał to na żonę, to na Felicity. – Czy naprawdę sądzisz, że to roztropne?

Księżna odwróciła się do niego i przez moment Felicity miała wrażenie, jakby oboje zapomnieli o jej obecności.

– Julien, od miesięcy pracujemy z Armandem. Próbowaliśmy już wszystkiego, lecz do niego nic nie dociera. Ale pojawia się ta młoda dama i po kilku chwilach jej gry na fortepianie Armand reaguje. W ciągu dziesięciu minut udało się jej osiągnąć więcej niż nam przez setki godzin.

– Więc zatrudnijmy kogoś, kto będzie dla niego grał. Do diabła, sprowadzę mu cały kwartet smyczkowy, jeśli to ma pomóc.

– Mamy kogoś, kto może dla niego grać – powiedziała ciszej księżna. – Panna Bennett jest doświadczoną pianistką i nauczycielką. To dokładnie taka osoba, jakiej szukamy.

Teraz książę przez chwilę przyglądał się uważnie Felicity. Uśmiechnęła się nerwowo, czując, że chyba nadszedł czas, by wspomnieć, że wcale nie jest aż tak doświadczona, jak mogliby sądzić.

– Prawdę mówiąc... – zaczęła jeszcze raz.

– Nie podoba mi się to – rzekł książę, patrząc ponownie na żonę. Najwyraźniej naprawdę zapomnieli o jej obecności. – Nie ufam Armandowi. Nie sądzę, żeby ona była przy nim bezpieczna.

– Dobrze, więc niech przez cały czas towarzyszy im przyzwoitka. Mogę z nimi siedzieć ja albo twoja matka, albo ktoś ze służby. Ale mówiąc najzupełniej szczerze, ja się nie obawiam. Dziesiątki razy byłam sam na sam z Armandem i nigdy nie zachował się niestosownie. Ani nikt ze służby nigdy nie skarżył się na jego niestosowne zachowanie.

– A jednak dzisiaj weszłaś tutaj, a on trzymał pannę Bennett w objęciach.

Felicity znowu poczuła, że pieką ją policzki. Nie dało się zaprzeczyć prawdziwości słów księcia. Zachowanie hrabiego w stosunku do niej było jak najbardziej dalekie od stosownego.

Księżna machnęła ręką.

– To muzyka, którą słyszał, tak na niego wpłynęła. Może był zaskoczony widokiem pięknej dziewczyny. Nie wiem, ale co do jednego nie mam wątpliwości: Armand z własnej woli ją dotknął. Może to nie było całkiem stosowne, ale jest jakiś postęp.

– Postęp w jakim kierunku? – spytał ponuro książę.

– Wyzdrowienia. I nie marszcz się tak – dotknęła lekko linii między jego brwiami. – Panna Bennett będzie całkowicie bezpieczna. Tak jak mówiłam, cały czas będzie z nimi przyzwoitka.

– Sam nie wiem...

– Cóż, ale panna Bennett wie. Nie boi się pani, prawda, panno Bennett? – zwróciła się do niej i Felicity widziała, że księżna czeka, by powtórzyła swoją wcześniejszą deklarację. Całkiem łatwo byłoby ją powtórzyć. Nie bała się hrabiego. Być może powinna, ale w jego oczach czytała, że nie zamierza jej skrzywdzić. Wytrącił ją z równowagi, pozbawił tchu, ale nie przeraził.

Otworzyła usta, żeby to powiedzieć, ale wtedy zdała sobie sprawę, że jeśli potwierdzi słowa księżny, będzie to oznaczało przyjęcie posady opiekunki hrabiego. Wprawdzie nie bała się go, ale nie potrafiła sobie wyobrazić spędzania całych godzin w jego towarzystwie i nakłaniania go do mówienia. Nie miała pojęcia, jak zabrać się do takich lekcji!

Nie, powinna powiedzieć księżnej, że się boi albo że nie przyjmuje posady. A wtedy...

Felicity milczała.

Właśnie. A wtedy... co?

Dokąd pójdzie? Co zrobi? Poślubi Charlesa? Och, wolałaby raczej uczyć manier wszystkich pensjonariuszy więzienia Bedlam, niż wyjść za Charlesa St. Johna. A jedynym sposobem, żeby się go pozbyć, były pieniądze. Ta posada – choć dziwaczna – może jej dać pieniądze.

Felicity jeszcze raz spojrzała na księżnę i księcia. Być może ta praca nie jest dokładnie tym, czego się spodziewała, ale ojciec często mawiał, że Bóg ma swoje plany. Może boży plan jest właśnie taki. A jaką inną posadę mogłaby znaleźć w krótkim czasie? Charles chciał pieniędzy przed końcem roku – zostały tylko dwa miesiące.

Ale czy naprawdę jest w stanie pomóc hrabiemu? Jak można ponownie nauczyć mówić, nauczyć żyć człowieka, który był uwięziony przez dwanaście lat? Co znaczą towarzyskie konwenanse dla kogoś, kto tyle wycierpiał?

– Nic nie szkodzi, panno Bennett – odezwał się książę, przerywając długą ciszę. – Nie musi pani przyjmować tej posady. Zwrócimy pani koszty podróży...

– Chcę zostać – powiedziała pospiesznie Felicity, czując, że nie ma innego wyjścia. Potrzebowała tej pracy.

– Och, to cudownie! – zawołała księżna, klaszcząc w dłonie.

– Jest pani pewna? – spytał książę, patrząc na nią z powątpiewaniem.

– Najzupełniej – odparła Felicity i energicznie skinęła głową. W duchu mówiła sobie, że nie powinna być aż tak pewna. Przerażała ją myśl, że może ponieść całkowitą klęskę. Ale musi spróbować. Musi jej się udać.

– A więc doskonale – rzekła księżna. – Co pani powie na to, żeby zacząć od jutra?

– Oczywiście. Tuż po śniadaniu.

Perspektywa zobaczenia tego dzikiego, przystojnego hrabiego sprawiła, że serce zaczęło jej bić nieco szybciej, ale Felicity starała się opanować podniecenie. Jest tu przecież jako profesjonalistka. To nie miejsce, by durzyć się w kimś jak pensjonarka. Tym razem jest nauczycielką.

W każdym razie dopóki państwo de Valère nie zorientują się, jak bardzo nie nadaje się na to stanowisko.

Kilka godzin później Felicity siedziała przy małej toaletce w swoim pokoju i patrzyła na swe odbicie w lustrze. Serce biło jej szybciej ze zdenerwowania. Księżna i gospodyni pokazały jej dom i ogród, po czym przyprowadziły tutaj. Felicity spodziewała się małej klitki odpowiedniej dla służącej, ale ten pokój był przyzwoitej wielkości i pięknie umeblowany.

Stały w nim niewielkie łóżko z mosiężnym zagłówkiem, bieliźniarka i ta śliczna toaletka. Drewno było jasnobrązowe i złociste, doskonale pasowało do ścian wyłożonych tapetą z prostym żółtym motywem. Na oknach wisiały białe zasłony w żółte pasy, kapę na łóżko uszyto z białej satyny. W kominku wesoło płonął ogień, na stoliku przy łóżku stał wazon stokrotek (skąd się wzięły?), a cały pokój sprawiał wrażenie wygodnego i przytulnego. Był to chyba najładniejszy pokój, w jakim Felicity kiedykolwiek mieszkała, a z całą pewnością najweselszy. Wstała, podeszła do okna i wyjrzała na niewielki ogród za domem. Była zima i nie zostało wiele zieleni, lecz śnieg nie przykrywał ziemi. Jak dotąd zima była łagodna, lecz Felicity czuła chłód bijący od szyby. Niebo stawało się coraz ciemniejsze, cienie w ogrodzie się wydłużały. Zmrużyła oczy, kiedy zauważyła wśród cieni coś jeszcze.

Charles? Serce w piersi jej zamarło. Proszę, nie...

Felicity przysunęła się bliżej okna i wytężając wzrok, wpatrywała w niewielką furtkę w głębi ogrodu. Na jej oczach furtka się uchyliła i w ogrodzie ukazały się dwie sylwetki. Jedną był duży mężczyzna, wysoki i potężnie zbudowany, o rękach wielkości szynek. Drugą było dziecko; w każdym razie tak pomyślała w pierwszej chwili. Potem jednak postać weszła w smugę światła z domu i Felicity zobaczyła, że to wcale nie jest dziecko. Mężczyzna był niskiego wzrostu i wydawał się pomarszczony i sękaty.

Obaj mężczyźni, skradając się, szli przez ogród, a Felicity zdała sobie sprawę, że wstrzymuje oddech. Co zamierzają zrobić? Włamać się do domu? Może powinna kogoś zawiadomić?

Obaj mężczyźni szli dalej, aż w końcu uklękli przy klombie obok domu. Na klombie nie było widać niemal żadnych roślin, ale mężczyźni wyjęli gracki i zaczęli pielić.

Felicity pokręciła głową i wróciła do toaletki. Przecież wyszłaby na idiotkę, gdyby powiedziała księciu i księżnej, że wzięła ogrodników za włamywaczy. Powinna przestać myśleć o głupotach i zacząć się szykować do zejścia na kolację.

Księżna zaprosiła Felicity, by zjadła kolację z rodziną, co ogromnie ją zaskoczyło. Przypuszczała, że będzie jadać raczej ze starszą służbą. Teraz podeszła do bieliźniarki, w której umieściła cały swój dobytek, otworzyła ciężką szufladę i przyglądała się pustym półkom. Jej błękitny płaszcz, starannie złożony, leżał na jednej z półek, podobnie jak dzienna sukienka, którą zamierzała włożyć jutro. Drugą półkę zajmowała bielizna – koszulka, nocna koszula i para pończoch. Na trzeciej półce położyła nuty.

Marszcząc brwi, przyjrzała się im, a następnie białej muślinowej sukni, którą miała na sobie. Wiedziała, że powinna zabrać ze sobą ubranie na zmianę. Miała na sobie dzienną suknię, zupełnie nieodpowiednią na kolację z księciem i księżną. Bez biżuterii wyglądała bardzo prosto i strasznie skromnie. Miałaby ogromne szczęście, gdyby reszta jej bagażu dotarła przed kolacją, ale przypuszczała, że może to potrwać jeszcze co najmniej jeden dzień.

Z westchnieniem podeszła do drzwi, zatrzymując się na chwilę przy nocnym stoliku, żeby zerknąć na portret ojca stojący obok wazonu z kwiatami. Pomyślała z roztargnieniem, ile księżna mogła zapłacić za świeże o tej porze roku, i ta myśl przypomniała jej o ogrodzie.

Zaciekawiona, co też zdążyli zrobić ogrodnicy na grządce, Felicity odsunęła z okna zasłony i spojrzała w dół. Ogród był pusty, ale na tyle już ciemny, że nie dało się zauważyć jakichkolwiek zmian w krajobrazie. Cienie się bardzo wydłużyły, w miarę zapadania zmierzchu, dlatego Felicity przypuszczała, że ogrodnicy zakończyli pracę. Już miała zasunąć z powrotem zasłony, kiedy jakieś przeczucie kazało jej spojrzeć w stronę furtki, którą wcześniej otwarli mężczyźni.

Napotkała wzrok małego, sękatego człowieczka. Na jego twarzy malowało się zaskoczenie i Felicity zrozumiała, że musiał obserwować dom i przypadkowo zauważył ją w oknie. Miał twarde spojrzenie i zacięty wyraz twarzy. Felicity wstrzymała oddech i opuściła zasłony.

Ale natychmiast je uniosła. Dlaczego to ona miałaby się chować? Nie robiła nic złego. Z drugiej strony, tamten człowiek wcale nie wyglądał na ogrodnika. Może więc jej obawy co do włamania nie były całkiem bezpodstawne.

Felicity wpatrywała się w narastającą ciemność, ale tamten człowiek już zniknął. Czy po prostu wyobraziła go sobie przy furtce, czy uciekł tak szybko?

Westchnęła, znowu opuściła zasłony i przetarła oczy. Zapewne była przemęczona. Podróż z Hampshire do Londynu trwała bardzo długo, a spotkanie z hrabią okazało się wstrząsające. Niewątpliwie solidny sen w nocy pomoże jej się uwolnić od tajemniczych cieni i widmowych ogrodników.

Jeszcze raz wygładziła suknię, otworzyła drzwi swojego pokoju i ruszyła w kierunku jadalni. Miała nadzieję, że zapamiętała drogę. Jej pokój znajdował się w głębi domu, na drugim piętrze. Na tym samym piętrze sypiała rodzina i, mijając kolejne pokoje, Felicity zastanawiała się, kto może mieszkać za zamkniętymi drzwiami. Pomyślała też o tym, jak blisko jej pokoju może się znajdować sypialnia hrabiego.

Gruby chodnik leżący na wypolerowanej drewnianej podłodze tłumił odgłos jej kroków i wydawał szeleszczący dźwięk pod pantoflami. Świece w kinkietach na ścianie migotały, kiedy obok nich przechodziła, co sprawiało wrażenie, jakby obrazy na ścianach tańczyły i falowały. Idąc, Felicity przyglądała się każdemu z nich. Nie było tam żadnych rodzinnych portretów, a jedynie krajobrazy i martwe natury. Felicity próbowała sobie wyobrazić, jakie to musiało być straszne, stracić wszystko w tak okrutnych okolicznościach. Czy księciu udało się ocalić jakieś rodzinne portrety? A księżna? Powiedziała, że była guwernantką. Czy ona także ma rodzinę? I czy podobnie ucierpieli w czasie rewolucji? A może ona jest Angielką? W odróżnieniu od księcia, księżna mówi bez śladu francuskiego akcentu. Felicity dotarła do schodów i zeszła po nich, zatrzymując się na chwilę na pierwszym piętrze. Tutaj musiała przejść kawałek korytarzem, który kończył się przy salonie. Przed nią z podłogi holu wyrastały majestatycznie główne schody. Widziała już blask bijący z kryształowego kandelabra. Zza zamkniętych drzwi salonu dobiegał perlisty śmiech. Powinna wejść do salonu i poczekać na wezwanie na kolację, czy raczej pójść prosto do jadalni?

– Och, niech to – mruknęła.

– Właśnie – rozległ się jakiś głos za nią.

Felicity odwróciła się błyskawicznie i ujrzała wysoką, elegancką kobietę o czarnych włosach i zielonych oczach.

Felicity zachwiała się, lecz kobieta chwyciła ją za ramię i przytrzymała.

– Nad czymże tak lamentujemy?

– Ja... eee...

Kobieta wyglądała pod każdym względem na księżnę. Od wyniosłego sposobu, w jaki trzymała głowę, po wyrafinowany dobór słów, była arystokratką w każdym calu.

Starsza kobieta uśmiechnęła się.

– Mniejsza z tym. Wejdźmy do środka.

Felicity zamrugała zdezorientowana i pozwoliła się poprowadzić do salonu, gdzie książę i księżna siedzieli na sofie. Felicity skinęła głową każdemu z nich, czując, że policzki zaczynają ją piec, i zauważyła czułe spojrzenia, jakie wymienili między sobą. Było coś romantycznego w cieple i miłości, jakimi najwyraźniej darzyli się książę i księżna. W czasach, kiedy małżeństwa często bywały aranżowane, jakże miło było obserwować związek oparty na miłości.

– Roweno, to panna Felicity Bennett – powiedziała księżna, kiedy tylko Felicity weszła do pokoju. – To właśnie ona jest opiekunką, którą zaangażowałam dla Armanda.

– Ach – starsza kobieta podeszła do stołu, na którym stały kieliszki napełnione ciemnoczerwonym płynem. Felicity zauważyła, że książę również trzymał kieliszek.

– Panno Bennett – kontynuowała księżna – to jest księżna wdowa de Valère.

Felicity dygnęła.

– To prawdziwa przyjemność poznać panią, Wasza Wysokość.

Wcale nie miała zamiaru dygnąć; uważała ten gest za nieco śmieszny i poniżający, ale wobec tej kobiety z jakiegoś powodu wydawało się to odpowiednie. Wystarczyło jedno spojrzenie, by się zorientować, że jest matką księcia, a jednak mówiła z arystokratycznym angielskim akcentem. Felicity przypomniała sobie, że czytała, iż książę i jego brat są tylko w połowie Francuzami. Ich matka pochodziła z szanowanej brytyjskiej rodziny i właśnie dlatego socjeta, zdecydowanie nieżyczliwie nastawiona wobec Francuzów, tak ciepło przyjęła rodzinę de Valère.

Felicity zauważyła, że wszyscy przebrali się do kolacji. Księżna miała na sobie suknię w kolorze ciemnego błękitu, z dopasowanymi do niej szafirami na szyi i w uszach. Księżna wdowa włożyła prostą, czarną suknię o eleganckich, czystych liniach. Książę był ubrany w granatowy frak i bryczesy, a jego koszula i fular lśniły śnieżną bielą.

– Och, wielkie nieba, nie – wdowa podała Felicity jeden z kieliszków. – Cała przyjemność po mojej stronie. Moja synowa bardzo dobrze wyrażała się na pani temat. Wszyscy spodziewamy się wielkich rzeczy.

Felicity poczuła, że serce jej zamarło.

– Zrobię, co w mojej mocy, Wasza Wysokość.

– Oczywiście, że tak – wdowa pociągnęła łyczek z kieliszka. – Ale proszę nie oczekiwać po mnie cierpliwości. Czekałam dwanaście długich lat, by móc porozmawiać z synem, a teraz, kiedy już pani tu jest, staję się coraz bardziej niecierpliwa.

– *Ma mère* – głęboki głos księcia przykuł uwagę wszystkich. – Panna Bennett nie jest cudotwórczynią. Musisz dać jej trochę czasu.

Felicity była wdzięczna, że ktoś to rozumiał. Wszyscy przyglądali się jej, więc spróbowała łyk napoju z kieliszka. To była madera i to doskonała.

– Skoro już poznała pani mojego brata – rzekł książę – czy ma pani jakieś plany dotyczące rozpoczęcia nauki?

To było dobre pytanie; sama z pewnością zadałaby je, gdyby znalazła się na miejscu księcia. Żałowała, że nie miała więcej czasu na obmyślenie jakiegoś planu. Przyszedł jej wprawdzie do głowy pewien pomysł, lecz nie była pewna, na ile okaże się skuteczny.

– Pomyślałam, że mogłabym użyć obrazków i połączyć je ze słowami – powiedziała cicho Felicity. – Gdyby pan był tak miły i dostarczył mi trochę papieru, narysuję obrazki i słowa. Na przykład mogłabym narysować kota, pokazać hrabiemu obrazek, a potem nauczyć go odpowiedniego słowa.

To był tylko bardzo niejasny pomysł, który błąkał się jej po głowie, lecz teraz, kiedy opowiedziała o nim głośno, wydał jej się całkiem obiecujący. Mogłaby w nocy narysować z tuzin obrazków, przygotowując się do porannej lekcji. Felicity uśmiechnęła się, lecz nikt się nie odezwał.

Odchrząknęła i pociągnęła łyk madery z kieliszka. W końcu książę wstał i podszedł do stolika, na którym stała karafka z ciemnoczerwonym płynem. Napełnił swój kieliszek i zwrócił się do niej:

– Próbowaliśmy już tego. Nie działa.

Felicity zamrugała, zaskoczona.

– Och – nagle jej nogi okazały się zbyt miękkie, by utrzymać ciało.

Najchętniej by usiadła, lecz nikt jej tego nie zaproponował, a księżna wdowa wciąż stała. Wtedy przyszedł jej do głowy jeszcze jeden pomysł.

– Może mogłabym pokazać hrabiemu prawdziwe przedmioty, na przykład kwiat, i w ten sposób uczyć go słów.

Księżna uśmiechnęła się blado.

– Próbowaliśmy i tego. Ale sam fakt, że jakaś metoda nie zadziałała w naszym przypadku, nie znaczy, że nie okaże się użyteczna dla pani. W końcu udało się pani już zawrzeć z hrabią szczególną więź.

Felicity zerknęła na fortepian w przeciwległym krańcu salonu. Aż dotąd starannie unikała patrzenia w stronę instrumentu, ponieważ obawiała się, że na jego widok mogą wrócić wspomnienia o tym, jak czuła się w objęciach hrabiego. Lecz obawy były niepotrzebne. Wydawało się, jakby poranny incydent wydarzył się w innym życiu, innej osobie.

Szczerze mówiąc, Felicity była pewna, że to jedynie emocje wywołane przez muzykę sprawiły, iż poczuła coś więcej niż zaskoczenie, kiedy hrabia wziął ją w ramiona. To tylko resztki muzycznej pasji przyprawiły ją o szybsze bicie serca.

I wtedy drzwi do salonu otworzyły się znowu. W wejściu stanął hrabia, ubrany mniej więcej tak samo, jak po południu. Nie miał fraka ani fularu, ale jego koszula była czysta i wykrochmalona. Rękawy podwinął na nadgarstkach i Felicity widziała opaloną na brązowo skórę jego rąk. Nosił obcisłe spodnie, uwydatniające mięśnie jego kształtnych nóg. Nie włożył jednak pończoch ani butów. Wielu mężczyzn wyglądało śmiesznie z bosymi nogami, lecz hrabia wydawał się jeszcze bardziej męski. O jedynym ustępstwie na rzecz dobrych manier świadczyła jego głowa. Niesforna burza włosów, którą widziała wcześniej, została spięta w schludny kucyk, zdradzający cienką powłokę cywilizacji pod spowijającą go aurą dzikiej zmysłowości. Spojrzał na nią wzrokiem płonącym pierwotnym żarem, a wtedy cały pokój zawirował. Zadzwoniło jej w uszach, a kieliszek omal nie wysunął się z palców. Nie wiedząc, co począć z rękoma, uniosła kieliszek do ust i wypiła potężny łyk wina. Lecz madera skończyła się aż nazbyt szybko.

Spojrzała w dół, zaskoczona widokiem pustego kieliszka. Potem podniosła wzrok, popatrzyła w kobaltowe oczy mężczyzny stojącego w drzwiach i zdała sobie sprawę, że jest bardzo, bardzo spragniona.

5

Siedząc naprzeciwko kobiety o żółtych włosach, Armandowi trudno było skupić się na kolacji. Ze spożywaniem posiłków w towarzystwie innych osób wiązało się wiele reguł i właśnie dlatego wolał jadać sam w swoim pokoju. Niektóre z reguł jednak wydawały mu się niejasno znajome. Armand pomyślał, że gdyby udało mu się zagłębić dostatecznie mocno we mgliste wspomnienia, być może przypomniałby sobie, jak się tych reguł uczył.

Ale wspomnień było tak wiele. I wiele z nich było złych, bardzo złych, a Armandowi nie zależało na regułach związanych z jedzeniem aż tak bardzo, by udawać się w te miejsca.

Dopiero teraz żałował, że był aż takim przeklętym tchórzem, ponieważ ta kobieta z łatwością przestrzegała wszystkich reguł, on zaś musiał myśleć o nich i pamiętać. Nie mógł równocześnie używać sztućców i patrzeć na nią. Sfrustrowany, w końcu odłożył sztućce i zaczął jeść rękoma.

Między kęsami spojrzał znad talerza i zauważył, że inni przy stole pospiesznie odwracają wzrok. Reguły zabraniały gapić się otwarcie, ale rodzina zapewne będzie obserwowała go ukradkiem. Wiedział, że tak będzie. Rzadko jadał ze swoją rodziną, a dzisiaj nie tylko zszedł na kolację, ale w dodatku przebrał się i odgarnął włosy z oczu. Włożył nawet jedną z tych szmatek na szyję, na pięć minut. Przeszkadzała mu oddychać, więc ją zdjął i rzucił w kąt.

Jak jego brat wytrzymywał takie ograniczenia przez cały czas?

Armand zerknął na Juliena i zauważył, że brat go obserwuje, marszcząc brwi. Armand chciał mu powiedzieć, że nie ma się czym martwić. Armand nie zamierza skrzywdzić tej kobiety. Chce tylko być w jej obecności i chce, żeby ona znowu grała tę muzykę. Musi znaleźć jakiś sposób, żeby o to poprosić.

– Panno Bennett, powiedziała pani, że pochodzi z Hampshire? – teraz odezwała się jego matka, przerywając ciszę, którą Armand się napawał. Wyglądało na to, że jedynie on przedkłada ciszę nad hałas.

– Tak. Mój ojciec był pastorem w Selborne. Niedawno umarł – kiedy mówiła, powiodła wzrokiem po wszystkich przy stole, oprócz niego.

Armand widział, że starannie unika patrzenia na niego, a kiedy napotkała jego spojrzenie, jej twarz przybrała lekko czerwony kolor. Lubił słuchać jej głosu, lubił patrzeć, jak mówi. I z jakiegoś powodu lubił widzieć, jak jej policzki zmieniają kolor, kiedy na niego patrzy.

– A pani matka? – spytała jego matka. – Czy jeszcze żyje?

– Niestety, nie. Umarła, kiedy miałam dziesięć lat – uniosła kieliszek z winem, zerknęła w jego kierunku i natychmiast odstawiła kieliszek.

Armand zastanawiał się nad tym gestem. Dlaczego podniosła kieliszek i odstawiła go? Czy chciała się napić, lecz nagle zmieniła zdanie? Dlaczego patrzyła na niego, kiedy się rozmyśliła? Czy był dla niej odpychający, tak jak dla wielu innych?

– Armandowi najwyraźniej spodobała się pani gra – powiedziała Sara, dając znak służącym, by zabrali danie i przynieśli następne. Nadeszła pora na ser i orzechy, z czego Armand się ucieszył. Tę regułę znał: ser i orzechy oznaczały, że udręka kolacji niemal dobiegła końca.

– Czy matka panią uczyła? – spytała Sara.

– Tak, była doświadczoną pianistką i miała ogromny talent. Wystarczyło, że raz coś usłyszała, i potrafiła zagrać to bezbłędnie.

– To nadzwyczajne! – zauważyła jego matka.

Armand siedział nieruchomo, serce mu waliło. Mówili o muzyce. Teraz miał szansę poprosić tę kobietę – pannę Bennett – by zagrała jeszcze raz. Ale jak? Ogarniała go frustracja, niczym ciepło płynące z rozżarzonego węgla. Myśląc logicznie, wiedział, że jest tu bezpieczny. Mówienie nie niosło za sobą żadnego niebezpieczeństwa. Ale nie potrafił się do tego zmusić. Słowa więzły mu w gardle, ogarnęła go fala paniki. Wściekły na własną słabość, chwycił widelec i wygiął go.

– Mam szczęście być obdarzona tym samym talentem, co moja matka – mówiła kobieta. – Chociaż nie zawsze gram bezbłędnie za pierwszym razem.

Armand wziął wygięty widelec i z hukiem uderzył nim o talerz. Wszyscy na niego patrzyli. Zwykle starał się unikać zwracania na siebie uwagi i teraz przypomniał sobie dlaczego. Świadomość, że oczy wszystkich obecnych są utkwione w nim, sprawiła, że przeszły go ciarki. Odczuł gwałtowną chęć sięgnięcia i wyrwania tych oczu. Jednak zamiast tego zacisnął palce na widelcu i posłał piorunujące spojrzenie kobiecie, z której powodu musiał cierpieć ten dyskomfort. Widelec pękł na pół, lecz kobieta wytrzymała jego spojrzenie, najwyraźniej zupełnie niezaniepokojona. Mógłby wymyślić jakiś sposób, żeby jeszcze raz zobaczyć, jak jej policzki zmieniają kolor, lecz teraz chciał przekazać zupełnie inną wiadomość. Odrzucił kawałki widelca i wskazał na nią palcem.

Ach, oto i jest ten czerwony kolor, który tak mu się podoba.

– Armand próbuje się porozumieć z panną Bennett! – szepnęła do męża Sara.

Armand ją zignorował.

Armand pokazał kobiecie dłonie, odwrócił je do dołu i udał grę na instrumencie, na którym ona grała wcześniej. Patrzył jej w oczy, widział, że zauważyła jego ruchy, i czekał. Co teraz zrobi? Czy zagra znowu?

W jadalni panowała zupełna cisza; nawet służący zamarli z uniesionymi w górę półmiskami pełnymi serów i orzechów. W końcu panna Bennett spojrzała na Juliena.

– On chce, żebym zagrała.

Armand poczuł, że się uśmiecha. Zrozumiała! To dobrze. Teraz będzie znowu grała.

Natychmiast.

Lecz ona wciąż siedziała, patrząc na jego brata.

– Czy sądzi pan, że powinnam?

Rozpoznając jej pytający ton, Armand odwrócił się do Juliena. Nie był zaskoczony, widząc, że Julien przygląda mu się badawczo. Armand uniósł brwi, wyrażając zniecierpliwienie, i Julien w końcu się uśmiechnął.

– Jeśli nie ma pani nic przeciwko temu, panno Bennett, nie widzę powodu, żebyśmy nie mogli umilić sobie czasu muzyką po kolacji. Ale najpierw spożyjmy ostatnie danie.

Armand westchnął i opadł na oparcie krzesła. Dlaczego musi czekać? Nie chciał sera ani orzechów, patrzył tylko ponuro na brata, starając się go zmusić, by szybciej zakończył posiłek. Jego wysiłki okazały się daremne. Ruchy Juliena wydawały się wręcz spowolnione.

W końcu, po czasie, który zdawał się wiecznością, cała rodzina przeszła do salonu. Armand szedł pierwszy, tuż za nim jego matka. Niejasno zdawał sobie sprawę, że powinien wziąć ją pod ramię, tak jak Julien Sarę, ale dyskomfort jej dotyku nie był wart podporządkowania się regule.

Dotarli do salonu i Armand chciał popędzić wprost do instrumentu, lecz matka chwyciła go za łokieć i pociągnęła na sofę.

– Usiądź tutaj. Będziesz słyszał doskonale, siedząc przy mnie, a ja – posłała mu znaczące spojrzenie – ja stęskniłam się za twoim towarzystwem.

Zajęła miejsce obok niego i poklepała go po ramieniu. Ku swej irytacji, Armand musiał wyciągać szyję, by widzieć kobietę o żółtych włosach i instrument – for... coś tam.

Myśl! Idioto! Słowo!

Przyszło mu do głowy w ułamku sekundy – fortepian.

Kobieta podeszła prosto do niego.

– Czy jest coś, co chcielibyście usłyszeć? – spytała kobieta, przyglądając się im kolejno. Armand nie zrozumiał pytania, ale skinął głową w kierunku fortepianu, dając jej do zrozumienia, by już zaczęła.

– Czemu nie zagra pani tego samego utworu, który grała pani po południu? Armandowi najwyraźniej się podobał – powiedziała Sara.

Panna Bennett skinęła głową i uniosła ręce. Kilka sekund później Armand znowu słuchał urzeczony. Niemal bezwiednie zamknął oczy i pozwolił, by muzyka go ogarnęła. Kiedy jej słuchał, wierzył w to, że kiedyś był niewinnym dzieckiem, kiedyś był szczęśliwy, a więzienie było tylko słowem, nie zaś jego życiem. Kiedy słuchał muzyki, niemal zapominał o latach, które spędził zamknięty w celi, porzucony na pewną śmierć. Mógł udawać, że to nigdy się nie wydarzyło.

Muzyka zwolniła i ucichła, a Armand otworzył oczy. Wszyscy wokół niego uderzali dłonią o dłoń. Na ten dźwięk zmarszczył brwi i już miał wstać, by nakłonić ją do zagrania znowu, kiedy jej ręce opadły i zaczął się nowy utwór. Już od pierwszych nut wydał się Armandowi znajomy. Nie potrafił powiedzieć, skąd go znał ani kiedy go usłyszał, lecz mógł przewidzieć następne nuty, zanim jeszcze je zagrała.

Jego wzrok napotkał spojrzenie Juliena i nie miał wątpliwości, że brat także zna tę piosenkę. Czy to było coś, czego uczyli się jako dzieci? Armand wstał, czując, że musi znaleźć się bliżej fortepianu, bliżej źródła muzyki. Matka, jakby wyczuła jego potrzebę, puściła go. Armand szedł bardzo powoli, a kobieta o żółtych włosach patrzyła, jak się przybliża. Nie odrywała od niego spojrzenia błękitnych jak niebo oczu i posłała mu lekki uśmiech. Najwyraźniej nie bała się go, lecz Armand zauważył, że jego brat także przysunął się bliżej. Zawsze wyczuwał, kiedy miał kogoś za sobą. I chociaż ufał ludziom w tym pokoju, nie potrafił się odprężyć, wiedząc, że nie jest chroniony z tyłu.

Utwór trwał dalej i teraz w zakamarkach umysłu Armanda pojawiły się słowa. Właściwie nie tyle słowa, ile raczej widma słów, które niegdyś znał.

Au clair de la lune...

Czy to były słowa tej piosenki? Powtarzał je w myślach. Nie miał pojęcia, co znaczą, ale wydawały się odpowiednie. Gdy kobieta zaczęła grać trzecią zwrotkę, zaczął w myślach śpiewać.

Au clair de la lune
Mon ami Pierrot
Prête-moi ta lume

Ostatnie słowa wymknęły się z jego ust i wzdrygnął się na dźwięk własnego głosu. Gdzieś w pokoju rozległo się westchnienie, a kobieta przestała grać. Armand zamarł, wstrząśnięty i przejęty niedowierzaniem. Przemówił. To prawda, jego głos zabrzmiał ochryple i szorstko niczym szelest starego pergaminu. I właściwie nie tyle śpiewał czy mówił, ile chrypiał słowa przez struny głosowe, które dławiły się każdą sylabą.

Ale przemówił. Użył słów. Jego spojrzenie pomknęło w kierunku matki i dostrzegł błysk łez na jej policzku. A więc to nie był tylko wytwór jego wyobraźni. Ona też to słyszała.

Otworzył usta, by odezwać się znowu, lecz natychmiast je zamknął.

Nie!

Ciszaciszacisza...

Musi zachować kontrolę. Kontrolę nad słowami.

Znał sekrety, sprawy, które musi zachować tylko dla siebie.

Spojrzał na matkę, zobaczył przejęcie malujące się na jej twarzy i odwrócił wzrok.

Wściekły, uderzył dłonią o fortepian. Instrumentowi nic się nie stało, lecz zauważył, że kobieta aż podskoczyła. Przestraszył ją. Znowu. Czy tylko tyle potrafi? Straszyć i przerażać? Maniery miał gorsze niż pies, a jego głos przypominał jedno ze stworzeń, które można zobaczyć w menażerii w Tower. Czasami żałował, że Julien nie zostawił go po prostu, by zgnił w tamtym więzieniu.

Nie patrząc za siebie, Armand wyszedł z pokoju.

Felicity zamrugała, kiedy drzwi salonu zatrzasnęły się z hukiem za hrabią. Jak na tak milczącego człowieka, umiał narobić hałasu, kiedy zechciał. Powoli odwróciła się i spojrzała na pozostałe osoby w salonie, i natychmiast pożałowała, że oderwała wzrok od klawiszy fortepianu. Wszyscy patrzyli na nią!

– Cóż, zgaduję, że to nie było coś, co zdarza się codziennie – powiedziała pogodnie, chociaż własny głos zabrzmiał w jej uszach piskliwie i fałszywie.

Wdowa pociągnęła nosem i otarła oczy koronkową chusteczką. Książę spojrzał ponuro, lecz księżna uśmiechnęła się promiennie.

– Nie, nie zdarza się – wstała. – Panno Bennett, to kolejny dowód, że postąpiliśmy słusznie, zatrudniając panią. Nie mogę uwierzyć w postęp...

– Postęp! – książę niemal krzyknął. – Jaki to postęp? Widziałaś, co się stało. On nie chce mówić.

– Ale przemówił – powiedziała, wciąż spokojnym głosem, księżna. – I zrobi to znowu. Panna Bennett w jakiś sposób potrafi przełamać to coś, co powstrzymuje Armanda.

– Wszystko dzieje się tak szybko – mówił książę, przechadzając się przed fortepianem. Felicity obserwowała go, a jego ruchy przywodziły jej na myśl lwa w klatce, którego widziała niegdyś w objazdowym cyrku. – On już i tak dotarł do granicy tego, co może znieść człowiek. Co powinien znieść. Jeśli nie będziemy postępować ostrożnie, może nastąpić pogorszenie.

– A jeśli będziemy przesadnie ostrożni, nigdy nie osiągnie żadnych postępów.

– To dla niego lepsze niż powrót do tego, co było!

Księżna pokręciła głową.

– Nie grozi mu to. Julien...

W trzech długich krokach znalazł się przy niej.

– Usiądź. Nie powinnaś się przemęczać. Musisz myśleć o dziecku.

– Dziecko czuje się dobrze i ja także. I Armandowi też nic nie jest. Przestań być nadopiekuńczy.

– Przestań być... Nie jestem nadopiekuńczy.

– Owszem, jesteś – odezwała się księżna wdowa, wstając z sofy. Machnęła ręką. – I na wypadek, gdybyś się nad tym zastanawiał, ja też mam się dobrze. Wcale nie muszę siadać.

Książę spojrzał na nią karcąco.

– *Ma mère...*

Lecz wdowa go zignorowała.

– Panno Bennett – powiedziała, spoglądając na Felicity.

Felicity usiadła prosto. Przez ostatnie trzy minuty rozważała możliwość wymknięcia się z salonu. Nie sądziła, by ktokolwiek zauważył jej nieobecność. W końcu wyglądało to na rodzinną sprzeczkę. Księżna mogła ją poinformować rano, że rezygnują z jej usług.

– Panno Bennett – powtórzyła wdowa, a Felicity zerwała się na równe nogi. – Jestem pod wrażeniem przemiany, którą zobaczyłam w moim synu. Aż do dzisiaj, przez dwanaście długich lat, nie słyszałam jego głosu. Jeśli potrafiła pani tego dokonać w jeden wieczór, to nie mogę się doczekać, kiedy zobaczę, jakie postępy – obserwowała księcia – osiągnie pani w tydzień. Spotkamy się przy śniadaniu, panno Bennett.

– Tak jest, Wasza Wysokość.

Felicity dygnęła, gdy księżna wdowa przeszła obok niej. Chwilę później zdała sobie sprawę, że została sama z kipiącym ze złości księciem i triumfującą księżną. Żadne z nich na nią nie patrzyło, ale Felicity zaczęła wycofywać się w stronę drzwi salonu.

– Myślę, że ja też powinnam już pójść. To był długi dzień.

Ale, naturalnie, nie musiała przejmować się takimi subtelnościami. Ani książę, ani księżna nie zwrócili na nią najmniejszej uwagi.

Felicity szła powoli, kierując się do swojego pokoju. Naprawdę czuła się zmęczona. Dzień był długi, wyczerpujący i pełen niespodzianek. A jednak w jej umyśle aż kipiało od pomysłów i roiło się od myśli. Nie sądziła, żeby udało jej się zasnąć w ciągu nadchodzących godzin. Perspektywa bezsennej nocy w towarzystwie nieproszonych myśli o hrabi nie była szczególnie zachęcająca, lecz Felicity nie miała większego wyboru, jak tylko schronić się w swoim pokoju. Może jutro poprosi o pożyczenie jakiejś książki, lecz dzisiaj musi zostać sama ze swymi niechcianymi myślami.

Być może gdyby skupiła się na czekających ją zadaniach, udałoby się jej uwolnić od innych myśli. Mówienie było zaledwie jedną z czynności, w których hrabia potrzebował pomocy. Jego zachowanie przy stole było przerażające. Nawet jeśli nie uda się jej nakłonić go do mówienia, może uda się jej poprawić jego maniery, a wtedy księżna powinna być zadowolona. Ona, Felicity, musi znaleźć jakiś sposób nakłonienia hrabiego do współpracy, jeśli ma utrzymać posadę. Jeżeli ją straci, jak odda Charlesowi jego dwadzieścia pięć funtów? To byłaby niemal cała jej pensja za najbliższy rok, więc i tak będzie musiała poprosić o wypłatę z góry. Ale nie może prosić o zaliczkę, dopóki nie udowodni, że jest w stanie osiągnąć jakieś postępy w pracy z hrabią.

Dotarła na szczyt schodów i skręciła w korytarz prowadzący do jej pokoju. Było ciemno i nie zauważyła ciemnej sylwetki poruszającej się przed nią, dopóki ręka nie chwyciła ją za nadgarstek.

Wydała krótki okrzyk, kiedy została mocno przyciśnięta do męskiej piersi. Nie musiała patrzeć, żeby wiedzieć, że to hrabia, lecz popatrzyła. Powiodła wzrokiem po śnieżnobiałej koszuli, gładkiej, odsłoniętej szyi i mocno zarysowanej szczęce, na chwilę zatrzymując wzrok na miękkich wargach. Serce biło jej jak oszalałe, miotając się niczym ptak uwięziony w klatce. Przeszedł ją nagły dreszcz.

Zmusiła się, by spojrzeć mu w oczy. Napotkała jego spojrzenie, głębokie i mroczne, i poczuła, że brakuje jej powietrza w płucach. Stali w korytarzu, patrząc na siebie całymi godzinami, przynajmniej tak się Felicity wydawało. W końcu jednak rozwarła zaciśnięte szczęki i szepnęła:

– Czego pan chce?

W głowie tłoczyły się obrazy. Jego wargi wpijają się w jej usta, delikatnie, mocno... Hrabia odchyla ją do tyłu, całuje jej szyję, dotyka włosów, pieści...

Wielkie nieba. Zrobiło się jej gorąco, czuła, jakby całe jej ciało płonęło, oddech miała przyspieszony. Czy naprawdę pragnie takich rzeczy? Jeśli nie, to czemu je sobie wyobraża... i dlaczego wciąż stoi w jego objęciach?

I wtedy, zupełnie niespodziewanie, już nie stała. Puścił ją i pociągnął za sobą.

6

*F*elicity nie umiałaby powiedzieć, dlaczego poszła za nim. Zwykle nie szła za mężczyznami, których nie znała, a zwłaszcza za takimi, którzy brali ją w ramiona i pozbawiali tchu. Nie dlatego, żeby coś takiego często się jej przydarzało. Właściwie nie zdarzyło się nigdy, aż do dzisiaj.

Z pewnością byłoby najlepiej, gdyby poszła dalej swoją drogą, dotarła do sypialni i zamknęła za sobą drzwi. To byłaby najrozsądniejsza rzecz, jaką mogła zrobić.

Oczywiście nic takiego nie zrobiła. Weszła natomiast za tajemniczym hrabią głębiej w ciemny korytarz i dalej, tylnymi schodami, zapewne przeznaczonymi dla służby. Schody były wąskie i strome, a słaby blask świecy w ręku hrabiego tylko nieznacznie rozjaśniał mrok wokół niej.

Wreszcie schody się skończyły i hrabia przeszedł przez drzwi, które oworzył. Nie przytrzymał ich otwartych przed Felicity i drzwi, zamykając się, omal nie uderzyły jej w twarz.

– Przeklęty człowiek – mruknęła, otwierając drzwi, i ujrzała, że czeka na nią po drugiej stronie z wyrazem zniecierpliwienia na twarzy.

Odwrócił się do niej plecami i ruszył dalej, przechodząc przez kolejne drzwi, które prowadziły na zewnątrz. O co tu chodzi? Musi być już po dziesiątej. Dokąd on ją prowadzi? I dlaczego ona jeszcze za nim idzie? Gdyby udusił ją i porzucił jej trupa gdzieś w ogrodzie, mogłaby mieć pretensje wyłącznie do siebie o to, że zachowała się jak idiotka.

Ale może uduszenie Felicity wcale nie było częścią jego planu. Dwukrotnie wziął ją w objęcia. Może kierowały nim motywy bardziej romantycznej natury. A skoro już taka możliwość przyszła jej do głowy, czy nie powinna natychmiast zawrócić? Ale oczywiście nie zrobiła tego, ponieważ – bądźmy szczerzy – czy na pewno ten pomysł dopiero teraz przyszedł jej do głowy? Czyż cały czas nie liczyła na to, że on zamierza ją pocałować? Ale co pomyślałby o niej teraz jej ojciec, biedny pastor? A Charles, jej narzeczony? Cóż, to akurat zupełnie jej nie obchodziło. Wystarczył jeden dzień w Londynie i już stała się rozpustnicą.

Wyszła na zewnątrz, czując, jak owiewa ją rześkie nocne powietrze. Było chłodno, ale dość przyjemnie. Nie miała na sobie płaszcza i pomyślała, że pójście po niego byłoby dobrą wymówką, by uciec. Jednak kiedy jej oczy przywykły do ciemności i zobaczyła hrabiego stojącego kilka stóp przed nią, wcale nie sprawiał wrażenia kogoś, kto zamierza ją udusić albo pocałować.

Patrzył w niebo.

Felicity stanęła za nim i również spojrzała w górę. Nocne niebo niewątpliwie wyglądało inaczej niż to, do którego przywykła na wsi. Gwiazdy w Londynie były mniej liczne i bledsze;

tylko blask najjaśniejszych przebijał się przez poświatę latarni i wiszącą nad miastem chmurę dymu.

Było jednak tym samym nocnym niebem, które oglądała setki razy. Dziwne – mogła być tak daleko od domu, a jednak stać pod tym samym niebem.

Poczuła ciarki na karku i odwróciła się do hrabiego. Obserwował ją, mrocznym i pełnym napięcia spojrzeniem. Pomyślała, że chyba nie jest zdolny przybrać wyrazu twarzy, który nie byłby pełen napięcia. Odchrząknęła.

– Na zewnątrz jest całkiem ładnie – powiedziała, zdając sobie sprawę, że zabrzmiało to banalnie, ale równocześnie wiedząc, że i tak nie powinna oczekiwać odpowiedzi.

On nadal wpatrywał się w nią, w żaden sposób nie dając po sobie poznać, że ją usłyszał. I ona ma go nakłonić do mówienia? Księżna wdowa chce zobaczyć postępy w ciągu tygodnia. Felicity nie znajdowała w sobie optymizmu na myśl o tym.

– Czy lubi pan gwiazdy? – spytała, ponieważ on wciąż się jej przyglądał, a jego spojrzenie przyprawiało ją o drżenie serca. Nie chciała jednak zbyt dużo rozmyślać o tym, czy to uczucie zostało wywołane przez zakłopotanie, czy pożądanie. Być może jedno i drugie w jakimś stopniu.

– Gwiazdy – powtórzyła i wskazała na nocne niebo. – Lubi je pan?

Powtórzył jej gest i spojrzał w górę, a wtedy miała okazję przyjrzeć się jego profilowi. Jego twarz miała klasyczne rysy – prosty nos, mocno zarysowane kości policzkowe, pełne usta. Powinna przestać przyglądać się jego ustom. Albo, jeśli nie potrafi przestać, skoncentrować się na tym, jak są zaciśnięte. Jak twarde. Może i ma twarz arystokraty, ale sposób, w jaki stał, jak się poruszał, był dziki i pierwotny. Nie, pod powierzchowną warstwą ten człowiek nie miał w sobie nic z wyrafinowania czy elegancji.

A dlaczego to przyprawiało ją o szybsze bicie serca?

Wciąż wpatrywał się w nocne niebo i Felicity odwróciła wzrok, spoglądając w usianą złotymi punktami atramentowoczarną przestrzeń ponad nimi. Tak jest bezpieczniej. Stali w milczeniu przez pięć minut albo dłużej – na tyle długo, by zaczęła odczuwać chłód – aż w końcu zaczęła się znowu zastanawiać, po co ją tutaj przyprowadził.

Na szczęście nie wyglądało na to, by zamierzał ją dusić. Chyba nie chciał też jej całować. I bardzo dobrze, powiedziała sobie, starając się zignorować ukłucie igiełki rozczarowania. Po co więc wyciągnął ją do ogrodu?

Wiatr poruszał liśćmi drzew, które szeleściły cicho. Felicity poczuła, że hrabia się odpręża. Pod gołym niebem wydawał się mniej spięty, mniej dziki. Doszła do wniosku, że to nawet zrozumiałe. W końcu człowiek, który przebywał w zamknięciu przez dwanaście lat, musi doceniać swobodę bezkresnego nocnego nieba i nieprzewidywalnego wiatru.

Odwróciła się i zauważyła, że znowu się jej przygląda. Było ciemno, z domu za nimi padało jednak na tyle dużo światła, że mogła dostrzec wyraz jego twarzy.

To, co zobaczyła, mogłaby określić tylko jako tęsknotę. A ponieważ na ten widok serce jej się ścisnęło i poczuła gorąco w brzuchu, postanowiła zacząć mówić, zanim zrobiłaby coś głupiego, na przykład rzuciła mu się w ramiona.

– Rozumiem, dlaczego lubi pan ogród. Po tych wszystkich latach w więzieniu musi sprawiać przyjemność wyjście na zewnątrz tyle razy, ile razy się tego zapragnie.

On wciąż się jej przyglądał, przysuwając się bliżej i studiując jej twarz. Felicity starała się zignorować falę gorąca, którą poczuła na policzkach, i ponownie spojrzała na gwiazdy. Gwiazda Polarna była najjaśniejsza i Felicity skupiła się na jej wyraźnym, kojącym blasku.

– Nie wiem, co pan sądzi o Londynie. Ja przyjechałam tu dopiero dziś rano i sądzę, że jest nieco przytłaczający – wiedziała, że paple od rzeczy, ale on zbliżał się coraz bardziej. Czuła już jego oddech na policzku.

– Ale przypuszczam, że gdyby pan był w Paryżu i zgiełk… – pisnęła, kiedy uniósł jej dłoń i ujął w swoje. Wciąż miała rękawiczki, ale przez cienki materiał czuła ciepło jego nagiej skóry. – …i światła i w ogóle…

Zdjął jej rękawiczkę i teraz już żadna bariera nie dzieliła jego ciepłej, twardej dłoni od jej, chłodniejszej i zaskakująco wrażliwej na jego dotyk. Podobnie jak po południu, podniósł jej dłoń i przyłożył sobie do policzka. Pod czubkami palców czuła jego kłujący zarost.

– …i w ogóle… ach… wrzawę… – starała się nie przestawać mówić, jakby jego zachowanie nie było całkowicie niestosowne.

Jako kobieta zaręczona z innym mężczyzną – nawet jeśli wbrew jej woli – nie powinna na coś takiego pozwolić. Poza tym jako jego opiekunka miała dodatkowy powód, by go powstrzymać. To byłaby doskonała okazja, by zacząć naukę dobrych manier, ale kiedy odwróciła się, by go zganić, zobaczyła utkwione w sobie spojrzenie kobaltowych oczu i poczuła, że zaschło jej w gardle.

Na jego twarzy malowała się ciekawość, zupełnie jakby przykładanie jej dłoni do twarzy było jakimś eksperymentem. Ale była w tym również pasja. Widziała ją rano, kiedy przerwał jej grę, i widziała teraz. Widziała, że nie do końca wie, co z tym zrobić.

Och, mogłaby mu pokazać. Mogłaby się pochylić i przyłożyć usta do jego warg, a wtedy…

A wtedy jej ojciec przewróciłby się w grobie! Co też jej przychodzi do głowy!

Przywołując w myślach obraz ojca, w końcu znalazła siłę, by wyrwać rękę z uścisku hrabiego. Teraz powinna wrócić do domu. Wejść do środka, udać się prosto do swojego pokoju i położyć do łóżka. Jutro mogliby zacząć od nowa i udawać, że to wszystko wcale się nie wydarzyło.

– Zamierzam teraz wrócić do domu, milordzie – powiedziała cicho, cofając się o krok. – Zobaczymy się rano.

Powiedziała to z naciskiem i wcieliła słowa w czyn, odwracając się energicznie do drzwi, przez które tu przyszli. Zamierzała zrobić dokładnie to, co powiedziała, dopóki nie poczuła jego dłoni na swoim łokciu.

Nie zatrzymuj się. Idź dalej, mówiła sobie, lecz nie potrafiła się powstrzymać i odwróciła się, tylko po to, by zerknąć na wyraz jego twarzy. Do licha, ma najprzystojniejszą męską twarz, jaką kiedykolwiek widziała. Jak ma odejść i zostawić tego zranionego anioła, który ją niepokoił i podniecał równocześnie?

Jak ma być jego nauczycielką, jeśli teraz nie potrafi narzucić dyscypliny – samej sobie, jeśli nie swemu uczniowi?

Bądź silna, pomyślała, i znowu zaczęła się odwracać. I w tym momencie jeszcze udałoby się jej dotrzeć do domu, gdyby jego ręka nie pogładziła jej po policzku. Dotyk jego szorstkich, ciepłych palców na chłodnym policzku zniewolił jej ciało i umysł. Pozwolić, żeby on dotknął jej palcami swojego kłującego policzka to jedno, ale być dotykaną przez niego to już zupełnie inna sprawa.

Poczuła, że kolana jej miękną, żołądek się ściska i zaczyna brakować powietrza w płucach. Bez jej zgody, kiedy miała zamknięte oczy, dotyk jego dłoni na jej twarzy był tym bardziej przyjemny, tym bardziej uwodzicielski.

Czy on zamierzał ją uwodzić? Czy zdawał sobie sprawę, jaki wpływ na nią wywiera?

– Powinien pan przestać – szepnęła, starając się nadać swoim słowom choć trochę zdecydowania. – To jest niestosowne.

Ale on oczywiście zignorował ją i powiódł palcem wzdłuż warg Felicity, wywołując przyjemny dreszcz, który przeszył całe jej ciało. Och, niech to... Wciągnęła głęboko powietrze i odetchnęła. Wydawało się, jakby w Londynie nagle zabrakło powietrza. W głowie jej dudniło, czy może to było bicie jej serca?

– Powinien pan... – ale on nie zamierzał przestać.

Wodził tym niepokojącym palcem po wypukłości drugiego policzka. I oto Felicity stała już od dobrych trzech minut i pozwalała mu się dotykać w tak intymny sposób. To ona musi być tą, która położy temu kres.

Sięgając po zasoby silnej woli, z których istnienia nawet nie zdawała sobie sprawy, odsunęła się od niego i zrobiła chwiejny krok wstecz. I byłaby odzyskała równowagę i popędziła prosto do drzwi, gdyby nie to, że obcasem zaczepiła o grudę błota i padła jak długa na ziemię.

Hrabia jęknął i pospieszył jej z pomocą, lecz Felicity już nie zwracała na niego uwagi. Przyglądała się ziemi, na którą upadła. Leżała w schludnym, zadbanym ogrodzie. Oczywiście, był listopad i większość kwiatów zwiędła lub szykowała się do zimy, lecz widać było, gdzie idealnie równe rzędy sadzonek czekały na nadejście wiosny.

Tyle, że pomiędzy tymi rzędami, w najwyraźniej przypadkowych miejscach, wykopano dołki. Były dość głębokie i nierównomiernie rozmieszczone. Sprawiały wrażenie raczej celowego niszczenia ogrodu niż czegokolwiek innego. Hrabia pochylił się nad nią i chwycił ją za ramię, lecz Felicity strząsnęła jego dłoń.

– Proszę spojrzeć na to – pokazała kupkę ziemi, o którą się potknęła, i pochyliła się, by zajrzeć do dołka.

Księżyc jeszcze nie wzeszedł, a może skrył się za gęstą londyńską mgłą, i niewiele mogła zobaczyć. Z tego jednak, co udało się jej zauważyć, w dołku niczego nie zasadzono. Poza tym, kto kopałby dołek, sadził roślinę i nie przysypywał jej ziemią?

Spojrzała na hrabiego i zobaczyła, że skończył oglądać dołek, który mu pokazała, i teraz przygląda się pozostałym. Widziała, jak jego wzrok przebiega od jednego dołka do drugiego, a brwi marszczą się w sposób przywodzący na myśl księcia, jego brata.

– To dziwne – mruknęła. – Po co ktoś miałby kopać takie dziury? Na pewno wasi ogrodnicy... – poderwała się, przypominając sobie, co widziała wcześniej tego wieczoru. – To ci dwaj ludzie! – zerknęła na hrabiego i zauważyła, że przygląda się jej z zainteresowaniem.

Nie miała pojęcia, czy ją zrozumiał, lecz mówiła dalej, starając się uporządkować myśli.

67

– Wcześniej widziałam z okna mojego pokoju dwóch ludzi. Pomyślałam, że to ogrodnicy, ale oni zachowywali się bardzo podejrzanie. Ciekawe, czy to oni wykopali te doły. Ale po co mieliby to robić?

Najwyraźniej hrabia także nie znał odpowiedzi na to pytanie. Rozejrzał się jeszcze raz po ogrodzie i pociągnął ją za sobą.

– A teraz dokąd idziemy? – spytała, lekko zdyszana po szybkim marszu. Lecz kiedy znaleźli się wewnątrz domu, puścił ją i wskazał na schody, dając do zrozumienia, że powinna pójść na górę, tam, skąd przyszli.

– Ale może powinnam porozmawiać z pańskim bratem o tym, co widziałam. To może być coś ważnego...

Jednak hrabia dobrze wiedział, czego od niej oczekuje. Jeszcze raz wskazał na schody i rękoma wykonał uciszający gest.

Felicity zacisnęła zęby. Czy jest dzieckiem, które się wygania do łóżka? Poza tym, jeśli on właśnie tego sobie życzył, to po co wyciągał ją na zewnątrz? Otworzyła usta, by zaprotestować, by zacząć pierwszą z wielu, wielu lekcji dobrych obyczajów, lecz on po prostu odwrócił się na pięcie i odszedł.

– Proszę zaczekać!

Ale jej polecenie zostało zignorowane. Pomyślała, że mogłaby poszukać księcia i księżny, powiedzieć im, co zobaczyła, ale jak zacząć? A jeśli położyli się już spać? Nie zamierzała budzić ich i całego domu.

Po prostu wspomni o tym jutro przy śniadaniu. A potem przyjdzie pora na jej pierwszą lekcję z hrabią. I już wiedziała, od czego zacznie.

Armand nie lubił wracać do budynku. Na zewnątrz czuł się wolny. Na zewnątrz mógł swobodnie oddychać. Kilka miesięcy temu brat zabrał go do jakiegoś domu w miejscu zwanym Southampton. Dom miał swoją nazwę: Ogrody. Armand rozumiał to słowo i powód takiej nazwy – przy domu był co najmniej tuzin ogrodów, niektóre dzikie, inne starannie utrzymane.

Kiedy Julien go stamtąd zabierał, Armand walczył. Zrobiłby wszystko, żeby zostać w tamtym miejscu, żeby móc pracować w tych ogrodach. W posiadłości widział psy. Zawsze chciał mieć psa. Ale Julien zmusił go do powrotu do Londynu i chociaż londyński dom miał ogród, który mu się podobał, Armand nie mógł przestać myśleć o domu w Southampton. Musi znaleźć jakiś sposób, żeby tam wrócić. I znajdzie... kiedy spędzi więcej czasu z panną Bennett.

Ale dziś w nocy to nie ucieczka do Ogrodów była jego problemem. Ogród tutaj – który uważał za swój ogród – został sprofanowany. Jego brat musi to zobaczyć.

Armand znalazł Juliena w bibliotece. Sara zaczęła kłaść się wcześnie i po kolacji Julien zwykle siedział przy biurku, skrobiąc piórem po stronicach ksiąg rachunkowych.

Gdy Armand wszedł, Julien nie podniósł wzroku znad papierów.

– Daj mi jeszcze pięć minut, *chérie*. Te sumy mi się nie zgadzają...

Armand stał i czekał, zdając sobie sprawę, że te słowa nie były skierowane do niego. W końcu Julien podniósł wzrok i zmarszczył brwi.

– Och. O co znowu chodzi? Zabrakło ci młodych dam do nagabywania?

Armand nie zrozumiał wszystkich słów, ale pojął ich sens. I ton – ton rozumiał całkiem dobrze. Armand żałował, że nie potrafi sobie przypomnieć dzieciństwa, że nie pamięta, czy Julien zawsze się z nim drażnił, zawsze był taki nadopiekuńczy. Czy przekomarzali się z Julienem?

Teraz nie potrafił sobie wyobrazić, że tak mogło być. Nie wyobrażał sobie używania słów tak beztrosko, tak swobodnie. Wiedział, co inni o nim myślą – pokojówki, służący, ludzie z towarzystwa składający wizyty Sarze i jego matce. Widział zakłopotanie w ich spojrzeniach, kiedy patrzyli na niego i na siebie nawzajem.

Bali się go.

Ale ta kobieta o żółtych włosach, panna Bennett, nie bała się go. Nie widział w jej oczach nawet iskierki strachu. A jednak nie czuła się swobodnie w jego obecności. Unikała patrzenia na niego, nerwowo bawiła się palcami, piła wino zbyt szybko. Czy litowała się nad nim?

Nigdy nie przejmował się tym, co myślą inni, ale z jakiegoś powodu obchodziło go, co myśli panna Bennett. Nigdy nie miał dość patrzenia w jej błękitne jak niebo oczy ani słuchania muzyki, która wydobywała się spod jej zręcznych palców. Nie miał dość jej dotyku. Pierwszy raz, odkąd sięgał pamięcią, dotyk drugiej ludzkiej istoty nie sprawiał mu bólu.

Zabrał ją na zewnątrz, pokazał gwiazdy i swój ogród, podejmując – zapewne daremną – próbę udowodnienia, że nie jest jakimś dzikusem. Chciał, żeby zobaczyła, że potrafi docenić piękno natury. Tymczasem udało mu się jedynie wprawić ją w zakłopotanie na tyle, że próbowała od niego uciec. A potem odkryła te dołki.

I właśnie dlatego teraz stał w bibliotece Juliena. Tych dziwnych dołków w ogrodzie nie było jeszcze zeszłej nocy. Skąd mogły się wziąć? Panna Bennett próbowała mu powiedzieć, co o nich wie, ale on nie wszystko zrozumiał.

Nieważne. Miał swoje własne pomysły.

Oni przyszli. Nie umiał powiedzieć dokładnie, kim byli oni, ale wiedział, że to ktoś z jego przeszłości. Byli tutaj i szukali...

Ciszaciszacisza!

Nie, nie będzie o tym nawet myślał. Już samo myślenie mogło być niebezpieczne. Julien musi dostrzec to zagrożenie. Musi zrozumieć, że nie są już bezpieczni.

Myśląc tylko o tym, Armand przeszedł przez bibliotekę i otworzył drzwi balkonowe za biurkiem Juliena. Prowadziły do ogrodu, gdzie rodzina zwykła siadywać w ciepłe letnie wieczory. Armand próbował wywabić Juliena na zewnątrz w noc i przekonał się, że brat nie docenia ciszy ogrodu tak jak on.

– Nie mam nastroju do patrzenia na gwiazdy – powiedział Julien, gestem dając Armandowi do zrozumienia, by zamknął okno. – Chcę skończyć z rachunkami.

Armand otworzył drzwi szerzej i czekał z rękoma skrzyżowanymi na piersi. Wpatrywał się w tył głowy Juliena i zastanawiał, czy klepnięcie w tę twardą czaszkę mogłoby odnieść jakiś skutek.

W końcu jego cierpliwość została nagrodzona; Julien odwrócił się i spojrzał na niego, marszcząc brwi.

– Wpuszczasz zimne powietrze.

Armand otworzył drzwi jeszcze szerzej i wyszedł na zewnątrz. Z pełnym udręki westchnieniem Julien podniósł się powoli z krzesła i ruszył za nim.

– Lepiej, żeby nie chodziło ci o obejrzenie jakiejś rośliny – warknął, podążając za Armandem.

Armand szedł przodem i uśmiechał się z rozbawieniem, słysząc mamrotane przez brata przekleństwa. Na miejscu Juliena nie zamieniłby pobytu w ogrodzie na przesiadywanie w ciemnym biurze i wpatrywanie się całymi godzinami w rzędy cyfr. Ale zdawał sobie sprawę, że brat uważał wszystkie zajęcia, które nie miały związku z finansami, za stratę czasu.

W końcu dotarli do tej części ogrodu, gdzie jeszcze niedawno stał z panną Bennett. Było ciemniej niż przedtem, ale Julien miał ze sobą lampę, którą uniósł, by oświetlić miejsce, które wskazywał mu Armand.

– Co to, do diabła? – przyglądał się dołkom, po czym przyklęknął, żeby dokładniej obejrzeć największy z nich. Zerknął na Armanda, który stał z rękoma skrzyżowanymi na piersi i uśmiechał się z wyższością. – Nie przypuszczam, żebyś to ty zrobił?

Teraz Armand spojrzał na niego z potępieniem.

– Hm. To nie wygląda na dzieło zwierzęcia.

Armand czekał cierpliwie. Wiedział, że brat w końcu dostrzeże problem, niebezpieczeństwo.

Julien wstał i zajrzał do jeszcze jednego dołka.

– Tego nie mogli zrobić ogrodnicy. To wandalizm – przygładził dłonią włosy. – Albo poszukiwania – zerknął z ukosa na Armanda. – Ktoś chciał coś wykopać? Czego ktoś mógł szukać w naszym ogrodzie?

Armand zmarszczył brwi. Nadążanie za szybką mową brata wciąż sprawiało mu trudność. Julien zrobił gest naśladujący kopanie, a Armand skinął głową. Tak, teraz zrozumiał.

Julien kopnął jeden z kopczyków ziemi i warknął:

– Dlaczego?

Armand wciągnął powietrze w płuca, mając nadzieję, że brat nie będzie drążył tego tematu.

– Rano przyślę ogrodników, żeby naprawili zniszczenia – powiedział Julien, odwracając się w stronę domu, lecz Armand wydał dźwięk, który sprawił, że brat spojrzał na niego pospiesznie. Przyłożył rękę do czoła, jakby wypatrywał czegoś w oddali. Julien przyglądał mu się przez dłuższą chwilę, po czym powiedział: – Chcesz, żebym kazał komuś obserwować dom. Myślisz, że to może być poważniejsza sprawa.

Armand skinął głową.

Julien złożył ręce za plecami i ruszył powoli w stronę domu. Armand szedł za nim, nie mogąc się doczekać, kiedy brat podejmie decyzję. W końcu Julien zatrzymał się przed drzwiami balkonowymi.

– Postawię kogoś na straży dziś w nocy.

Armand odprężył się i skierował do biblioteki. Kiedy mijał Juliena, ten klepnął go w ramię.

Parzy! Nie!

Ból był silny i natychmiastowy. Armand uskoczył w bok, czując, jak skóra pali go w miejscu, gdzie brat jej dotknął. Odwrócił się błyskawicznie, z uniesionymi pięściami, gotów do ataku. Ale Julien już podniósł przepraszająco ręce.

– Przepraszam. Zapomniałem – mówił powoli, gestami dając Armandowi do zrozumienia, by się odprężył. – Nie chciałem tego zrobić. Mój błąd.

Armand opuścił ręce, ale spojrzenie wciąż miał czujne. Ból zaczął słabnąć i Armand skinął głową, dając znak, że nic mu nie jest.

– Naprawdę, przepraszam, bracie. Zapomniałem. Przez chwilę sprawiałeś wrażenie... – zawiesił głos, ale Armand odszedł.

Wspinał się po schodach, czując się jak wyrzutek. Co gorsza, miał poczucie, że to on sprowadził tutaj niebezpieczeństwo. Dołki w ziemi oznaczały zagrożenie. Wszyscy blisko niego, łącznie z panną Bennett, byli w niebezpieczeństwie. Ale niech go piekło pochłonie, jeśli wie, jak ich uratować.

Czy zobaczy ją jeszcze rano, czy też panna Bennett wcześniej zniknie? Zapewne byłoby najlepiej, gdyby zniknęła. Najlepiej, gdyby nigdy więcej nie zobaczył jej oczu w kolorze nieba ani nie usłyszał jej magicznej muzyki. Jeśli zobaczy ją znowu, ona spróbuje zmusić go do mówienia. Już to zrobiła. Armand nie może ryzykować, że to stanie się znowu. Teraz, kiedy niebezpieczeństwo było tak blisko, mówienie stało się jeszcze bardziej ryzykowne.

Jeśli ona jutro będzie jeszcze w domu, on nie spotka się z nią. A jeśli będzie odmawiał dostatecznie długo, ona w końcu odejdzie. Być może to jedyny sposób, żeby ją ocalić.

7

Zakończy pracę, zanim jeszcze zdąży ją zacząć. Felicity denerwowała się i spacerowała po salonie, gdy członkowie rodziny de Valère po kolei wracali z tą samą wiadomością.

Hrabia się z nią nie zobaczy.

Nie chce wyjść z pokoju, nie reaguje na niczyją obecność, nie nawiązuje kontaktu.

– To się zdarzało już wcześniej – powiedziała księżna, kiedy książę popędził na piętro, by przywołać brata do porządku. Felicity słyszała docierające aż do salonu echo szybkiej francuszczyzny księcia, lecz nie wyglądało na to, by powiodło mu się lepiej niż poprzednio księżnej albo księżnej wdowie. – Zamyka się w sobie, czasem na godzinę, czasem na kilka dni. Nie wiem, co jest przyczyną...

Ponad nimi trzasnęły drzwi i rozległy się szybkie, energiczne kroki. Księżna i jej teściowa wymieniły znużone spojrzenia.

– ...ale przypuszczam, że można to zrozumieć, po wszystkim, co przeszedł.

Drzwi otworzyły się z rozmachem i książę, wyglądający jakby miał ochotę kogoś udusić, wpadł do salonu.

– Nie chce wyjść. Nie pytajcie mnie dlaczego. Ten człowiek jest uparty jak osioł. Wracam do biblioteki – i popędził dalej.

Felicity zamrugała, zaskoczona. Wyglądało na to, że upór jest wrodzoną cechą tej rodziny.

– Nie wiem, co pani powiedzieć – rzekła księżna, rozkładając bezradnie ręce. – Może jutro będzie bardziej towarzyski.

Felicity skinęła głową. Ale jeśli hrabia nie wyjdzie także jutro? Księżna wspomniała, że czasami zamyka się na całe dnie. Czy będą jej płacić za bezczynność? A jeśli hrabia postanowi nie wychodzić z pokoju przez miesiąc? Czy wtedy zachowa posadę, czy będzie musiała powiedzieć Charlesowi, że została zwolniona? Co wtedy się stanie?

Dokładnie wiedziała, co się stanie. A jeśli nie zgodzi się poślubić Charlesa? Jeżeli wróci do domu ciotki, będzie dla niej tylko ciężarem. Tego by nie zniosła. Nie zniosłaby też, gdyby musiała wyjaśniać ciotce, jej przyjaciołom i sąsiadom, i każdemu, kogo odtąd pozna, że mężczyzna, któremu obiecał ją ojciec, mężczyzna, który pielęgnował jej ojca w ostatnich dniach, którego wszyscy uważali za uczciwego i godnego szacunku, jest hazardzistą, pijakiem i szantażystą.

Jakie to upokarzające – dla jej ojca, pokój niech będzie jego duszy, i dla niej samej.

Nie może dopuścić, żeby do tego doszło.

Zaczęła ją ogarniać panika. Musi coś zrobić. Ale co?

Hrabia jest dorosłym człowiekiem, i to nie małym ani słabym. Nie da się go nigdzie zaciągnąć ani fizycznie zmusić do zrobienia czegoś, na co nie ma ochoty. Po raz dziesiąty, odkąd tu przybyła, żałowała, że pomyliła się co do wieku hrabiego. Byłoby o wiele łatwiej uczyć siedmio- albo ośmioletniego chłopca. Poza tym, można by było zmusić go do wyjścia z pokoju.

Skoro więc nie może zmusić hrabiego do wyjścia, będzie musiała nakłonić go innym sposobem. Nie może pójść do jego pokoju. To byłoby niestosowne, a on pewnie i tak by ją zignorował, tak samo jak swoją matkę i brata.

Zerknęła przez salon na promienie słońca sączące się zza zasuniętych zasłon. Złocista plama dotknęła fortepianu i Felicity uśmiechnęła się. Skoro nie mogą słowa, to może przekona go muzyka.

– Wasza Wysokość, czy miałaby pani coś przeciwko temu, żebym zagrała?

Księżna wzruszyła ramionami.

– Oczywiście, że nie. Może pani grać, ile tylko zechce. Och! – jej twarz rozbłysła jak świeca. – Och! Dlaczego wcześniej o tym nie pomyślałam? – spojrzała na księżną wdowę. – Muzyka na pewno wywabi Armanda z pokoju.

Księżna wdowa zamyśliła się.

– Może tak, może nie. To zależy od tego, jak głęboko schował się w swojej skorupie. Ale przyznaję, że warto spróbować – skinęła głową, patrząc na Felicity. – Saro, ty zejdź na dół, a ja zostanę tutaj jako przyzwoitka. Myślę, że im mniej osób będzie w salonie, tym lepiej.

– Doskonale.

Księżna wdowa zajęła miejsce na fotelu w głębi pokoju, gdzie mniej rzucała się w oczy, zaś Felicity usiadła przy fortepianie. Uniosła ręce i zauważyła, że palce jej lekko drżą. A jeśli muzyka go nie wywabi? Co wtedy będzie mogła zrobić?

Nie, nie myśl o tym. Myśl tylko o sukcesie. A jaki utwór zadziała najlepiej? Może jakaś sonata? Etiuda? Marsz? Fuga?

Felicity zamknęła oczy i wydęła usta. Myślała zbyt intensywnie. Powinna po prostu zagrać. Zagrać cokolwiek.

Położyła drżące palce na klawiszach i zaczęła grać, początkowo nieśmiało. Dźwięki rozbrzmiewały cicho i powoli, a jej palce zdawały się sztywne i niezgrabne. Wahała się, uderzała w niewłaściwe klawisze, myliła rytm. Hrabia nigdy nie wyjdzie, jeśli będzie grała tak źle. Musi dać się ponieść muzyce, tak jak poprzedniego dnia.

Instynkt podpowiadał jej, żeby bardziej się skoncentrowała, bardziej skupiła, ale ona zamknęła oczy i starała się odprężyć. Zagrała kilka fałszywych nut i aż się wzdrygnęła, słysząc nieprzyjemny dźwięk.

Poczuj muzykę. Zobacz klawisze w myślach.

Ale zamiast tego zobaczyła obraz swojej matki. Wydawała się nienaturalnie wysoka i Felicity zdała sobie sprawę, że to wspomnienie pochodziło z czasów, kiedy była małą dziewczynką. Matka miała na sobie żółtą suknię, a jej długie włosy spływały na jasny materiał niczym deszcz złota. Siedziała przy fortepianie, z dłońmi na klawiaturze, ale patrzyła za siebie przez ramię i się uśmiechała. Felicity również uśmiechnęła się na to wspomnienie. I wtedy zobaczyła w myślach, jak matka odwraca się do klawiatury, zobaczyła jej długie, smukłe palce i usłyszała wypływającą spod nich muzykę.

Teraz Felicity pozwoliła, żeby jej palce poruszały się tak samo jak palce matki. Nie słyszała muzyki, którą grała, a jedynie tę ze swoich wspomnień. Nie usłyszała, jak otworzyły się drzwi salonu ani energicznych kroków. Poczuła jednak, jak dreszcz przeszedł jej po plecach i powoli, gdy wspomnienie bladło, otworzyła oczy.

Hrabia był zły. Nietrudno było to zauważyć. Jego oczy płonęły lodowatym błękitnym ogniem, u boków zacisnął pięści, a z jego postawy dało się odczytać równocześnie gotowość do walki i niecierpliwość. Felicity zmusiła się, by kontynuować grę, chociaż najchętniej uciekłaby jak najdalej od jego gniewnego spojrzenia. I nagle jakaś jej część zapragnęła się uśmiechnąć. Nie wszystko było stracone. Jej posada nie była zagrożona... przynajmniej na razie.

– Milordzie – powiedziała, niemal bezwiednie przebiegając palcami po klawiszach. – Jak miło, że pan do nas dołączył.

Warknął, jego usta wykrzywiły się gniewnie, ale podszedł do fortepianu i patrzył, jak jej palce płyną po klawiaturze.

– To Mozart. Piąty koncert fortepianowy D-dur – wyjaśniła.

Nie odpowiedział, lecz dalej przyglądał się, jak gra.

– Nie zszedł pan dziś rano na lekcję. Unika pan lekcji, mnie, czy obu?

Zmierzył ją gniewnym spojrzeniem. Doskonale wiedziała, czego on chce. Chciał, żeby przestała mówić i po prostu grała. Ale ona nie zamierzała pozwolić mu przejąć kontroli nad sytuacją. Jako nauczycielka, to ona musi kierować, a on – być posłuszny. Spowolniła ruchy, przeciągając każdą nutę tak, aby każda wydawała się ostatnią. Zauważyła, jak hrabia pochylił się do przodu, wyczekując następnego akordu. Grała coraz wolniej, aż w końcu muzyka ucichła zupełnie.

W ciszy, jaka nagle zapadła, usłyszała jego oddech i skrzypienie drewna pod jego dłońmi zaciśniętymi na bokach fortepianu. Spojrzała na niego, prosto w jego oczy. Jak to możliwe, że są aż tak ciemnoniebieskie? Jak mogą być tak głębokie, tak namiętne? Znowu przeszył ją dreszcz, gdy intensywnie uświadomiła sobie jego obecność. Nagle w salonie zrobiło się zbyt gorąco, jakby światło wpadające przez okna parzyło ją.

– Wolałby pan, żebym nie przestawała grać.

Uniosła dłoń do czoła, by otrzeć kroplę potu. Gdy zauważyła, jak podążył wzrokiem za jej ruchem, udała, że poprawia fryzurę.

– Jeśli chce pan, żebym dalej grała, czemu po prostu pan nie poprosi?

Przyglądał się jej przez dłuższą chwilę, po czym machnął ręką w kierunku fortepianu. Gdy nie zaczęła grać, wskazał energiczniej na instrument, celując palcem w klawisze. Felicity uniosła brwi.

– Nie jestem do końca pewna, czy dobrze rozumiem, czego pan oczekuje, milordzie. Gdyby pan mógł po prostu powiedzieć, to by ogromnie pomogło.

Rozumiał ją. Widziała w jego oczach, że dokładnie wie, o co go prosi, ale nie zamierza tego zrobić. Nie zamierza dać jej tego, czego ona chce. Ponownie wskazał na fortepian, tym razem uderzając w klawisze, które wydały nieprzyjemny dźwięk.

– Nie – powiedziała, patrząc mu w oczy i nie odwracając wzroku, kiedy chwycił ją za rękę i położył ją na klawiaturze. – Musi pan to powiedzieć. Proszę powiedzieć: Zagraj na fortepianie.

Jeszcze raz popchnął jej ręce ku klawiszom, ale ona je cofnęła i położyła na kolanach.

– Może to za dużo na początek. Ułatwię panu zadanie. Jedno słowo. Zagraj. Wystarczy, że powie pan tylko tyle. Proszę powiedzieć po prostu „zagraj".

Wpatrywał się w nią, a ona widziała, że intensywnie analizuje ten pomysł. Badał to słowo, smakował je, zaznajamiał się z nim. Ale czy je wypowie? Może powinna była użyć francuskiego słowa? Nie, to by utrudniło sprawę. Niech będzie jak najprościej.

Obserwowała go z rękoma nieruchomo złożonymi na kolanach. W myślach zachęcała go, żeby powiedział to jedno słowo, sama powtarzała je tysiąc razy, ale nie otworzyła ust.

On wciąż się jej przyglądał, z zaciśniętymi szczękami, z krnąbrnie zamkniętymi ustami.

Zaczęła tracić nadzieję. Nie powie tego. Widziała po jego oczach, że raczej będzie milczał, niż powie słowo, nawet jeśli to miałoby oznaczać koniec muzyki. Westchnęła.

– Dobrze – choć bardzo chciała dalej grać, bardzo chciała znowu zobaczyć, jak to spojrzenie odzyskuje blask, nie mogła teraz ustąpić, gdyż wtedy nigdy nie osiągnęłaby żadnego postępu.

Odsunęła się lekko od fortepianu i zobaczyła, że cień gniewu przemknął przez jego twarz. Równie dobrze mogłaby po prostu grać dalej. Jej plan nie zadziała. Ale odsunęła się dalej i zaczęła wstawać. Zanim zorientowała się, co się dzieje, poczuła na ramionach jego dłonie, popychające ją z powrotem na miejsce. Zobaczyła, że w głębi salonu, za nim, jego matka wstaje, z zaniepokojonym wyrazem twarzy. Felicity pokręciła jednak głową, chociaż być może interwencja księżnej wdowy byłaby teraz bardzo na miejscu. Pozwoliła posadzić się z powrotem, ale chciała, żeby wiedział, że ona też umie być uparta. Zdecydowanym ruchem skrzyżowała ręce na piersi.

Hrabia wskazał palcem na fortepian, nie pozostawiając najmniejszych wątpliwości, czego chce.

– Graj. Wystarczy, że powie pan tylko tyle, a będę grała aż do południa.

Pochyliła się ku niemu i szepnęła:

– Graj.

Trzymał ją za ręce, a ona czuła, że jego palce się zaciskają, i wiedziała, jakie to dla niego trudne. Znajdował się niepokojąco blisko niej. Zbyt blisko – widziała fioletową obwódkę wokół kobaltowoniebieskich tęczówek. Zbyt blisko – czuła jego ciepły, słodki oddech na swoich wargach. Zbyt blisko – czuła jego zapach, upajający, męski i piżmowy.

A niech to! Całe szczęście, że księżna wdowa jest w tym samym pokoju, bo kto wie, jakim pokusom mogłaby ulec, gdyby została sam na sam z hrabią. Nie przypominała sobie, żeby kiedykolwiek czuła taki pociąg do jakiegokolwiek mężczyzny, a już z całą pewnością nie do Charlesa. Ale ten mężczyzna – ten arystokrata, do którego powinna czuć odrazę – pociągał ją jak nikt inny. Oczy hrabiego mówiły więcej, niż większość mężczyzn powiedziała przez całe życie słowami.

Ona jednak chciała usłyszeć od niego jedno słowo, a nie sądziła, żeby jej życzenie miało się spełnić. Odszukała jego oczy i popatrzyła w nie prosząco. I właśnie w chwili, gdy już miała się poddać, odwrócić wzrok, zobaczyła, że jego wargi się poruszają.

To był nieznaczny ruch; jego wargi ułożyły się w kształt słowa „graj". Chciała skinąć głową zachęcająco, ale nie mogła oderwać wzroku od jego ust. Niemal czuła je na swojej skórze. Były pełne i namiętne, a ona mogła sobie wyobrazić, jak delikatny i ekscytujący byłby ich dotyk na jej wargach... albo na jej szyi... albo na ramionach...

Wciągnęła gwałtownie powietrze. Skąd się biorą u niej takie myśli? Musi nad nimi zapanować!

Poruszył znowu ustami i tym razem poczuła ciarki na plecach, ponieważ usłyszała jego szept. Teraz skinęła głową.

– Tak, bardzo dobrze. Tylko odrobinę głośniej.

Odchrząknął i wziął głęboki oddech.

– Graj – jego głos zabrzmiał zgrzytliwie, jak stalówka na papierze, ale był też lekko ochrypły i niewyobrażalnie ponętny.

Patrzyła na niego, obserwowała jego usta, mając nadzieję na coś więcej. Ale on nieoczekiwanie puścił jej ręce i cofnął się o krok, pocierając kark. Wydawał się zaskoczony tym, że przemówił, wstrząśnięty brzmieniem własnego głosu.

A wtedy nagle odwrócił się i spojrzał za siebie, jakby oczekiwał, że ktoś tam czeka, żeby go uderzyć, by go ukarać. Felicity przelękła się, że hrabia wyjdzie, ucieknie do swego pokoju, lecz on, z niepokojem w oczach, odwrócił się do niej. Czuła, jak jej serce pęcznieje z radości. On przemówił! Naprawdę to zrobił!

– Udało się panu! – podskoczyła i klasnęła w ręce. – Udało się!

Naprawdę pomogła mu przemówić. Może więc jednak uda jej się utrzymać tę posadę. Odrzuciła głowę do tyłu i roześmiała się radośnie.

Skinął niepewnie głową, po czym znowu wskazał na fortepian. Roześmiała się znowu.

– Chce pan, żebym zagrała. Oczywiście, że zagram.

Zakręciła się w kółko i usiadła przy instrumencie. Uniosła ręce, uśmiechnęła się do niego i zagrała prostą, wesołą melodię.

A potem, ponieważ utwór był krótki i skończył się za szybko, zagrała coś dłuższego, co wiedziała, że mu się spodoba. To zawsze był jeden z jej ulubionych utworów. Żałowała, że nie zabrała ze swojego pokoju nut, bo tamtej muzyki chciała się nauczyć. Ale hrabiemu najwyraźniej robiło niewielką różnicę, co grała. Stał przy fortepianie i spoglądał to na jej palce, to na jej twarz.

Starała się nie zauważać, kiedy przyglądał się jej twarzy, nie zwracać uwagi na falę gorąca, jaka przez nią przepływała, kiedy czuła na sobie jego spojrzenie. Skupiała się na klawiszach, lecz nagle, za hrabią, dostrzegła jakiś ruch.

Jego matka! Oczywiście. Niemal zapomniała, że księżna wdowa została z nimi jako przyzwoitka. Hrabia prawdopodobnie nawet nie zauważył jej obecności i może tak było najlepiej. Łzy spływały po twarzy księżnej i niemal łkała. Spojrzała Felicity prosto w oczy i wyszeptała:

– Dziękuję.

Felicity poczuła, że i ją oczy pieką. Po części z powodu szczęścia, jakie dała księżnej wdowie. Po części dlatego, że sama czuła się szczęśliwa z tego, co osiągnął hrabia. Przede wszystkim jednak pomyślała o swoim ojcu, zatęskniła za nim i za rodziną, którą niegdyś miała. Nie spodziewała się, że przy tej rodzinie zatęskni za swoją własną; nie sądziła, że arystokraci są zdolni do okazywania takiego ciepła i miłości, jakich ona doznawała w dzieciństwie.

Teraz jednak zrozumiała, jak niesprawiedliwa była jej opinia.

Zrozumiała też, że jest bardziej samotna niż kiedykolwiek dotąd.

Kilka godzin później Armand chodził po swoim pokoju. Był zmęczony, nie potrafił się odprężyć na tyle, by usiąść. Nim popołudnie dobiegło końca, wypowiedział cztery słowa. Powiedzenie każdego z nich przychodziło mu z niewyobrażalnym trudem. Zupełnie jakby język przygniatała mu wielka skała. Poruszenie jej, wykrztuszenie choćby jednego słowa, wymagało ogromnego skupienia i cierpliwości. Ale udało mu się.

I wciąż stał na własnych nogach. Nic złego się nie wydarzyło.

Jeszcze.

Ale wiedział, że coś musi nastąpić. Doły były znakiem. Jeśli powie niewłaściwą rzecz, jeśli niewłaściwa osoba usłyszy... Nie! Tak myśli dziecko. On się już nie boi.

Ale jedna rzecz się zmieniła.

Wypowiedzenie nawet tych kilku słów okazało się kluczem do zamka jego umysłu. Teraz runęły na niego nieproszone myśli i słowa z przeszłości, szybciej, niż potrafił je pojąć. Jedne po angielsku, inne po francusku. Sądził, że niektóre mogły być po włosku albo w jakimś innym języku. To było wyczerpujące, a teraz, kiedy te drzwi w jego umyśle zostały wyważone, nie wiedział, jak je zamknąć, choćby na chwilę.

I chociaż nie przeszkadzały mu pędzące słowa i zdania, nie chciał zasypującej go lawiny obrazów i wspomnień. Nagle pojawiły się całkiem mu nieznane głosy i twarze. Widział tawerny, domy i ulice, których nie potrafił zlokalizować, ludzie, których nie rozpoznawał, a jednak wszystko to zdawało się mieć jakiś związek z jego wcześniejszym życiem, przed więzieniem.

Runęły też na niego obrazy z czasu spędzonego w celi. W ich kontrolowaniu miał większe doświadczenie. Ale czym były te nowe obrazy? Były rzeczywistością? Czy tylko wytworem wyobraźni? Dlaczego zupełnie nie miały sensu?

Przyłożył dłonie do głowy i ścisnął ją, próbując zatamować ten potok.

– Niech to diabli – jego szorstki, niepewny głos przerwał panującą w pokoju ciszę, niemal go zaskakując.

Nie brzmiał jak głos, który zapamiętał. Ale z drugiej strony, pamiętał swój głos jako dziecka. Teraz miał głos mężczyzny, do tego zachrypnięty. Wiedział, że musi go używać, żeby stał się mocniejszy. Ale czy właśnie tego chciał? Tego chciała panna Bennett. Musiał jej to przyznać. Jest mądra i pomysłowa.

Muzyka, którą grała tego popołudnia, była pobudzająca, ale nie tylko to zachęciło go do mówienia. Widok jej twarzy, jej uśmiechu i drobnych zmarszczek w kącikach oczu, gdy się uśmiechała, wystarczył aż nadto, by Armand zapragnął sprawiać jej przyjemność.

Nic dziwnego, że oprócz „graj" powiedział też „proszę", „dziękuję" i „tak". W takim tempie wkrótce zostanie najuprzejmiejszym mężczyzną w całej Anglii.

W tej chwili nie robiło to na nim wrażenia. Jedyne, o czym nie miał żadnych wspomnień, to kobiety. Och, pamiętał dość dobrze swoją matkę i wydawało mu się, że zachował kilka ulotnych obrazów swojej niani sprzed lat, madame St. Cyr. Ale nie miał żadnych innych wspomnień związanych z kobietami. Czy to dlatego panna Bennett miała na niego tak ogromny wpływ? Czy dlatego nie potrafił przestać myśleć o pocałowaniu jej?

Armand znowu zaczął chodzić tam i z powrotem. Nie sądził, żeby kiedykolwiek całował kobietę. Raz widział, jak Julien całuje swoją żonę, ale nawet ich bardzo jawne okazywanie sobie uczuć miało swoje granice. To był tylko krótki pocałunek złożony na ustach Sary. Lecz Armand pragnął czegoś dłuższego i głębszego. Nie miał pojęcia, skąd wiedział, że właśnie tego chce, ale ten pomysł bardzo go absorbował. Kiedy był blisko niej, zdarzało się, że nie potrafił myśleć niemal o niczym innym. Czy wszyscy mężczyźni reagują w taki sposób, czy to znowu daje o sobie znać potwór w jego głowie? W każdym razie bardzo chciał poczuć dotyk jej ust na swoich wargach.

A to nie było wszystko, czego pragnął. Inne części jego ciała – części, na które dotychczas nie zwracał większej uwagi – także zaczęły odczuwać pewne pragnienia. Zacisnął pięści, uświadamiając sobie, jak często swędziały go palce, chcące dotykać włosów panny Bennett, jej skóry, jej warg. Znał na tyle reguły, by wiedzieć, że dotykanie jej w taki sposób byłoby niestosowne, i doskonale wiedział, że inne jego fantazje byłyby jeszcze trudniejsze do zaakceptowania w eleganckim towarzystwie.

Wyobrażał sobie, jak zdejmuje z niej ubranie. Nigdy nie widział nagiej kobiety… nie, to nieprawda. Widział obraz przedstawiający tylko częściowo ubraną kobietę. I rzeźbę. Ale to były artystyczne wizerunki, a nie prawdziwe kobiety. Panna Bennett była rzeczywista, ze wszystkimi swoimi krągłościami i miękkościami. Chciał zobaczyć to wszystko, dotknąć tego, dotykać ją. Ale to nigdy nie będzie możliwe. Nie wtedy, kiedy obowiązują reguły. Skupił się na tej myśli, by schłodziła jego rozgrzaną krew. Panna Bennett jest tylko jego nauczycielką, niczym więcej. Myśli o nim jak o swoim uczniu i być może dzikim zwierzęciu, które trzeba oswoić. Nigdy nie pozwoliłaby mu się dotknąć tak, jak on tego pragnął. Czy jakakolwiek kobieta pozwoliłaby na to?

Na razie musiał oczyścić umysł, pozbyć się z głowy tych głosów i obrazów. Wyszedł na korytarz i zobaczył, że jest znacznie później, niż sądził. Świece w kinkietach były już pozapalane. Wracając do pokoju, zdał sobie sprawę, że zapomniał rozsunąć zasłony i otworzyć okno. Zdumiewające. Zupełnie nie niepokoiła go zamknięta przestrzeń. Rozsunął zasłony. Zmierzch już dawno przeszedł w ciemność nocy.

Przegapił kolację i nawet tego nie zauważył. Teraz jego żołądek zaprotestował, lecz Armand dawno temu nauczył się kontrolować głód i pragnienie. Zignorował oba te uczucia i skierował się w stronę schodów dla służby. Zapragnął znaleźć się na zewnątrz, pod osłoną ciemności. Chciał się poczuć wolny, uwolnić się od tych myśli i uczuć. Będzie musiał zmierzyć się z nimi znowu rankiem, co do tego nie miał wątpliwości. Lecz teraz, w nocy, odsunie je od siebie.

Wyszedł do ogrodu i wciągnął głęboko w płuca nocne powietrze. Pachniało Londynem, pachniało miastem. Porównywał je z wiejskim powietrzem w domu brata w Southampton. Wolał świeży zapach trawy i siana niż dymu z kominów i końskiego łajna, ale i tak londyński ogród był lepszy od domu. Poszedł nieco dalej, spojrzał w gwiazdy, a wtedy przypomniał sobie poprzednią noc i popatrzył na ziemię.

Dołki zostały zasypane i wyrównane. Nie został po nich nawet ślad i ogród wydawał się nienaruszony. Może na tym wszystko się skończy. Może nie oznaczały tego, czego się obawiał. Zastanawiał się, czy panna Bennett wiedziała, że dołki zostały zasypane. Zastanawiał się, co by się stało, gdyby nie potknęła się o jeden z nich. Czy pocałowałby ją?

Wiedział, że tak. I wiedział, bez cienia wątpliwości, że gdyby okazja nadarzyła się jeszcze raz, wykorzystałby ją. Do diabła z regułami.

Coś poruszyło się na ścieżce przed nim. Zamarł, wytężając wszystkie zmysły w przeczuciu zagrożenia. Odczuł instynktowną chęć skulenia się, ale stał wyprostowany, a w jego gardle narastał warkot. To jego dom. Ten ogród to jego terytorium, musi je chronić. Powstrzyma każdego intruza.

I wtedy ów kształt stał się wyraźniejszy – długa biała suknia, niczym promień księżyca, zdawała się płynąć nad ścieżką. Zmrużył oczy i zobaczył idącą powoli ku niemu kobietę o żółtych włosach.

Armand był niemal pewien, że to jego umysł znowu go oszukuje, podsuwając mu te obrazy, lecz znał tę kobietę i wiedział, że ona nie jest wytworem jego wyobraźni.

Panna Bennett wciąż szła w jego stronę i Armand zauważył moment, kiedy zdała sobie sprawę, że nie jest sama. Zamarła w bezruchu i przechyliła głowę, żeby lepiej widzieć w ciemności. I wtedy usłyszał, jak odetchnęła i szepnęła:

– Och, to pan.

Ponieważ żadne ze słów, które ćwiczyli, nie wydawało się odpowiednie w takim momencie, nie odezwał się i tylko patrzył w milczeniu, jak się do niego zbliża. Nie odrywał oczu od jej ust i niemal chciał, żeby odeszła, ponieważ wiedział, że jeśli ona nie zmieni kierunku, on nie oprze się pokusie pocałowania jej. Ale oczywiście nie odeszła. Zbliżała się do niego z uśmiechem, nie wiedząc, jakie niebezpieczeństwo jej grozi.

– Usłyszałam jakiś hałas i pomyślałam… – machnęła lekceważąco ręką. – Cóż, nie wiedziałam, że to pan, milordzie.

Zatrzymała się tuż przed nim, a on poczuł, że ręce zaczynają go swędzieć. Musiał je zacisnąć w pięści, żeby się powstrzymać przed dotknięciem jej włosów. Wyglądały jak promienie słońca. Lśniły nawet w świetle księżyca.

– Nie było pana na kolacji.

– Tak – wychrypiał.

Nie był do końca pewien, o czym mówiła – nie skupił się dostatecznie na jej słowach – ale jego obserwacje wskazywały, że ludzie często kiwali głowami i pomrukiwali, nawet jeśli w rzeczywistości nie słuchali.

Jego starania zostały nagrodzone. Uśmiechnęła się do niego, wyraźnie zadowolona z jego – żałosnych, o czym doskonale wiedział – prób mówienia.

– Doskonale. Wkrótce będzie pan mówił całymi zdaniami.

Miała na sobie jakieś niebieskie ubranie i teraz mocniej się nim otuliła. Chyba powinien coś powiedzieć. Wywnioskował to ze sposobu, w jaki na niego patrzyła. Nie wiedział jednak, co powiedzieć, więc milczał. Poczuł się jak głupiec.

– Trochę się ochłodziło, może lepiej wrócę do środka – powiedziała, spoglądając gdzieś za niego. Zrozumiał, że patrzyła na dom. – Zobaczymy się rano na następnej lekcji.

Zaczęła się oddalać, a Armand wiedział, że powinien jej na to pozwolić. Powinien nie ruszać się z miejsca i pozwolić jej wrócić do domu.

Ale nie potrafił tak postąpić. Zanim zdążył się powstrzymać, wyciągnął rękę i chwycił ją za ramię. Spojrzała na niego; jej twarz wyrażała zaskoczenie, ale nie niepokój. Pomyślał, że powinna się zaniepokoić.

– O co chodzi? – uniosła brwi. Oznaka zainteresowania.

– Tak? – wychrypiał.

Teraz zmarszczyła brwi. Wprawił ją w zakłopotanie.

– Tak…?

Chwycił ją za wolną rękę i odwrócił do siebie, przyciągając na tyle blisko, że czuł jej zapach i ciepło jej ciała. Była taka ciepła. Chciał przyciągnąć ją bliżej.

– Nie? – powiedział. Jego głos był cichy i ochrypły, ale już mniej zgrzytliwy.

Musiała teraz wiedzieć, czego Armand chce. Była już niemal w jego ramionach. Zdawał sobie sprawę, jak łatwo mógłby ją teraz wziąć w objęcia.

– Nie jestem pewna, o co pan pyta – jej głos był cichy i drżący, lecz raczej nie ze strachu.

Armand zmrużył oczy i przyjrzał się uważnie jej twarzy. Nie, to na pewno nie strach. Czy powinien to odebrać jako zgodę?

Objął ramieniem jej ciało i przycisnął mocno do siebie. Doznanie było tak silne, że prawie zabrakło mu tchu. Jej ciepło i miękkość paliły go. Nie, nie czuł bólu. Czuł tylko pragnienie czegoś więcej. Nie odrywał oczu od jej warg, a jego ręka powędrowała do jej włosów. Były gęste i miękkie. Wyobrażał sobie, że mogą być w dotyku ciepłe, jak promienie słońca, lecz okazały się chłodne.

Poczuł spinające je wstążki i zapragnął je zerwać. Chciał uwolnić jej włosy, ale obawiał się, że już i tak posunął się zbyt daleko.

– Sądzę, że teraz już wiem, o co mnie pan pytał – teraz jej głos brzmiał już zupełnie inaczej. Był ciemny i cichy, jak noc zamykająca się wokół nich.

– Tak. Nie – powtórzył.

– Wielkie nieba. Nie ułatwia pan sprawy. Nie powinnam mówić „tak", ale...

Armand usłyszał słowo, które chciał usłyszeć, i to mu wystarczyło. Pochylił głowę i wpił się wargami w jej usta.

Pierwsze dotknięcie było niemal szokiem. Jej usta były tak miękkie i sprężyste, zupełnie inne, niż oczekiwał. Czuł, że mógłby je badać przez całą wieczność i działając pod wpływem instynktu, rozchylił jej wargi, żeby dotrzeć głębiej.

Dźwięk, jaki wydała z głębi gardła – cichy jęk – sprawił, że serce zaczęło mu bić szybciej, a krew dudniła w żyłach. Chciał... czegoś. Nie wiedział nawet, czego właściwie chce, ale jego ciało pragnęło tego bardziej niż pożywienia, wody i towarzystwa przez całe dwanaście lat spędzonych w więzieniu.

I wtedy, zupełnie niespodziewanie, zdał sobie sprawę, że jest twardy, bardzo twardy i niemal rozrywa spodnie. Chciał znaleźć się bliżej panny Bennett, przycisnąć ją do siebie. Rozpaczliwie starał się zachować nad sobą kontrolę.

I właśnie w tej chwili ona zaczęła odpowiadać na jego pocałunek. Aż dotąd pozwalała mu się całować; teraz zaczęła odwzajemniać pocałunki. Jej usta przywarły mocniej do jego ust, jej ramiona objęły go za szyję.

Krew płynęła w jego żyłach tak szybko i tak gorąca, że zaczął się obawiać, iż może stracić ciężko wywalczone opanowanie. Już pomyślał o tym, by popchnąć ją na ziemię i... i co potem? Wiedział, co chce zrobić potem, nie był tylko pewien, jak dokładnie to zrobić, ale nie wątpił, że instynkt go poprowadzi.

I wtedy odezwał się w nim inny instynkt – ten, który tak dobrze znał z długich lat spędzonych w więzieniu. Włosy na karku mu się zjeżyły, całe ciało się napięło, gotowe się skulić. Coś albo ktoś go obserwował.

Odskoczył od panny Bennett, odrywając od niej usta i błyskawicznie rozglądając się po ogrodzie.

– Co się stało? – szepnęła. – Co...

Wtedy zobaczył. Zobaczył obserwujące go oczy. Ludzkie oczy, nie zwierzęce.

I poznał te oczy. Pamiętał je z innych czasów, z innego życia. Z wyciem rzucił się naprzód.

8

*F*elicity cofnęła się, zaskoczona, gdy hrabia puścił ją i rzucił się pędem w stronę bramy ogrodu.

– Milordzie, dokąd pan idzie? Co się...

I wtedy go zobaczyła – małego, sękatego człowieczka, którego widziała z okna poprzedniej nocy. Stał przy bramie, przynajmniej do chwili, gdy hrabia pobiegł w jego stronę. To musiała hrabiemu przyznać. Był szybki i zwinny, niemal schwytał pomarszczonego człowieczka, lecz intruz również był sprytny i szybki. Prześlizgnął się pod ramieniem hrabiego, okrążył go i ile sił w nogach wybiegł za bramę. Hrabia ruszył za nim, a Felicity, trzymając się za serce, nie mogła się zdecydować, czy pobiec za nimi, czy do domu, po księcia i księżnę.

W końcu obróciła się na pięcie i pobiegła do domu, gdzie wpadła w pierwsze otwarte drzwi – do niewielkiego, kobiecego saloniku. Tam zobaczyła zaskoczoną służącą i wyłożyła sprawę. Pochyliła się, by złapać oddech i uspokoić serce, które wciąż biło jak szalone, a wtedy drzwi z rozmachem otworzył książę.

– Gdzie jest Armand?

– On… – Felicity próbowała odetchnąć, nie mogła i tylko ręką wskazała w stronę ogrodu. Nie czekając na dalsze informacje, książę wypadł przez balkonowe drzwi do ogrodu i zniknął w ciemnościach. Chwilę później w saloniku pojawiła się księżna. Miała na sobie jedwabny szlafrok, a jej włosy spływały na plecy falą w kolorze czekolady.

– Czy coś się stało? Gdzie jest książę?

Tymczasem Felicity złapała oddech i bardzo chciała wrócić już do ogrodu.

– Jego Wysokość pobiegł za hrabią. W ogrodzie był jakiś intruz.

– Intruz?

– Tak. Proszę o wybaczenie, Wasza Wysokość.

I wybiegła na zewnątrz, słysząc, jak księżna woła za nią:

– Jeśli był tam intruz, proszę zostać w domu!

Lecz Felicity nie zniosłaby bezczynnego czekania, jeśli coś ciekawego działo się gdzie indziej. Pobiegła do bramy ogrodu i w chwili, gdy do niej dotarła, zobaczyła wracających braci. Obaj byli zdyszani, lecz najwyraźniej żadnemu nic się nie stało. Spojrzała na księcia.

– Czy złapał go pan... tego intruza?

Książę otworzył usta, by odpowiedzieć, lecz to hrabia przemówił pierwszy.

– Zły człowiek – powiedział, głosem wyraźnie mniej ochrypłym niż wcześniej.

Felicity zamrugała zaskoczona i wymieniła krótkie spojrzenie z księciem.

– Ja go tego nie uczyłam – powiedziała.

Książę spojrzał na brata.

– Kto to był? Złodziej?

Hrabia zastanawiał się przez chwilę, po czym powtórzył:

– Zły człowiek.

Książę westchnął i popatrzył na Felicity.

– Widziała pani tego człowieka?

– Tak. Prawdę mówiąc, widziałam go już po raz drugi. Pierwszy raz, ostatniej nocy, zobaczyłam go z okna mojej sypialni. On i jeszcze jakiś człowiek kopali w ogrodzie. Pomyślałam, że są ogrodnikami. Teraz, jeśli się nad tym zastanowię, to było chyba dość głupie przypuszczenie. Było wtedy o wiele za późno na uprawianie ogrodu.

Ale książę skinął głową.

– Znaleźliśmy te dołki – zerknął na brata, a Felicity poczuła, że policzki zaczynają ją piec.

Oczywiście książę nie wiedział, że ona była z hrabią w chwili odkrycia owych dołków. Ale hrabia tamtej nocy nie widział sprawcy, a jedynie jego dzieło. Czy rozpoznał go dlatego, że kiedyś wcześniej się spotkali?

Już prawie otwierała usta, by napomknąć coś na ten temat, lecz zdała sobie sprawę, że w ten sposób wyjdzie na jaw, iż nie po raz pierwszy ona i hrabia odbywali wspólny nocny spacer po ogrodzie. A dzisiaj robili coś więcej, niż tylko patrzyli na gwiazdy.

Czy naprawdę pozwoliła, żeby hrabia ją pocałował? Czy naprawdę po prostu stała biernie, kiedy on przyciągnął ją do siebie, wziął ją w ramiona i zniewolił jej usta? Nie dało się opisać tego pocałunku w żaden inny sposób. Zdarzały się jej pocałunki już wcześniej – niewinne cmoknięcia, a nawet raz czy dwa namiętne uściski. Ale żaden z tamtych pocałunków nie poruszył jej tak jak ten. Żaden z tamtych pocałunków nie zawładnął tak całkowicie jej ciałem i umysłem. Wciąż jeszcze czuła ślady tego ognia, który zapłonął w jej wnętrzu. Nawet pojawienie się intruza nie zgasiło go zupełnie. Wciąż czuła trzymające ją ramiona hrabiego i jego usta na swoich wargach. Wiedziała, że jego usta będą uwodzicielskie, i takie właśnie były. Wciąż czuła mrowienie na wargach i przesunęła po nich grzbietem dłoni, żeby uwolnić się od tego uczucia.

Na szczęście książę nie zauważył jej ruchu. Patrzył na brata.

– Czy widziałeś tego człowieka ostatniej nocy, kiedy znalazłeś doły?

Hrabia pokręcił głową.

– Zły człowiek – powtórzył i Felicity była już pewna, że widział go wcześniej.

– Sądzę, że najlepiej będzie rozstawić kilku służących wokół domu dzisiejszej nocy – rzekł książę, gestem zapraszając Felicity, by poszła przodem. – Nie chcę ryzykować. Rano porozmawiam z sąsiadami i zobaczymy, czy mają podobne problemy.

Weszli do salonu i księżna podbiegła do nich.

– Złapaliście intruza?

Książę spojrzał na nią z przyganą.

– Powinnaś być już w łóżku.

Przewróciła oczami.

– Nie jestem zmęczona. I jak miałabym zasnąć, kiedy ktoś obcy kręci się po ogrodzie?

– Jego już tu nie ma, a ja wyślę służących, żeby w nocy pilnowali domu. Jutro możemy zatrudnić fachową ochronę.

– Zły człowiek – powiedział jeszcze raz hrabia i księżna uniosła brwi.

– Czy Armand zna tego człowieka? Wciąż nie do końca wiem, co się wydarzyło – spoglądała to na hrabiego, to na Felicity. – Służąca powiedziała, że Armand pobiegł za intruzem, ale skąd pani dowiedziała się o tym, panno Bennett?

Felicity poczuła na sobie spojrzenia księżnej i księcia, i zrozumiała, że zaczynają dopasowywać do siebie elementy układanki. Zerknęła szybko na hrabiego, zbyt późno zdając sobie sprawę, że ten gest tylko ją obciąży.

– Och, do diabła – rzucił półgłosem książę.

Felicity nie była pewna, na ile hrabia rozumiał całą tę rozmowę, lecz na pewno zrozumiał dość, by wyglądać na zakłopotanego. Niemniej jednak to nie on będzie składał wyjaśnienia.

– Spacerowałam w ogrodzie po kolacji – zaczęła Felicity, zastanawiając się szybko, ile może powiedzieć.

Prawdę mówiąc, obawiała się, że Charles może spełnić swoją groźbę i pojawić się w ogrodzie. Miała nadzieję, że zdąży go wypłoszyć, zanim zauważy go ktoś z rodziny. Mogła zataić przyczynę swojego pobytu w ogrodzie, ale nie mogła zaprzeczyć, że spotkała hrabiego. Pocałunek jednak pozostanie ich sekretem.

– Właściwie wracałam już do domu, ponieważ robiło się ciemno. W drodze do domu natknęłam się na Jego Lordowską Mość. Przypuszczam, że hrabia także wybrał się na przechadzkę. Zatrzymaliśmy się na chwilę, żeby... wymienić uprzejmości...

Stojący obok niej książę parsknął, lecz ona pospiesznie mówiła dalej, nie patrząc na niego. Przeczucie mówiło jej, że domyślał się, iż w ogrodzie zdarzyło się coś więcej niż przechadzka.

– Kiedy... rozmawialiśmy, hrabia najwyraźniej zauważył intruza. Zamarł w bezruchu, krzyknął i pobiegł za nim, kiedy ten człowiek uciekł z ogrodu.

– Czy pani też widziała tego człowieka? – spytała księżna.

– Tak. Jak już wspomniałam Jego Wysokości, widziałam go też poprzedniej nocy z okna sypialni. Kopał w ogrodzie z innym mężczyzną, a ja pomyślałam, że to jeden z ogrodników.

– Jest pani pewna, że to ten sam człowiek? – dopytywał się książę.

Felicity skinęła głową.

– Absolutnie. Wygląda raczej niecodziennie. Jest mały, wzrostu dziecka, ale twarz ma pomarszczoną i sękatą. Twarz starca, chociaż nie przypuszczam, żeby miał więcej niż pięćdziesiąt lat. I jego oczy... cóż, kiedy wyglądałam na ogród, on wpatrywał się w moje okno. Jego spojrzenie było wprost złowrogie.

– Naprawdę? – księżna się wzdrygnęła.

– Powinnaś już iść się położyć – książę wydał żonie niemal rozkaz.

– A ten człowiek, który był z nim? – spytała, ignorując męża.

– Był wysoki i muskularny. Miał potężne ramiona. Nie widziałam wyraźnie jego twarzy, ale wydaje mi się, że był młodszy.

– Bardzo zły człowiek – odezwał się hrabia.

Felicity spojrzała na niego, książę i księżna także.

– Naprawdę sądzę, że Jego Lordowska Mość rozpoznał mężczyznę, którego ścigał dziś w nocy. Być może zna też jego wspólnika, tego większego.

– Zgadzam się z tym – rzucił szorstko książę. – Ale jeśli Armand nie będzie mógł podać nam więcej informacji, nie będzie zbyt użyteczny w sądzie.

– Być może uda mi się z nim popracować nad tym jutro.

– To mogłoby być lepsze wykorzystanie czasu niż spacery w ogrodzie.

Felicity poczuła, że pieką ją policzki, ale zmusiła się, by spojrzeć księciu prosto w oczy. Potrzebowała tej posady i nie mogła sobie pozwolić na sprawianie wrażenia, że robi coś niewłaściwego. Nie mogła sobie pozwolić na robienie czegoś niewłaściwego. Co ona sobie myślała, tam, w ogrodzie? Całowanie się z hrabią było niewłaściwe, i to z wielu powodów. To nie może się zdarzyć znowu.

Księżna położyła dłoń na ramieniu męża.

– To był bardzo długi dzień i obawiam się, że wszyscy jesteśmy przemęczeni. Może ty i Armand pójdziecie do siebie, a ja odprowadzę pannę Bennett do jej pokoju?

– Dobrze – warknął książę, a Felicity zorientowała się po wyrazie jego oczu, że chciał powiedzieć więcej, lecz powstrzymał się ze względu na żonę. – Ale nie zabaw zbyt długo.

Książę popchnął brata w kierunku drzwi, ale hrabia odtrącił jego rękę i skierował się do drzwi balkonowych wychodzących na ogród. Zirytowany książę pokręcił głową i poszedł za bratem. Najwyraźniej hrabia naprawdę martwił się człowiekiem, którego nazywał złym. Zastanawiała się, dlaczego właściwie ci ludzie są według niego źli. Nie mogło przecież chodzić tylko o to, że kopali dołki w ogrodzie. Musiał poznać tych ludzi gdzieś indziej. Ale gdzie? I co takiego zrobili, że są mu tak wstrętni?

Czy uda się jej wydobyć z niego jakieś informacje?

– Pani i hrabia staliście się sobie bliscy dość szybko – powiedziała księżna, wyrywając ją z zamyślenia.

Felicity przygryzła wargę i stłumiła westchnienie. Kiedy książę odszedł, pomyślała, że nie grozi jej już dalsze wypytywanie. Teraz wyglądało na to, że został odprawiony tylko dlatego, by jego żona mogła zacząć wypytywać zamiast niego.

Felicity zdobyła się na wymuszony uśmiech.

– Nie powiedziałabym, że jesteśmy sobie bliscy. Przypadkowo oboje byliśmy w ogrodzie w tym samym czasie.

Księżna uniosła brwi, jakby wiedziała o wiele za dużo.

– Tylko ten jeden raz?

– Może dwa.

– Wielkie nieba.

Felicity zacisnęła pięści, słysząc dezaprobatę w tonie księżny.

– Zapewniam panią, że nasze dzisiejsze spotkanie było czysto przypadkowe. To się więcej nie powtórzy.

Księżna nie sprawiała wrażenia całkowicie przekonanej i Felicity poczuła się jak skarcone, niegrzeczne dziecko.

– Czuje pani pociąg do hrabiego.

Felicity już otwierała usta, żeby zaprotestować, ale księżna pokręciła głową.

– Nie ma sensu zaprzeczać. Widzę to całkiem wyraźnie. On jest atrakcyjnym mężczyzną.

Felicity wyprostowała się, ale i tak była odrobinę niższa od księżny.

– To prawda, ale jestem jego nauczycielką i to jest wyłącznie zawodowa relacja.

Nie wspominając o tym, że jest zaręczona z innym mężczyzną.

– Właśnie. Cieszę się, że pani rozumie, iż hrabia potrzebuje pani jako opiekunki przez cały czas. Obawiam się, że jeśli wasz związek stanie się bardziej… skomplikowany, może to pogorszyć sytuację hrabiego. On jest bardzo delikatny.

Felicity przygryzła wargę, by nie odpowiedzieć. Nie sądziła, by hrabia był aż tak delikatny, jak się to księżnej wydaje. W końcu to nie kto inny jak on, zaledwie kilka chwil temu, porwał ją w ramiona i wpił się w jej usta z zuchwałym zapamiętaniem. Obejmujące ją stalowe ramiona nie sprawiały wrażenia delikatnych.

Felicity odchrząknęła.

– Zapewniam Waszą Wysokość, że ten związek nie stanie się skomplikowany. Znam swoje miejsce.

Być może w tonie jej głosu zabrzmiał cień goryczy, jaką poczuła, ponieważ księżna dotknęła jej ramienia.

– Wie pani, że i ja byłam niegdyś guwernantką, więc nie zamierzam pani pouczać. Chodzi mi tylko o dobro Armanda. Jeśli uczucia nie pozwolą pani postępować w sposób profesjonalny…

– Moje uczucia są czysto profesjonalne – rzekła Felicity, odsuwając jej rękę.

Nie mogła sobie na to pozwolić. Nie mogła pozwolić, żeby stało się inaczej, jeśli chciała zachować posadę. Co więcej, nie mogła do tego dopuścić, jeśli zamierzała kiedykolwiek w przyszłości starać się o inną posadę. Będzie przecież potrzebowała listu polecającego od księżnej.

– Zapewniam panią jeszcze raz, że wiem, czego się ode mnie oczekuje. Nie będzie już żadnych spacerów w ogrodzie.

– Panno Bennett… – zaczęła księżna proszącym tonem.

– Czy mogę już odejść? – spytała Felicity, prostując ramiona.

– Oczywiście – odparła z westchnieniem księżna. – Zobaczymy się rankiem.

Felicity też westchnęła i z dumnie uniesioną głową wyszła powoli z salonu do holu, kierując się do swego pokoju. Udało jej się powstrzymać łzy, dopóki nie zamknęła za sobą drzwi sypialni, lecz wtedy tama puściła.

Zareagowała przesadnie. Zdawała sobie z tego sprawę, wyciągając z kieszeni sukni koronkową chusteczkę, by otrzeć łzy. Usiadła na łóżku i przyłożyła chusteczkę do oczu. Postąpiła niewłaściwie, a księżna była na tyle uprzejma, by jej o tym delikatnie przypomnieć. Ale najgorsze z tego wszystkiego, że ryzykowała swoją posadę. Nie mogła jej stracić, a jeśli nie zmieni postępowania, taki skutek będzie nieunikniony.

Głupia dziewczyno! Skarciła sama siebie. Czy chcesz skończyć jako żona pijaka, który przegra wszystkie pieniądze i zostawi cię z gromadką głodnych dzieci do wykarmienia? Chcesz ściągnąć skandal na swoją biedną ciotkę?

Nie, nie chce, i powinna się wstydzić za siebie.

Więc dlaczego się nie wstydzi? Choć się starała, Felicity nie potrafiła żałować tego, co się zdarzyło między nią a hrabią. Czy mogłaby żałować pocałunku, który zamienił jej wnętrze w płynny ogień? Z drugiej strony, czy nie byłoby lepiej, gdyby ten pocałunek nigdy się nie wydarzył? Ponad wszelką wątpliwość, nie mógł się równać z żadnym innym.

Przy Charlesie St. Johnie nigdy nie będzie się tak czuła. Raz ją pocałował. To było dwa lata temu – szybki pocałunek, lecz nie całkiem pozbawiony namiętności. Sprawił, że jej młode serce zaczęło bić szybciej. Wiedziała, że Charles jest doświadczony, że całował się z innymi dziewczynami. Był popularny w Selborne i wiele dziewcząt chichotało, kiedy obok nich przechodził. Ona zawsze uważała, że jest najprzystojniejszym, najbardziej czarującym mężczyzną wśród jej znajomych. Zależało jej na jego uwadze, ale była zbyt dumna, by się za nim uganiać. Nie wszystkie dziewczęta były tak powściągliwe, a on zawsze wydawał się bardziej zainteresowany takimi, które flirtowały i nosiły gorsety odsłaniające więcej niż jej gorset.

Czy ojciec nakłonił Charlesa, by obiecał się z nią ożenić? A jeśli tak, to dlaczego Charles się zgodził? Z poczucia obowiązku? Czy Charles ma jakiekolwiek poczucie obowiązku? To oczywiste, że nie ma honoru. Jaki człowiek żąda pieniędzy za rezygnację z zaręczyn?

Taki, który zawsze szuka zysku. Czy właśnie dlatego opiekował się jej ojcem aż do końca? Czy Charles, obciążony karcianym długiem, wrócił do Selborne, spotkał chorego, starego pastora i dostrzegł okazję zdobycia pieniędzy? Jeśli tak, to znacznie przecenił sytuację finansową Bennettów.

I właśnie dlatego Felicity znalazła się tutaj jako opiekunka hrabiego de Valère. Nie powinna zapominać, że jest jego opiekunką, nikim więcej.

A jutro, kiedy będzie musiała godzinami przebywać w jego obecności, najlepiej, żeby zapomniała, co czuła przyciśnięta do niego całym ciałem, gdy jego język rozchylił jej wargi, gdy czuła jego zapach...

Felicity powachlowała się chusteczką i jęknęła. Czy jest za wcześnie, by poprosić o wolny dzień?

Nie może pozwolić, by źli ludzie wrócili. Armand nie był pewien, co może się zdarzyć, jeśli wrócą. Choć usilnie się starał, nie potrafił sobie przypomnieć, skąd ich znał. Wiedział tylko, że są źli. Chciał, żeby trzymali się jak najdalej od jego rodziny. Czy to, że zaczął mówić, sprowadziło ich tutaj? Nie, przyszliby tak czy inaczej. Wiedział to. Byli częścią jego przeszłości; częścią, która nigdy go nie opuści. Wiedział o tym od zawsze.

Przez cały tydzień, każdej nocy, Armand całymi godzinami po zachodzie słońca chodził po ogrodzie, obserwując dom. Wiedział, że brat zatrudnił strażników, którzy patrolowali otoczenie domu, ale jeśli idzie o bezpieczeństwo rodziny, nie ufał nikomu. To on z jakiegoś powodu ściągnął tutaj tych ludzi i to on musi zadbać, żeby nikogo nie skrzywdzili.

Julien próbował odwieść go od prowadzenia nocnych patroli, ale Armand po prostu go zignorował. Ponieważ coraz płynniej posługiwał się mową, wzajemna komunikacja stała się łatwiejsza, ale same słowa nie zniosły bariery blokującej jego wspomnienia.

Nocne patrole nie przynosiły Armandowi pożytku w dzień. Panna Bennett oczekiwała, że będą zaczynać lekcje tuż po śniadaniu, a czasami kontynuowała je jeszcze po kolacji. Właściwie nie tyle uczyła go, ile zachęcała, dręczyła, wymagała, by mówił słowa, używał widelca, kłaniał się...

Armand był zmęczony lekcjami, lecz coraz bardziej pociągała go panna Bennett. Przez długi czas pozbawiony snu, często podczas lekcji błądził myślami, zapuszczając się na terytoria, o których wiedział, że są niebezpieczne.

Gdy próbowała pokazać mu, jak należy trzymać nóż i widelec, zapominał się skoncentrować i wpatrywał się tylko w jej długie, białe palce. Gdy pokazywała, jak powinien się kłaniać, kiedy kogoś poznaje, łapał się na tym, że przygląda się przodowi jej białej sukni i jej... och, nie potrafił przypomnieć sobie tego słowa, ale ona zaczerwieniła się, gdy ją o nie zapytał. I nawet teraz, gdy zachęcała go, by wypowiedział takie czy inne słowo – naprawdę, powinien bardziej się skupić – zwracał uwagę raczej na kształt jej ust niż na to, czego od niego oczekiwała.

– Powóz – powiedziała jeszcze raz, lekko wydymając wargi. – Teraz pana kolej.

Dlaczego nigdy wcześniej nie zwracał uwagi na usta kobiet? W rogu salonu pokojówka udawała, że ściera kurze. Była tu jako przyzwoitka, ale Sara zapewne poleciła jej udawać, że pracuje. Armand zerknął na młodą kobietę. Widział ją ze sto razy, może tysiąc, odkąd tu się znalazł, a jednak nigdy nie patrzył na jej wargi. Przyjrzał się im teraz najlepiej jak mógł, zważywszy, że nieustannie się poruszała, wymachując długą rzeczą zakończoną kawałkami ptaków przy wszystkim, do czego podeszła.

Wargi pokojówki były ładne, lecz go nie zainteresowały. Nie chciał ich całować. Następnie spojrzał na pannę Bennett. Tak, jej wargi chciał pocałować. Wiedział, że nie powinien tego robić. Brat dał mu długi, nudny wykład po tamtej nocy w ogrodzie. Ale Armand i tak chciał pocałować wargi panny Bennett. Właściwie czemu nie miałby tego zrobić? Julien na pewno całował wargi Sary.

To ma jakiś związek z małżeństwem. To słowo coś Armandowi mówiło. Słowo z dzieciństwa, które nigdy szczególnie go nie interesowało. Ale to słowo miało jakiś związek z tym, że nie mógł i nie powinien całować panny Bennett.

– Milordzie.

Jej usta się zacisnęły i Armand podniósł wzrok, patrząc w jej oczy, które teraz nie były tak świetliście niebieskie. Przybrały ciemniejszy, złowieszczy odcień.

– Panno Bennett – wychrypiał Armand.

– Czy pan mnie słucha, milordzie?

Minęła chwila, nim wymyślił, co ma odpowiedzieć, i skinął głową.

– Tak.

– Och, doprawdy? – przechyliła głowę i kosmyk żółtych włosów wysunął się z kuli na czubku jej głowy i opadł na ramiona.

Ręka świerzbiła go, by dotknąć tego kosmyka, wziąć go między dwa palce i poczuć jego miękkość, lecz zamiast tego zacisnął palce na swoim kolanie. Z jakiegoś powodu była niezadowolona. Odgadł to po sposobie, w jaki położyła dłonie na miękkiej, zaokrąglonej części ciała poniżej połowy wysokości całego ciała. Pomyślał, że mógłby zapytać, jak się nazywa ta część, lecz spojrzał jeszcze raz na jej twarz i zrezygnował.

– Skoro pan mnie słuchał, to o czym rozmawialiśmy?

To było bardziej skomplikowane pytanie niż te, na które zwykle musiał odpowiadać, i przez dłuższą chwilę szukał w myślach słów i przekładał je na mowę. Ona, jak zwykle, była cierpliwa.

– Chciała pani, żebym mówił.

– Tak. Czy mógłby pan wyrazić się bardziej precyzyjnie?

Zmarszczył brwi, wyraźnie zdezorientowany.

– Chodziło mi o to, jakie słowo chciałam od pana usłyszeć.

Tego nie wiedział i nagle przyszło mu do głowy, że być może to właśnie jest przyczyną jej niezadowolenia. Nie powiedział słowa, którego oczekiwała. Do diabła. Wzruszył ramionami.

– Niech mnie diabli, jeśli wiem.

Zamrugała, skonsternowana, a jej usta – na Boga, jakże podobały mu się te usta – otworzyły się ze zdumienia.

– Przepraszam?

Ściągnęła brwi i jej piękne błękitne oczy stały się tak ciemne, że niemal czarne.

– Powiedziałem „niech mnie diabli, jeśli…”

– Sza! – przerwała mu gniewnym machnięciem ręki. – Gdzie słyszał pan takie słowa? Ja z pewnością ich pana nie nauczyłam i nie wypada używać ich w obecności dam – wskazała na siebie i pokojówkę, która odkurzała lampę znacznie energiczniej niż zdaniem Armanda lampa na to zasługiwała. Panna Bennett stanęła nad nim, bardzo blisko.

– Czy to brat pana tego nauczył?

– Julien?

– Tak. Czy to on nauczył pana tego słowa?

Powiedziała kilka różnych słów i Armand nie był pewien, o które jej chodzi.

– Jakiego słowa?

Wyraźnie zirytowana machnęła rękoma.

– Och, nieważne! Słowo, które chciałam od pana usłyszeć, to „powóz”.

Armand skinął głową. Czemu po prostu tego nie powiedziała?

– Powóz – powtórzył. Teraz powinna przestać tak zaciskać usta.

Lecz jego posłuszeństwo najwyraźniej jej nie zadowoliło. Pokręciła głową i usiadła na meblu naprzeciwko niego. Pomyślał, że to nie jest dobry moment, by pytać, jak się ten mebel nazywa.

Przypomni sobie sam, jeśli będzie o tym myślał wystarczająco długo. Przypuszczał też, że powinien wiedzieć, czym jest powóz, ale nie potrafił sobie tej rzeczy wyobrazić. A może to była jakaś czynność? Coś, co panna Bennett nazywała czasownikiem?

– Co to jest powóz?

Uniosła brwi i Armand zorientował się, że to było odpowiednie pytanie. Teraz sprawiała wrażenie bardziej zadowolonej.

– To pojazd ciągnięty przez konie. Przewozi ludzi z jednego miejsca w inne.

Skinął głową, gdy obraz uformował się w jego myślach. Oczywiście. Wiedział to. Ale czasami miał w głowie tak wiele słów i obrazów, że chwilę trwało, nim zdążył je sobie poukładać.

– Dziękuję.

Przygryzła wargę i westchnęła, a on zaczął się zastanawiać, co takiego zrobił tym razem.

– Milordzie...

W tym momencie drzwi salonu się uchyliły i wsunęła głowę pani Eggers.

– Proszę o wybaczenie, panno Bennett, milordzie. Potrzebuję na chwilę Jane – wskazała głową pokojówkę.

– Och, oczywiście, pani Eggers – odparła panna Bennett, prostując się w fotelu. – Poradzimy sobie bez niej przez chwilę.

Lecz Armand zauważył, że dziewczyna jest zakłopotana. Szepnęła do gospodyni:

– Ależ pani Eggers, księżna powiedziała, żebym nie zostawiała ich samych.

Armand zauważył, że panna Bennett poczerwieniała, ale pochyliła głowę i powiodła palcem wzdłuż wzoru na... fotelu! Tak, to jest to słowo! Powiodła palcem wzdłuż wzoru zdobiącego fotel. Wyraźnie udawała, że nie słucha szeptanej rozmowy po drugiej stronie salonu, więc Armand udał, że także jej nie słyszy.

– To tylko chwila. Czy chcesz, żebym niepokoiła księżnę, pytając ją o pozwolenie?

Dziewczyna pokręciła głową.

– Nie.

– Dobrze, więc chodźmy.

Dziewczyna wyszła wraz z gospodynią z salonu i drzwi zamknęły się za nimi. Ledwie zniknęły, panna Bennett spojrzała na niego.

– Milordzie, mam nadzieję, że nie sądzi pan, iż dobieram słowa przypadkowo tylko po to, by usłyszeć, jak je pan wypowiada. Staram się panu pomóc, by mógł pan, na przykład, poprosić służącego, żeby sprowadził pański powóz na balu.

Armand skinął głową, chociaż nie słuchał jej uważnie. Kiedy zamknęły się drzwi salonu, zdał sobie sprawę, że po raz pierwszy od tamtej nocy został sam na sam z panną Bennett.

Przyszło mu też do głowy, że to może być dobry moment, żeby odpowiedziała na kilka jego pytań – pytań, po których, jak sądził, jej policzki przybiorą ten ładny odcień czerwieni.

9

Hrabia uśmiechnął się do niej i Felicity natychmiast poczuła, jak wypełnia ją żar. Dlaczego ten mężczyzna musi być tak przystojny? I czemu ona nie może przestać tego zauważać? Całymi dniami – dniami! – starała się zapomnieć o tamtym pocałunku, a teraz wszystkie te obrazy i uczucia spadły na nią, jakby to zdarzyło się zaledwie przed chwilą.

Odchrząknęła.

– Tak jak mówiłam, byłoby dla pana bardzo korzystne, gdyby mógł pan poprosić o swój powóz.

– Są inne słowa, które chciałbym poznać – powiedział hrabia rzeczowym tonem.

Jego głos wciąż był ochrypły po latach nieużywania, ale takie brzmienie, w połączeniu z tym, jak rzadko się odzywał, sprawiało, że w uszach Felicity brzmiał tym bardziej zmysłowo. Ale przecież nie o tym powinna teraz myśleć. Była jego nauczycielką i to ona decydowała o lekcjach, nie on. Przekonała się, że jeśli daje mu zbyt dużo swobody, on zawsze znajduje jakiś sposób, żeby uniknąć lekcji.

– Z pewnością będziemy rozmawiać jeszcze o setkach słów – powiedziała, wstając. – Ale nie możemy pracować w sposób przypadkowy. Dzisiaj mówimy o transporcie i o etykiecie obowiązującej w sali balowej.

Omal nie parsknęła śmiechem, mówiąc to ostatnie. Co mogła wiedzieć o etykiecie w sali balowej? Nieliczne bale, w których brała udział, są niczym w porównaniu z tym, jak wyobrażała sobie bale wyższych sfer.

Hrabia zmarszczył brwi.

– Powóz, koń. Znam te słowa. Chcę znać słowo, które oznacza to – wskazał jej dłonie.

Uniosła je.

– Zna pan to słowo, milordzie. To dłoń.

Wstał, a ona miała wrażenie, jakby pokój się zakołysał. Siedząc, nie wyglądał na tak wysokiego i okazałego.

– To słowo znam. Chodzi mi o miejsce. Miejsce dla pani dłoni.

Spojrzała na niego zaskoczona.

– Miejsce dla dłoni? Czy chodzi panu o zakończenie rąk?

– Nie. Tutaj. Pokażę – wyciągnął ręce, dając do zrozumienia, by podała mu swoje. Pokój znowu się zakołysał i Felicity zdała sobie sprawę, że lekcja kolejny raz wymyka się jej spod kontroli.

Nieufnie podała mu dłonie, a wtedy on skierował je ku jej biodrom. Och! Wreszcie zrozumiała. Bezwiednie położyła niedawno ręce na biodrach, a teraz on chciał wiedzieć, jak się nazywa ta część ciała. Wielkie nieba. Mogła nauczyć go tego słowa, ale wtedy istniało ryzyko, że tematem lekcji staną się części ciała. Na uczenie tego nie była przygotowana.

Uniosła ręce i wyswobodziła je z jego uchwytu.

– Milordzie, sądzę, że najlepiej będzie, jeśli skupimy się na omawianiu środków transportu. Może innego dnia porozmawiamy o częściach ciała.

Tak, pewnego dnia, kiedy nie będzie już czuła takiego pociągu do niego. Innymi słowy, nigdy.

– A zatem, skoro już dość dobrze zna pan słowo „powóz", czemu nie spróbujemy użyć go w zdaniu? Udajmy, że ja jestem służącym, a pan chce opuścić bal. Co by pan wówczas powiedział?

Widziała jednak, że wszelkie próby zmiany tematu rozmowy były daremne. On wciąż wpatrywał się w jej biodra, a im dłużej jego spojrzenie w nie się wwiercało, tym bardziej Felicity robiło się gorąco.

– Znam to słowo – powiedział, wskazując na jej biodra – ale nie mogę sobie przypomnieć.

Dotknął swoich bioder, szczupłych i muskularnych pod skórzanymi spodniami, a potem, ku przerażeniu Felicity, sięgnął ręką do jej bioder.

– Ależ milordzie, to jest w najwyższym stopniu niestosowne! – próbowała się cofnąć, lecz on trzymał ją mocno.

Zerknęła na drzwi, czując, jak szybko bije jej serce. Pokojówka może wrócić w każdej chwili, a wtedy książę i księżna dowiedzą się o wszystkim. Ostatnie, czego życzyła sobie Felicity, to kolejny wykład księżny. Zwłaszcza kiedy ona, Felicity, tak bardzo się starała, żeby jej relacje z hrabią pozostały czysto zawodowe.

– Doskonale – powiedziała, słysząc, jak drżący stał się jej głos, i mając nadzieję, że hrabia tego nie zauważył. Jego dłonie wypalały piętno na jej ciele, ale instynkt podpowiadał, żeby poddała się temu dotykowi, a nie uciekała przed nim.

Spojrzał na nią i jego uwaga – dzięki Bogu! – była skupiona na jej twarzy, a nie na innych obszarach.

– To są biodra – powiedziała, mając nadzieję, że jeśli hrabia otrzyma informację, której się domagał, puści ją i będą mogli wrócić do bezpiecznej, banalnej rozmowy o środkach transportu. – To jest biodro – wskazała na swoją prawą stronę – i to jest biodro. Liczba mnoga brzmi „biodra". Czy już dobrze?

Znowu spróbowała się cofnąć, lecz, ku jej przerażeniu, on nie rezygnował.

– Biodra – powiedział powoli, głosem jak aksamit.

Sposób, w jaki smakował to słowo, obracał je w ustach, aż spłynęło niczym miód z jego warg, był stanowczo zbyt zmysłowy, by nie poczuła się zakłopotana. Czy zdaje sobie sprawę, że mimo długich lat milczenia wciąż zachował francuski akcent? Nigdy nie sądziła, że francuski akcent może być tak pociągający.

– Milordzie, doprawdy, powinien pan mnie puścić – starała się, by jej głos zabrzmiał stanowczo i rozkazująco, wiedziała jednak, że słowa niepoparte czynami znaczą bardzo niewiele. Powinna odepchnąć go od siebie!

– Pani biodra są inne niż moje – powiedział, gładząc je kolistymi ruchami.

Płynny ogień jego dotyku sprawił, że oddech Felicity stał się płytki i urywany.

– Pani biodra są miękkie – mówił, nie przestając jej głaskać. – I... jakie to słowo? Zaokrąglone.

Felicity zdawała sobie sprawę, że jej policzki płoną, i to nie tylko dlatego, że taki wpływ miał na nią jego dotyk.

– Milordzie, doskonale wiem, że moje biodra mogą być nieco pełniejsze niż to, co uważa się za ideał. Ale jest bardzo nieuprzejmie z pańskiej strony zwracać na to uwagę. Szczerze mówiąc, najlepiej unikać wygłaszania uwag na temat wyglądu damy, poza stwierdzeniami bardzo ogólnej natury.

Ale nawet jeśli usłyszał, co powiedziała, to w żaden sposób nie dał tego po sobie poznać. Przeciwnie – przesunął ręce wyżej, obejmując ją w talii. A niech to! Tego już było naprawdę za wiele. Felicity próbowała wziąć głęboki oddech, zebrać wszystkie siły, by stawić opór temu zmysłowemu atakowi, ale wydawało się, jakby całe powietrze uszło z salonu. Może powinna otworzyć okno, oczyścić zamglone myśli.

– A jak się nazywa ta część? – spytał hrabia. – Ta, która jest taka mała.

Felicity zmrużyła oczy. Czy on to robi rozmyślnie? Czy jego komplementy wynikają z jakichś niskich pobudek, czy też naprawdę tak sądzi? Ten człowiek był dla niej nieodgadniony. Czasami wydawał się autentycznie naiwny, jak dziecko, a kiedy indziej byłaby gotowa przysiąc, że wie znacznie więcej, niż daje po sobie poznać.

– To, milordzie, nazywa się talią. A teraz naprawdę powinien pan mnie puścić.

– Talia? – Wpatrywał się w jej twarz, ona zaś nie mogła nie zauważyć, jak ciemnoniebieskie są jego oczy. Zdecydowanie nie był tak naiwny, jakiego udawał. – Jak w „talia kart"?

Pokręciła głową, próbując się odezwać, lecz nagle zaschło jej w ustach.

– Nie – wychrypiała. Spojrzała na jego ręce i zauważyła, jak ciemne się wydawały na tle jej jasnoróżowej i białej sukni. – Te dwa słowa brzmią tak samo, ale znaczą co innego. Talia...

– Lubię patrzeć, jak poruszają się pani wargi – powiedział, unosząc jedną rękę, by dotknąć jej ust, i jego palec zostawił na nich palący ślad. – Są miękkie i... znacznie więcej.

– Naprawdę? – szepnęła.

Pokręciła głową.

– Chciałam powiedzieć... milordzie, nie powinien pan tego robić.

Uśmiechnął się szeroko.

– Wiem, a jednak to robię. Nie potrafię się powstrzymać.

Pochylił się, musnął ustami jej wargi, a Felicity poczuła, że zaczyna jej brakować tchu. Odsunął się i musnął nosem jej szyję.

– Czy chce pani, żebym przestał?

To był moment, w którym mogła odzyskać kontrolę, wskazać mu jego miejsce i przywrócić czysto zawodowy charakter relacji między nimi.

– Tak, zdecydowanie powinien pan przestać.

– Takie są reguły.

– Tak.

– Ale to nie jest to, czego pani chce.

– Jest. Chcę przestrzegać reguł – i chciała. Naprawdę chciała. To tylko on sprawiał, że od czasu do czasu o tym zapominała.

– Czy dlatego oddycha pani tak szybko? Czemu pani...

Jego ręce przesunęły się w górę i Felicity poczuła, jak jej serce tłucze o żebra. Łomot w jej uszach był tak głośny, że ledwie słyszała własne myśli. I chociaż zdawała sobie sprawę, że powinna mu się wyrwać, całe jej ciało pragnęło tego dotyku i wyrywało się ku niemu, kiedy musnął jej piersi, a potem ujął je w dłonie.

– Jak to się nazywa? – szepnął.

Nie była w stanie mu odpowiedzieć. Jego palce przesuwały się po niej, kusząc i badając. Pragnęła odchylić głowę do tyłu i poddać się tym grzesznym uczuciom, ale to właśnie ona powinna okazać panowanie nad sobą.

– Tutaj są miękkie – ujął jej piersi od dołu i przesunął dłonią wzdłuż ich krzywizny. – A tutaj twarde – jego palce dotknęły sutków i Felicity cicho jęknęła. Nie ośmieliła się na niego spojrzeć, ale wiedziała, że nie spuszcza z niej wzroku.

– To się pani podoba – szepnął, muskając oddechem jej policzek.

– Zanadto – przyznała. – Powinien pan prze...

– Pocałować panią jeszcze raz – przerwał jej i nagle jego usta przywarły do jej warg, a język badał ją równie dokładnie jak dłonie.

Całe jej ciało płonęło, rozpaczliwie pragnąc poczuć wszędzie jego ręce, jego usta. Pragnęła go bardziej niż czegokolwiek innego w całym życiu. Ale gdzieś w głębi umysłu wiedziała, że w każdej chwili ktoś im może przeszkodzić. Nie byli sami – i dzięki Bogu! – gdyż nie wiedziała, do czego mogłoby dojść, na co by mu pozwoliła, gdyby jednak byli sami.

Nadludzkim wysiłkiem woli przerwała pocałunek, co na tyle go zaskoczyło, że zdążyła się od niego odsunąć. Chciał się do niej zbliżyć, ale ona uniosła rękę.

– Milordzie, nie możemy tego robić. To wbrew regułom.

– Ponieważ nie jesteśmy małżeństwem? – był podobnie podniecony, jak ona.

Oczy miał ciemne, a jego włosy, wcześniej schludnie związane w kucyk, były lekko zmierzwione tam, gdzie wsunęła w nie palce.

– Tak. Całowanie się i dotykanie jest zastrzeżone wyłącznie dla małżeństw. Jak pański brat i księżna.

– A więc powinniśmy zostać małżeństwem – przysunął się bliżej. – Chcę pani dotykać.

Felicity zamrugała, wstrząśnięta, lecz mimo to udało się jej uchylić przed jego dłonią, gdy znowu sięgnął do jej talii.

– P-pan nie wie, co mówi. Nie możemy zostać małżeństwem.

– Dlaczego nie?

Pokręciła głową. Z tysiąca powodów, których nie mogła mu wyjaśnić. Och, dlaczego nie trzymali się tematu lekcji? Rodzaje powozów i rasy koni było nieporównanie łatwiej objaśniać.

– To pytanie powinien pan zadać swojemu bratu – powiedziała w końcu. Była świadoma, że idzie na łatwiznę, ale nie przejmowała się tym. – Ja nie mogę tego panu wytłumaczyć.

– Rozumiem – zastanawiał się przez chwilę, po czym obrócił na pięcie. – Julien! – zawołał.

Felicity parsknęła z irytacją i wzniosła oczy ku niebu.

– Nie w tej chwili, milordzie! Nie skończyliśmy jeszcze naszej rozmowy!

Ale kiedy był już lisko drzwi, te otworzyły się nagle i stanęła w nich księżna wdowa.

– Czy przeszkadzam? – spytała.

Felicity nie mogłaby być bardziej wdzięczna losowi, że hrabia w tym momencie był tak daleko od niej.

– *Ma mère* – powiedział hrabia, kłaniając się przed matką i zerkając przez ramię na Felicity.

Kilka dni wcześniej ćwiczyli ukłony i hrabia najwyraźniej oczekiwał jej aprobaty. Uśmiechnęła się i skinęła głową. Jak mu wytłumaczyć, że taka forma powitania jest nieco zbyt oficjalna przy spotkaniu z matką! Ale zauważyła, że w kontaktach z rodziną wykazywał większą powściągliwość niż wobec niej. Nigdy z własnej woli nie dotknął nikogo z rodziny. Kiedy się nad tym zastanowiła, zdała sobie sprawę, że kilkakrotnie widziała, jak jego matka lub księżna poklepały go po ramieniu, on zaś zesztywniał, jakby sprawiało mu to ból.

– Jak postępują lekcje? – spytała księżna, wciąż patrząc na syna.

Wyprostował się.

– Doskonale. Mówimy o transporcie.

– Ach – księżna wdowa spojrzała przez ramię na Felicity. – Ale odnoszę wrażenie, jakbyście zrobili sobie przerwę.

Zmierzyła wzrokiem odległość między nimi, zauważając, że hrabia wyraźnie kierował się do wyjścia.

– Czy skończyliście poranną lekcję?

– Nie – odparła Felicity.

– Tak – powiedział hrabia, nie zwracając na nią uwagi. – Muszę się zobaczyć z Julienem – dodał.

– Och – księżna skinęła głową. – Obawiam się, że nie ma go w domu.

– Jest w ogrodzie?

– Nie, w swoim klubie albo u prawnika, albo załatwia jakieś inne sprawy. Ale jeśli potrzebujesz chwili wytchnienia, to ja chętnie skorzystałabym z pani towarzystwa, panno Bennett.

Felicity uniosła brwi.

– Mojego, Wasza Wysokość?

– Tak. Muszę zrobić trochę zakupów na Bond Street. Widziałam, że pani kufry już dotarły, ale z pewnością potrzebuje pani kilku drobiazgów. Czy miałaby pani coś przeciwko temu, żeby przez kilka godzin potowarzyszyć mi na zakupach?

Felicity zerknęła na hrabiego, potem znowu na księżnę. To rzeczywiście dobry pomysł, żeby na jakiś czas znaleźli się z dala od siebie, zwłaszcza po dzisiejszym incydencie. A zakupy byłyby cudowną rozrywką. Wcześniej była raz w Londynie, ale nigdy w sklepach przy Bond Street. Wyobrażała sobie, że są nieskończenie bardziej fascynujące niż jedyny sklep w centrum Selborne. Z drugiej strony, nie miała pieniędzy, żeby cokolwiek kupować. Cały jej majątek wynosił niecałego funta i nie mogła sobie pozwolić na wydanie go na coś tak lekkomyślnego jak kapelusz czy wstążka.

– To bardzo uprzejme z pani strony, Wasza Wysokość, ale sądzę, że powinniśmy kontynuować lekcję.

Hrabia jednak miał inne plany. Ukłonił się ponownie i pospieszył do drzwi. Z opóźnieniem uświadomił sobie, że wypada się jakoś wytłumaczyć, zawołał więc przez ramię:

– Proszę mi wybaczyć – i już go nie było.

Felicity skrzywiła się lekko.

– Przepraszam. Jeszcze pracujemy nad pewnymi szczegółami kontaktów towarzyskich.

Księżna wdowa machnęła ręką.

– Och, proszę się nie tłumaczyć. Jestem zdumiona postępami, jakie pani osiągnęła. Armand kontaktuje się ze mną. Rozmawia. Nie ma pani pojęcia, od jak dawna zastanawiałam się, czy nie pozostanie na zawsze zamknięty w tej skorupie.

Felicity uśmiechnęła się.

– Czyni postępy, ale nie wydaje mi się, żeby to było wyłącznie moją zasługą.

Księżna wdowa zamyśliła się i skinęła głową.

– Jest nieco zaabsorbowany incydentem, do którego doszło na początku tygodnia. Ci ludzie z jakiegoś powodu wstrząsnęli nim. Sprawili, że coś sobie przypomniał.

– Księżna powiedziała, że hrabia bardzo mało śpi. Większość nocy spędza na pilnowaniu domu i ogrodu.

– Tak. Czegoś się obawia. Bóg jeden wie czego. Może nigdy się tego nie dowiemy. Nie mogę znieść myśli o tym, co musiał wycierpieć przez wszystkie te lata, samotny i opuszczony. Wciąż jeszcze nie jest w stanie mnie dotknąć i nie znosi być dotykany. Sprawia mi ból to, że nie mogę nawet dotknąć własnego syna.

Felicity skinęła głową ze współczuciem, ale i z konsternacją. Jak to możliwe, że hrabia nie mógł znieść, kiedy ręka matki dotykała jego ramienia, a jednak najwyraźniej nie miał żadnych oporów przed dotykaniem Felicity? I ona także go dotykała. Doskonale pamiętała, jak czuła pod palcami naprężone mięśnie na jego plecach. Albo kłujący zarost na policzku, kiedy przyłożył do niego jej dłoń przy pierwszym spotkaniu.

Lecz nie mogła poinformować księżnej wdowy o tych zastanawiających sprzecznościach.

– Wygląda jednak na to, że, czy się to pani podoba, czy nie, dzisiejsza lekcja dobiegła końca. W takim razie sprawi mi ogromną przyjemność pani towarzystwo w wyprawie na zakupy.

Felicity uśmiechnęła się z przymusem. Jak mogła odmówić księżnej?

– Nie, nie! – wdowa pospiesznie uniosła rękę. – Znam to spojrzenie. Zaprezentowała mi je już moja synowa. Twierdzi, że jest zmęczona, ale ona ma wymówkę, której nie ma pani. Nie przyjmuję do wiadomości odmowy. Proszę się ubrać, a ja sprawdzę, czy służba przygotowała już powóz.

Cóż, na to już nic się nie dało poradzić. Felicity nie mogła przecież kwestionować tak wyraźnego polecenia księżnej.

– Za moment będę na dole.

Narzuciła pelerynę, wzięła sakiewkę ze swoim skromnym majątkiem, wsunęła na głowę kapelusz i w dziesięć minut później była gotowa. Nigdy, w całym życiu, nie czuła się tak uboga, jak wtedy, gdy wsiadała do eleganckiego powozu. Pojazd był wielki i komfortowy. Siedzenia obito aksamitem, zasłonki w oknach wykonano z jedwabiu lub satyny, a poduszki były miękkie, wygodne i równie kosztowne. Poduszki w powozie! Nigdy jeszcze nie widziała czegoś takiego.

Usiadła naprzeciwko księżnej wdowy, ciesząc się, że starsza dama postanowiła zasunąć zasłonki. Nie sprawiały jej przyjemności spojrzenia setek przechodniów spoglądających na nią z ciekawością i podziwem. Na nią, która w niczym nie była lepsza od nich. Księżna wdowa zastukała laską w dach powozu i ruszyli w drogę.

– Potrzebuję materiałów na kilka nowych sukien – zaczęła rozmowę księżna – ale nie mam nic przeciwko temu, żeby zatrzymać się u kapelusznika albo rękawicznika.

– Dziękuję pani – odparła Felicity, odwracając wzrok. Może byłoby lepiej, gdyby okna nie były zasłonięte. Mogłaby udawać, że ogląda Londyn. – Naprawdę, w tej chwili nie potrzebuję niczego. Będzie mi miło po prostu pani towarzyszyć.

Księżna milczała i Felicity zerknęła, żeby zobaczyć jej reakcję. Starsza dama stukała palcem w gałkę laski.

– Jak zła jest pani sytuacja finansowa, panno Bennett? Powinnam dodać: jeśli nie ma pani nic przeciwko temu, że pytam. Wiem, że pani najwyraźniej będzie miała coś przeciwko temu, lecz ja i tak zapytam.

Felicity poczuła, że ściska się jej żołądek. Właśnie z tego powodu nie lubiła arystokratów. Przez lata patrzyła, jak ojciec miał z nimi do czynienia, i zawsze wtykali nosy tam, gdzie ich nikt nie prosił.

– Moja sytuacja finansowa jest odpowiednia, chociaż w tym momencie nie pozwala mi na takie luksusy jak nowy kapelusz, suknia czy rękawiczki. Dziękuję, że pani spytała.

– Rozumiem. Ile dokładnie pieniędzy pani posiada?

Felicity aż otworzyła usta ze zdumienia. Doprawdy! Cóż za tupet!

– Proszę mi wybaczyć obcesowość, Wasza Wysokość, ale to nie pani sprawa.

Księżna skinęła głową.

– Oczywiście, ma pani rację. Nie pytam z czczej ciekawości, ale dlatego, że czuję wobec pani coś w rodzaju matczynej odpowiedzialności. Wiem, że pani ojciec nie żyje i może się o panią zatroszczyć jedynie ciotka. Czy ojciec zaopatrzył panią przed śmiercią?

Felicity odchrząknęła i znowu pożałowała, że okna są zasłonięte. Może mogłaby je otworzyć?

– Zaopatrzył mnie, Wasza Wysokość. Niestety, te plany nie są pozbawione pewnych drobnych defektów.

Nie cierpiała swojego narzeczonego, a do tego on groził, że zrujnuje ją, jeśli go nie poślubi albo nie spłaci. To z pewnością jest drobny defekt.

– Czy byłaby pani tak uprzejma i opowiedziała mi o tych planach? Chciałabym pomóc, jeśli tylko mogę.

Felicity uśmiechnęła się. Księżna wdowa wydawała się naprawdę zainteresowana jej losem.

– Już i tak ogromnie mi pani pomogła, Wasza Wysokość, zatrudniając mnie jako nauczycielkę hrabiego.

– Miło mi to słyszeć. Czy ojciec zostawił pani jakieś pieniądze?

Powóz podskoczył na wyboju i Felicity chwyciła sznur wiszący przy oknie, by złapać równowagę.

– Nie. Mój ojciec był ubogim pastorem i nie miał pieniędzy, które mógłby mi zostawić. Ale poczynił inne plany.

Wdowa uniosła pytająco brwi, lecz Felicity nie powiedziała już nic więcej. Chciałaby móc poprosić księżnę o pomoc, ale guwernantka nie powinna być zaręczona. Poza tym arystokraci nie znosili skandali. Felicity przypuszczała, że księżna wdowa mogłaby nie być tak chętna do pomocy, gdyby wiedziała, że nauczycielka jej syna może ściągnąć skandal na ich rodzinę.

– Jestem wdzięczna, że mam okazję uczyć pani syna. – Czy to odpowiedni moment, by poprosić o wypłatę zaliczki? Księżna wydawała się mieć łaskawy nastrój...

– Tak – wycedziła starsza dama. – Ale zdaje się, że to nie wszystko, co jest między wami, nieprawdaż?

Felicity zabrakło tchu. Czyżby księżna wdowa po południu zobaczyła więcej, niż jej się wydawało? Niech to! Jakie to upokarzające, jeżeli matka hrabiego widziała ją w tak kompromitującej sytuacji. Dlaczego nie okazała się bardziej stanowcza i nie odrzuciła z punktu awansów hrabiego?

– Z pani milczenia wnoszę, że w tej kwestii się nie mylę.

– Wasza Wysokość...

– Proszę pozwolić mi dokończyć, panno Bennett. Jeśli jest coś, na co pozwala mi wiek, to właśnie na otwarte wyrażanie myśli.

Felicity skinęła głową. Księżna miała rację. Jeśli przyszła jej ochota besztać ją przez resztę popołudnia, to Felicity niewątpliwie na to zasłużyła. I oczywiście nie wchodziło w grę proszenie o zaliczkę. To byłaby czysta impertynencja.

– Widzę od samego początku, panno Bennett, że mój syn czuje pociąg do pani. To, jak na panią patrzy, jego natychmiastowa reakcja... Kiedy tylko przekroczyła pani próg naszego domu, wszystko dla niego się zmieniło.

– I bardzo mi przykro, że tak się stało. Ja z całą pewnością nie zamierzałam niczego zmieniać, Wasza Wysokość.

Wdowa uniosła rękę, uciszając ją.

– Czy pozwoli mi pani dokończyć? To nie jest zarzut. To komplement.

Felicity spojrzała na nią ze zdumieniem. Księżna nie zamierza jej skarcić? Być może jednak nie widziała tego, co zdarzyło się po południu w salonie.

– To jednak nie znaczy, że wszystko aprobuję. Mój syn nie zna granic, jakie narzucają towarzyskie zasady, a jako mężczyzna jest mniej skłonny ich przestrzegać, nawet gdyby je znał. Pani, panno Bennett, nie może sobie pozwolić na taki luksus. Jest pani sama na świecie i jako taka musi o siebie dbać.

– Jestem w pełni świadoma tego faktu, Wasza Wysokość.

– W normalnych okolicznościach zapytałabym mojego syna, jakie ma względem pani zamiary, ale nie sądzę, żeby osiągnął aż taki postęp, by zrozumieć pytanie. Czy rozumie, czym jest małżeństwo? W tej chwili przypuszczalnie rozumie tylko tyle, że chce panią wziąć do łóżka.

Felicity poczuła, że policzki zaczynają ją palić, i coś ją ścisnęło za gardło. Wiedziała, że powinna spalić się ze wstydu. Nigdy nie słyszała, by ktoś mówił tak otwarcie.

– A zatem muszę zapytać panią, panno Bennett: jakie pani ma zamiary wobec mojego syna?

Felicity otworzyła usta, lecz nie była w stanie wykrztusić ani słowa. Jak miała odpowiedzieć na takie pytanie? Czy właśnie tak czuli się mężczyźni w podobnej sytuacji? Nic dziwnego, że uciekali przed małżeństwem jak przed ogniem.

– Ja... ehem... ja...

– Czy uważa pani, że mój syn jest przystojny?

Felicity pokręciła głową, nie znajdując słów.

– Panno Bennett, obie jesteśmy dorosłe, nieprawdaż? Proszę tylko odpowiedzieć na moje pytanie. Nie może pani być aż tak naiwna.

Felicity wzięła głęboki oddech. Księżna miała rację. Musi przestać udawać głuptasa.

– Tak, uważam, że hrabia jest przystojny. Nie wiem, czy jest kobieta, która mogłaby uważać inaczej.

– Wiele jest takich, zapewniam panią. Większość naszych znajomych dam nie widzi niczego poza urazami, jakie odniósł. Wolałyby raczej umrzeć jako stare panny, niż obarczyć się imbecylem, który nie umie prawić miłych słówek i zabawiać towarzystwa na wieczornym przyjęciu.

– Och! – Felicity ani razu nie przyszło do głowy oceniać hrabiego z tej strony. – Jestem pewna, że mając dość czasu i zachęty, hrabia, nawet jeśli nie stanie się bawidamkiem, to przynajmniej nie będzie przynosił wstydu żadnej damie z socjety.

– A zatem nie ma pani wobec niego żadnych planów?

– Wasza Wysokość! – Felicity znowu pokręciła głową. – To byłoby całkowicie niestosowne. Jestem jego nauczycielką, niczym więcej. Nie jestem mu równa pozycją i nie mam ambicji być. Nie chcę awansować towarzysko przez małżeństwo.

– Nikt nie twierdzi, że pani chce, panno Bennett. Mam nadzieję, że nie pomyślała pani, iż mogłabym coś podobnego sugerować.

Powóz zwolnił i zatrzymał się, a Felicity usłyszała, jak woźnica zeskakuje z kozła. Po chwili służący otworzył drzwi i pochylił się, żeby rozłożyć schodki. Światło popołudniowego słońca na moment oślepiło Felicity. Wydawało się jej, że spędziła w powozie całe dnie. A jednak na zewnątrz słońce świeciło jasno i minęło tylko kilka chwil.

– Zamknij drzwi. Powiem wam, kiedy będziemy gotowe wysiąść.

– Tak jest, Wasza Wysokość – służący zamknął drzwi i znowu otoczyła je ciemność.

– Nie obchodzą mnie pani tytuły, albo raczej ich brak, panno Bennett. Kiedy Julien i ja uciekliśmy z Francji, mieliśmy tylko tytuły i niewiele dobrego nam one dały. Teraz francuskie władze zniosły wszelkie tytuły, a więc nie mamy nawet tego. Och, zachowaliśmy je jako formę grzecznościową, ale nie jesteśmy ani trochę lepsi od pani. Ani nie byliśmy kiedykolwiek. Interesuje mnie tylko szczęście mojego syna. Zawsze tylko na tym mi zależało. A on wydaje się z panią szczęśliwy.

– Nie wiem, co powiedzieć, Wasza Wysokość – wyjąkała Felicity i było to prawdą.

Zupełnie nie miała pojęcia, co powiedzieć. Tytuł hrabiego miał znaczenie, jeśli nie dla niej, to dla socjety. Ona zaś była nikim, niczym. Romantyczny związek między nią a hrabią zostałby zauważony przez socjetę, a Felicity mogła sobie wyobrazić, jakie żądania wtedy wysunąłby Charles.

– Czy zamierza pani zabiegać o względy mojego syna, panno Bennett? – spytała księżna w typowy dla siebie bezpośredni sposób.

Felicity nie przypuszczała, żeby udało się jej do tego kiedykolwiek przywyknąć.

– Nie, Wasza Wysokość. Zamierzam być tylko nauczycielką pani syna. Nie mam większych ambicji.

– A jeśli mój syn postanowi zabiegać o pani względy? Ach... z rumieńca na pani policzkach wnoszę, że mój syn już postanowił zabiegać o pani względy.

Felicity zacisnęła usta. Są sprawy, których nawet ta obcesowa księżna nie powinna mówić. Żałowała, że okoliczności nie są

inne. Chciałaby móc rozważać możliwość poślubienia hrabiego. Ale nie mogła. Nie było sensu udawać, że Charles St. John nie jest bardzo realnym elementem jej życia. Takim elementem, który przy pierwszej nadarzającej się okazji wykorzysta jej związek z hrabią i rodziną de Valère. A za bardzo polubiła tę rodzinę, by narażać ją na zetknięcie się z odrażającymi planami Charlesa. Za bardzo polubiła hrabiego, by pozwolić mu zobaczyć, w jak ponurej, żałosnej sytuacji się znalazła. Wolałaby raczej stracić posadę i mieć do czynienia z Charlesem, niż ryzykować takie upokorzenie.

– A jeśli mój syn postanowi zabiegać o pani względy, panno Bennett? – powtórzyła wdowa.

– Wtedy spotka go rozczarowanie.

Starsza dama stukała palcami w gałkę swojej laski przez chwilę, która Felicity wydała się bardzo, bardzo długa. W końcu powiedziała:

– Cóż, Bond Street nie będzie czekać przez cały dzień. Mam bardzo konkretne oczekiwania co do materiału na moje suknie i już prawie się zdecydowałam, jaką suknię powinnyśmy zamówić dla pani, panno Bennett.

Felicity aż zakręciło się w głowie wobec tak nagłej zmian tematu. Czy księżna wdowa przyjęła do wiadomości jej odp wiedź? A może nie? Co wróży jej milczenie na ten temat?

– To naprawdę nie jest konieczne, Wasza Wysokość – wykrz siła Felicity, podczas gdy księżna zdążyła już zastukać w dr i służący ponownie je otworzył.

– Czy ma pani suknię balową, panno Bennett?

– Ja... – Felicity zmrużyła oczy, oślepiona jasnym świa gdy służący pomógł jej wysiąść. – Tak, Wasza Wysokość.

Dama spojrzała na nią przez ramię, unosząc brwi.

– Może powinnam zapytać o suknię uszytą w ciągi niego roku?

– Ach... – kiedyż to powstała jej suknia? Trzy lat Nie, chyba raczej cztery.

– Rozumiem.

Felicity nawet nie spojrzała na wyraz twarzy księżny. Wysiadła z powozu na zalaną słońcem ulicę, a księżna natychmiast weszła do sklepu krawieckiego. Mogła tylko pójść za nią i przez następną godzinę dreptała potulnie za księżną, która oglądała kapelusze, koronki, rękawiczki i jedwabie, wydając więcej pieniędzy, niż Felicity kiedykolwiek widziała.

W końcu zrobiło się późno i księżna poleciła jej zostać w powozie przy następnym postoju. To miała być tylko chwila. Felicity siedziała w ciemnym, chłodnym wnętrzu powozu i przez szczelinę w zasłonkach obserwowała przechodniów na ulicy. Mężczyźni i kobiety spieszyli to w tę, to w tamtą stronę, sami objuczeni pakunkami bądź objuczywszy pakunkami swoich służących. Próbowała zgadywać, co takiego mogli kupić. Ta kobieta pewnie kupiła nowe buty. Te, które miała na nogach, były już mocno znoszone. A ten mężczyzna, z kobietą w jaskrawej czerwonej sukni, ma nową laskę, z której wydaje się bardzo dumny... Charles?

Felicity czym prędzej szczelnie zaciągnęła zasłonki.

To był Charles. Był tam, beztrosko szedł ulicą, wyglądając na dandysa w każdym calu. Jeśli tak bardzo potrzebował pieniędzy, to skąd wziął pieniądze na tę nową laskę? Co więcej, skąd ma nowy frak i buty? To nie było to samo ubranie, w którym widziała go, kiedy spotkali się pierwszego dnia w Londynie.

Rozchyliła zasłonki tylko na tyle, by móc jednym okiem patrzeć na ulicę. Zmarszczyła brwi, widząc obok Charlesa jakąś kobietę. Dama ta – o ile można ją było uznać za damę – miała na sobie głęboko wyciętą suknię, włosy w nienaturalnie rudym kolorze i nieco za dużo różu na twarzy. Felicity słyszała o kobietach z półświatka, kobietach nieco tylko lepszych niż prostytutki. Czy Charles zadawał się z jedną z nich?

On tymczasem uniósł swoją ozdobną laskę i wskazał nią na powóz, w którym siedziała Felicity. Kobieta spojrzała na pojazd i powiedziała coś, co wydawało się lekceważącą uwagą. Charles

zmarszczył brwi i ruszył w stronę powozu, wyraźnie zamierzając udowodnić kobiecie, że się myli.

Och, nie! Felicity zasunęła szczelnie zasłonki i wcisnęła się w oparcie siedzenia. Mogła zostać w środku i udawać, że jej nie ma, ale co będzie, jeśli księżna wdowa wróci, a Charles wciąż będzie przy powozie? A jeśli wspomni, że zna Felicity?

Niech to! Nawet jeśli wdowa nie zdąży wrócić, on z pewnością porozmawia ze służbą. Ci zaś niewątpliwie poczują się zobowiązani poinformować chlebodawców o jej kontaktach z mężczyzną, który zadaje się z kobietą z półświatka. Przygryzła wargę i wyskoczyła z powozu. Nie miała innego wyjścia, jak tylko spotkać się z Charlesem i jego towarzyszką.

Służący zawołał za nią, lecz ona go zignorowała i przemykając między powozami i bryczkami, ruszyła w stronę Charlesa i tamtej kobiety. Charles ją zauważył i stanął ze znaczącym uśmieszkiem na twarzy.

– Panna Bennett – uchylił kapelusza w kpiącym powitaniu. – Zamierzałem właśnie złożyć wyrazy uszanowania pani pracodawcy.

Ugryzła się w język, żeby nie powiedzieć czegoś zjadliwego.

– To bardzo uprzejme z pańskiej strony, ale lepiej będzie, jeśli porozmawiamy tutaj.

Uśmiechnął się szeroko.

– O, niewątpliwie. Ach, cóż za niedopatrzenie – wskazał stojącą obok niego kobietę.

Teraz, kiedy podeszła bliżej, Felicity zauważyła, że ma ona nie tylko róż na policzkach, ale również podkolorowane oczy i usta. Na jednym policzku była przyklejona czarna kropka. Felicity była więcej niż pewna, że ta kobieta to prostytutka.

– To jest Celeste – powiedział Charles. – Celeste, to moja narzeczona, Felicity Bennett.

Celeste uniosła brwi.

– Narzeczona. Ohoho...

Felicity poczuła, że pieką ją policzki. Nie tylko została przedstawiona prostytutce – prostytutce towarzyszącej narzeczonemu

119

Felicity – ale ku jej jeszcze większemu zakłopotaniu Charles przedstawił ją jako swoją narzeczoną. Felicity starała się nie zwracać uwagi na ciekawskie spojrzenia przechodniów i miała nadzieję, że ulicą przejeżdża wystarczająco dużo powozów, by zasłonić ją przed księżną wdową, gdyby tamta wróciła, zanim to odrażające spotkanie dobiegnie końca.

Charles uśmiechnął się jeszcze szerzej.

– Masz szczęście, że spotkałaś mnie dzisiaj. Właśnie pomyślałem, że minęło już zbyt dużo czasu od naszej ostatniej rozmowy.

– Ja nie miałam czasu się nad tym zastanawiać.

– A jednak czas ucieka. Może powinienem doliczyć procent do tych dwudziestu pięciu funtów. To mogłoby cię skłonić, żebyś bardziej się starała je zdobyć.

Zacisnęła zęby, żeby nie powiedzieć tego, co jej się cisnęło na usta.

– Zapewniam cię, że bardzo się staram. Poza tym zamierzam poprosić o zaliczkę na poczet mojej pensji.

Skinął głową.

– To pierwsza mądra rzecz, jaką powiedziałaś. Kiedy będziesz miała pieniądze?

Odwróciła wzrok, przypadkowo napotykając spojrzenie towarzyszki Charlesa, która patrzyła na nią kpiąco.

Felicity miała ochotę zetrzeć ten uśmieszek z jej twarzy.

– Jeszcze nie poprosiłam… – mruknęła.

– No tak! – Charles machnął ręką. – Tylko marnujesz mój czas.

– Czy to ważne, kiedy dam ci pieniądze? Czy nie możesz już teraz podrzeć umowy? Jak tylko zdobędę fundusze…

– Podrzeć umowę? – spojrzał na nią z udawanym zaskoczeniem. – Co pomyślałby twój biedny ojciec, który z pewnością obserwuje nas teraz? Błagał mnie, żebym się z tobą ożenił, żebym cię chronił…

– Przestań! – syknęła. Zrobiło się jej niedobrze, gdy słuchała, jak szydzi z jej ojca. – Niecnie wykorzystałeś starego, chorego człowieka.

– Dobrze wiedział, co robi.

– O tak, a ty dobrze ukryłeś swój prawdziwy charakter przed nami wszystkimi. Kłamałeś, że wstąpiłeś do wojska i walczyłeś za ojczyznę; w rzeczywistości cały czas byłeś w Londynie, piłeś, grałeś w karty i…

Spojrzał na swoją towarzyszkę.

– Chodziłem na dziwki?

Felicity zacisnęła usta, a ta kobieta, Celeste, parsknęła śmiechem.

– Obawiam się, że nie będę wzorowym mężem, Felicity, ale na swoją obronę mogę powiedzieć, że dałem ci możliwość wyboru.

– Jesteś łajdakiem!

Uśmiechnął się.

– Owszem – sięgnął do kieszeni. – Oto moja wizytówka – podał jej niewielki biały kartonik z adresem, który nic jej nie mówił. – Poślij po mnie, kiedy już coś będziesz miała. Chciałbym dostać część zapłaty niedługo. Bardzo niedługo. A teraz, zdaje się, że widzę kogoś z twoich de Valère'ów. Lepiej już idź – pomachał jej palcem przed nosem.

Spojrzała za siebie, przerażona myślą, iż ujrzy księżną wdowę, a kiedy się odwróciła, on i ta kobieta zniknęli.

10

O czym ty, do diabła, mówisz? – spytał Julien nieco później tego dnia, podając lokajowi płaszcz i kapelusz. – Ledwie wszedłem do domu, a ty zaczynasz o małżeństwie?

Armand nie przejął się złym humorem brata.

– Co to jest małżeństwo? Potrzebuję wyjaśnienia.

Jego brat parsknął śmiechem.

– Jak my wszyscy, nieprawdaż? Posłuchaj, Armandzie, zrobiło się późno, ja jestem głodny. Od miesięcy czekałem, żebyś przemówił, ale skoro wybrałeś taki temat rozmowy, to możemy pomówić jutro.

Ale Armand pragnął panny Bennett teraz, a nie miał pojęcia, ile czasu mogą zająć sprawy związane z małżeństwem. Nie chciał odkładać rozmowy do następnego dnia. Dlatego zamiast wrócić do swojego pokoju, ruszył za bratem po krętych marmurowych schodach. Idąc, Julien szybko załatwiał różne sprawy ze służbą. Pytał, gdzie jest jego żona, jak postępują prace w pokojach dziecinnych i czy nocni strażnicy już przybyli, po czym zażądał, by jak najszybciej przyniesiono mu posiłek do pokoju...

Otworzył drzwi do swoich komnat i Armand omal na niego nie wpadł. Julien wszedł do środka, Armand za nim, ściągając na siebie zainteresowane spojrzenie lokaja Juliena.

– *Monsieur le Duc*, zrujnował pan ten fular! *Mon Dieu!* Dlaczego ja to znoszę?

– Ponieważ dobrze ci płacę – warknął Julien, poddając się zręcznym palcom lokaja.

Lokaj zdjął z niego frak, a wtedy Julien zmarszczył brwi.

– Gdzie jest moja żona?

– Żona – powtórzył Armand. Julien odwrócił się i westchnął. – Właśnie o tym chcę porozmawiać. O mojej żonie.

– Do diabła, Armandzie, czy naprawdę musimy o tym rozmawiać właśnie teraz?

Armand skrzyżował ręce na piersi i czekał.

– Dobrze – Julien odsunął lokaja na bok. – Zostaw nas samych, Luc. Ubraniem możesz się zająć później.

– Oczywiście, *monsieur le Duc*. Ale proszę nie rzucać ubrania na podłogę. Proszę zdjąć je ostrożnie...

– Dziękuję, Luc – powiedział Julien, wypychając go za drzwi. Kiedy tylko lokaj zniknął, Julien rzucił na podłogę fular, a w ślad za nim frak. – Chcesz mieć żonę? – spytał, podchodząc do stolika, na którym stała kryształowa karafka. – Lokaj jest o wiele mniej kłopotliwy.

Nalał szklaneczkę dla siebie i drugą dla Armanda.

– Ale nie tak przyjemny. Przypuszczam, że chodzi ci raczej o tę przyjemną część.

– Chcę wiedzieć wszystko o małżeństwie. Co to jest?

Julien podał mu szklaneczkę bursztynowego płynu, po czym usiadł w fotelu i przyglądał się bratu uważnie.

– Piekielnie dziwnie jest prowadzić z tobą taką rozmowę – powiedział, sącząc drinka. – Od miesięcy nic nie mówiłeś, a teraz rozmawiamy, jakby... – machnął ręką, dając do zrozumienia, że nie znajduje odpowiednich słów. Armand ucieszył się, że nie tylko on ma taki problem. – Skąd to nagłe zainteresowanie małżeństwem? Czy panna Bennett ma z tym coś wspólnego?

– Panna Bennett. Jak mogę się z nią ożenić?

Julien westchnął ciężko.

– Właśnie tak myślałem. Czy to ona podsunęła ci ten pomysł? Nie – podniósł rękę – już widzę, skąd się wziął. Najwyraźniej nie tylko twój głos się przebudził.

– Nie rozumiem.

– Ale ja tak. – Julien odchylił się na oparcie fotela. – Zobaczmy, czy dobrze odgadłem. Podoba ci się panna Bennett.

Armand zmarszczył brwi.

– Chodzi mi o to, że uważasz, iż jest atrakcyjna, ładna.

– Lubię jej usta i jej oczy – odparł Armand. Wyglądało na to, że jego brat w końcu zaczął coś rozumieć. – I jej włosy. I – jak też brzmiało to słowo, którego nauczył się dzisiaj – jej biodra. Są miękkie i zaokrąglone. I lubię... – przyłożył dłoń do piersi i wykonał obrazowy gest. – Nie wiem, jak to się nazywa.

Julien przesunął ręką po włosach.

– Chyba zaczynam rozumieć. Ona ci się podoba i być może ją pocałowałeś.

– Tak.

– A co ona na to powiedziała?

– Nie rozumiem jej. Wygląda, jakby jej się to podobało, a jednak każe mi przestać. Nie pamiętam dokładnie wszystkich jej słów.

– Niech zgadnę. Powiedziała, że nie możesz jej całować, ponieważ nie jesteście małżeństwem.

– Tak. Chciałbym ją całować i dotykać jej, i...

– Czy będziesz pił tę brandy? – przerwał mu Julien. – Jeśli tak, to naleję sobie drugą szklankę.

Armand spojrzał na nietkniętą szklaneczkę, którą trzymał w dłoni, i podał ją Julienowi. I tak ten bursztynowy napój nigdy mu nie smakował.

– Posłuchaj, Armandzie. Dokładnie rozumiem, czego chciałbyś od panny Bennett. Prawdopodobnie rozumiem to nawet lepiej niż ty sam. Ale ona ma rację. Nie możesz robić rzeczy, które byś chciał, nie żeniąc się z nią.

– To wbrew regułom.

Julien skinął głową i pociągnął łyk brandy.

– Właśnie. Musisz przestrzegać reguł.

Znowu reguły. Armand zastanawiał się, czy kiedykolwiek zrozumie je wszystkie. Czy kiedykolwiek je znał? Niektóre z nich wydawały mu się niejasno znajome. Ta z małżeństwem nie, ale sprawiała wrażenie niezbyt skomplikowanej. Jeśli chce całować pannę Bennett, jeśli chce zobaczyć, co znajduje się pod jej suknią, i dotknąć tych jej części, to musi ją poślubić.

– Jak mogę ją poślubić? – spytał.

– Jak się domyśliłem, że do tego dojdzie? – jęknął jego brat. – To nie takie proste, Armandzie.

Teraz to Armand jęknął i zacisnął pięści. Czasami wydawało mu się, że brat i matka czynią te reguły bardziej skomplikowanymi, niż muszą być. To go złościło; sprawiało, że miał ochotę zamknąć się na powrót w swojej skorupie i już z niej nie wychodzić. Ale to nie pomogłoby mu w sprawie panny Bennett. Rozprostował palce i wpatrywał się w jedną ze ścian pokoju Juliena.

Julien wstał.

– Nie rób tego. Sara urwie mi głowę, jeśli zrobisz tutaj dziurę.

Armand spojrzał na niego ponuro, a Julien podniósł uspokajająco rękę.

– Wiem, że to frustrujące, ale pomyśl o tym tak: co by było, gdybyśmy nie mieli wszystkich tych reguł? – stanął przed Armandem i spojrzał mu w oczy. – Co by było, gdyby każdy mężczyzna mógł pocałować kobietę i dotykać jej? Co mogłoby się przydarzyć pannie Bennett?

Tego Armand nie brał pod uwagę. Nie przyszło mu do głowy, że inni mężczyźni mogliby chcieć dotykać panny Bennett. Ale to miało sens. Julien był jedynym mężczyzną, który mógł dotykać Sarę. Nikt nie musiał mu tego mówić. To wynikało jasno z zachowania Juliena.

– Ale to nie wszystko.

Armand zacisnął zęby.

– Jeśli… jeśli dotknąłbyś panny Bennett w taki sposób, o jakim myślisz, jeśli… do diabła, omówimy to bardziej szczegółowo przy innej okazji… wtedy ona mogłaby mieć dziecko. Tak jak Sara.

Armand pomyślał o rosnącym brzuchu panny Bennett. Zapomniał o tej stronie małżeństwa.

– A zatem małżeństwo to nie tylko ta zabawna część. Mogą też być dzieci i właśnie dlatego to nie jest sprawa, którą można lekko traktować. Jeśli miałbyś poślubić pannę Bennett, albo jakąkolwiek inną kobietę, staniesz się za nią odpowiedzialny. Musiałbyś się o nią troszczyć, nie tylko przez jedną noc czy przez tydzień, ale zawsze. I musiałbyś się troszczyć o wszystkie dzieci. Może ich być wiele, a ty byłbyś odpowiedzialny za nie wszystkie.

Armand skinął głową. Zaczynał rozumieć, dlaczego małżeństwo to tak skomplikowana sprawa. Rozluźnił dłonie, ale nie czuł się ani trochę mniej zirytowany.

– I tak jej chcę – powiedział w końcu.

Julien roześmiał się.

– Oczywiście, że tak. Ale to nie takie proste. Wiesz, czy ona chce ciebie?

Armand uniósł brwi.

– O tym nie pomyślałem.

Julien dopił resztkę brandy.

– Nie możesz po prostu zarzucić jej sobie na ramię i zaciągnąć do kościoła. Ona także musi się zgodzić. I są też inne względy.

Armand zmrużył oczy.

– Inne względy? Co to znaczy?

– To znaczy, że nie jesteś jakimś ulicznym handlarzem. Jesteś Armand Harcourt, hrabia de Valère, syn księcia de Valère. Nie możesz poślubić kogokolwiek zechcesz. Tutaj także obowiązują pewne reguły.

– Wyjaśnij to.

– Trzeba by wyjaśniać nieco za dużo jak na jedną noc, Armandzie. Wystarczy powiedzieć, że panna Bennett nie ma odpowiedniej pozycji. Jest piękna, jest utalentowana, ale nie jest szlachetnie urodzona. Kim był jej ojciec? Nie księciem, o tym mogę cię zapewnić.

– Więc to dlatego ty poślubiłeś Sarę?

Przez twarz Juliena przemknął dziwny wyraz.

– Nie – odpowiedział w końcu. – To prawda, że jej rodzina należy do arystokracji, ale nie wiedziałem o tym, kiedy się z nią żeniłem. A więc masz rację. Reguły można złamać. Ale pozwól, że ci coś poradzę, Armandzie.

Armand skinął głową, wciąż próbując zrozumieć ostatnią wypowiedź brata. Może powinien bardziej uważać na lekcjach z panną Bennett. Nie rozumiał słowa „arystokracja".

– Zanim postanowisz, że chcesz poślubić pannę Bennett, a nie żadną inną, czemu nie miałbyś przynajmniej zorientować się w dostępnych możliwościach?

Armand pokręcił głową.

– Nie rozumiem.

– Możesz się rozejrzeć i sprawdzić, czy jakieś inne damy nie podobają ci się bardziej niż panna Bennett.

Armand nie potrafił sobie wyobrazić, że mógłby chcieć jakiejś innej kobiety niż panna Bennett. Czasami spotykał inne kobiety, które patrzyły na niego, jakby był jakimś monstrum. Panna

Bennett nigdy nie patrzyła na niego w taki sposób, nawet kiedy wiedział, że zrobił coś, co powinno ją przestraszyć.

– Gdzie są te kobiety?

Teraz Julien się uśmiechnął.

– W całym Londynie, mój bracie. I nie masz pojęcia, jakie szczęśliwe byłyby *ma mère* i Sara, gdyby miały okazję zabrać cię z domu i zaprezentować im wszystkim. Jesteś na to gotów?

Armand zmarszczył brwi.

– Chodziło mi o to, czy chcesz spróbować?

– Czy panna Bennett też tam będzie?

– Nie. Ona zostanie tutaj. – Julien położył dłoń na ramieniu Armanda, a Armand zacisnął zęby. – Ale powiem Sarze, żeby przyjęła jedno lub dwa zaproszenia. Proste sprawy, niewymagające pamiętania wielu reguł. Żadnych balów. Zobaczymy, jak ci pójdzie.

– Dobrze.

– To świetnie – brat uśmiechnął się, ale zanim zdążył klepnąć go znowu w ramię, Armand złapał go za rękę i przytrzymał.

– Ale ożenię się z panną Bennett.

Felicity wiedziała, że o tej porze nocy nie powinna być w ogrodzie. Sama prosiła się o kłopoty w osobie hrabiego de Valère. Ale oczywiście właśnie to było powodem, dla którego postanowiła wyjść do ogrodu tak późno. Udawała, nawet przed samą sobą, że potrzebuje świeżego powietrza po długim popołudniu na zakupach, ale teraz, kiedy znalazła się sama wśród kwiatów i krzewów, mogła być szczera, czyż nie?

Chciała kłopotów w osobie hrabiego de Valère. Nie potrafiła przestać myśleć o jego dotyku, o jego pocałunkach... o tym, co mogłoby się zdarzyć, gdyby nie powstrzymała go tego popołudnia. I była zdenerwowana po spotkaniu z Charlesem. On coraz bardziej się niecierpliwił, ona zaś obawiała się, że Charles zrobi coś naprawdę drastycznego, jeśli wkrótce nie da mu pieniędzy. Czasami zastanawiała się, czy naprawdę chodzi mu o pieniądze, czy po prostu napawa się tym, że ma nad nią władzę. Może wolałby, żeby jej się nie udało, a wtedy mógłby ją upokorzyć.

Nie zamierzała do tego dopuścić. Może teraz jest odpowiedni moment, żeby poprosić księcia i księżnę o zaliczkę na poczet pensji. Książę często nocami bywał w bibliotece. Pójdzie go tam poszukać.

Zawróciła i skierowała się do domu. Cały budynek był teraz ciemny i cichy. Wydawało się, jakby tego wieczoru wszyscy wcześnie udali się na spoczynek. Felicity nie widziała hrabiego od zakończenia popołudniowej lekcji. Nie sądziła jednak, by książę już poszedł spać, więc bez wahania skierowała się wprost do biblioteki. Już położyła rękę na klamce, gdy z wnętrza dobiegły ją głosy.

– Użył słowa „małżeństwo"? – spytał kobiecy głos.

– Tak, ale tylko dlatego, że zrozumiał, iż małżeństwo jest jedynym sposobem, by pójść do łóżka z kobietą. Nie bądź oburzona. Jest mężczyzną i ma męskie potrzeby, nawet jeśli do tej pory pozostawały uśpione – to był głos mężczyzny, ponad wszelką wątpliwość księcia. Rozmawiał z żoną. A sądząc z tego, co Felicity usłyszała do tej pory, hrabia skorzystał z jej rady i poszedł porozmawiać z bratem o możliwości ożenienia się z nią.

Odetchnęła głęboko i pokręciła głową. Sama nie wiedziała, czy powinno jej to schlebiać, czy ją niepokoić.

Księżna znowu się odezwała i Felicity postanowiła odejść od drzwi. Nie miała w zwyczaju podsłuchiwać, a nie sądziła, by moment był odpowiedni na rozmowę o pożyczce, ale powstrzymały ją słowa księżnej.

– To nie byłby dla niego zły wybór. Ona ma dobry charakter i najwyraźniej dobrze się ze sobą czują.

Książę wydał dźwięk przypominający parsknięcie.

– Ale kim ona jest? Nie ma tytułu, nie ma żadnej pozycji społecznej. Nie wspominając o tym, że jest bez grosza. Nie chcę, żeby Armand został wykorzystany dla majątku.

Zapadło długie milczenie, a Felicity w tym czasie walczyła z pokusą, by wbiec do biblioteki i bronić się. Jak on śmie sugerować, że mogłaby wykorzystać jego brata w taki sposób! Czy uważał ją za taką właśnie osobę? Czy tak postrzegali arystokraci wszystkich stojących niżej od siebie – jako podstępnych łowców fortun?

– Jeśli sobie przypominasz, nie znałeś mojego tytułu ani pozycji społecznej, kiedy się pobieraliśmy, ale to cię nie powstrzymało.

– Oczywiście, ale ty wywarłaś na mnie piorunujące wrażenie.

– A na Armandzie ona wywarła piorunujące wrażenie. To było wyraźnie widać od pierwszego dnia, gdy panna Bennett pojawiła się w naszym domu.

Nastąpiła kolejna długa pauza i Felicity przypuszczała, że wynikała ona z tego, iż książę nie potrafił znaleźć argumentów przeciwko logice księżnej. W końcu to hrabia zrobił pierwszy krok, a nie ona.

Kiedy książę znowu się odezwał, mówił nieco ciszej.

– A skąd możemy wiedzieć, czy Armanda naprawdę ścięło z nóg, czy tylko zareagował w ten sposób na ładną dziewczynę. Nie widywał zbyt wielu kobiet.

– Bywały różne kolacje i przyjęcia, w których uczestniczył.

– Nie tak, jak może uczestniczyć teraz. Nie wiemy, czy wtedy w ogóle zauważał te kobiety.

– Cóż, zauważył pannę Bennett, więc cała reszta nie ma większego znaczenia, nie sądzisz?

Felicity skinęła głową. Tak, naprawdę zaczynała bardzo lubić księżnę. Ona sama zaś stała tu i słuchała stanowczo zbyt długo. Powinna już iść i pozwolić, żeby księżna jej broniła.

Nie żeby chciała obrony. Czy ktokolwiek kiedykolwiek zapytał ją, czy ma ochotę wyjść za hrabiego? Może nigdy nie wyjdzie za mąż? Oszukana przez Charlesa, nie była pewna, czy w ogóle potrafi zaufać mężczyźnie.

Tyle że hrabia jest taki prostolinijny, niezdolny do oszustwa...

– Nie, nie sądzę, żeby z tego powodu inne damy nie miały znaczenia – powiedział książę.

Felicity zatrzymała się w pół kroku. Co? Jak on może tak lekceważyć odczucia hrabiego?

– A w każdym razie nie powinniśmy podejmować decyzji w tej chwili. To wymaga dalszych testów.

– Testów? Co masz na myśli?

– Mam na myśli, *chèrie*... nie cofaj się tak.

Tu nastąpiła chwila ciszy i Felicity próbowała nie myśleć, co mogło się wtedy dziać. Kiedy książę odezwał się ponownie, jego głos był cichy i znacznie łagodniejszy.

– Chodzi mi o to, że powinniśmy pokazać Armanda socjecie, przedstawić go damom, przekonać się, czy któraś z nich rozbudzi jego zainteresowanie. Chcę mieć pewność, że ta panna Bennett ma w sobie coś szczególnego, zanim zaczniemy poważnie myśleć o jego małżeństwie z nią.

Felicity aż tupnęła ze złości. Jakby to, z kim ożeni się hrabia, było w jakimkolwiek stopniu ich sprawą!

– Może to nie jest zły pomysł, chociaż obawiam się, jak Armand zareaguje na tłum.

– Na tym polega zaleta realizacji tego planu teraz. Za miesiąc święta i większa część towarzystwa wyjedzie na wieś. Miasto będzie praktycznie opustoszałe.

– Hm. Poza tym możemy starannie wybrać zaproszenia. Mogę wybrać te spotkania, które odbędą się w nielicznym gronie.

Felicity mogła tylko pokręcić głową. Najwyraźniej wszyscy ci ludzie byli gotowi rzucić Armanda na pastwę pierwszej kobiety z tytułem znajdującej się w promieniu dwóch mil! Mogłaby zapłonąć świętym oburzeniem, ale taka reakcja byłaby śmieszna. Ona nie chciała poślubić hrabiego. Cóż ją obchodzi, czy spotyka się z innymi kobietami? Dlaczego miałaby czuć się zazdrosna? Przecież wcale nie była zazdrosna.

– Podoba mi się ten pomysł – mówił książę. – Ale upewnij się, że grono nie będzie na tyle nieliczne, żeby zabrakło na nim towarzyskiej śmietanki. Musimy mieć pewność, że damy, które przedstawimy Armandowi, będą miały i tytuły, i majątek.

– I znowu mówimy o pieniądzach. Czy muszę ci przypominać, kochanie, że obie nasze rodziny zostały bez grosza po rewolucji? Tobie udało się odbudować fortunę, w przeciwnym razie Armand nie miałby nic.

– Nie interesują mnie hipotezy.

– Czemuż miałyby cię interesować? – zakpiła księżna.

– Niepokoi mnie to, że panna Bennett jest w raczej marnej sytuacji finansowej. Jej ojciec niedawno umarł, a jedyna żyjąca krewna nie może przyjąć jej do siebie. Potrzebuje pieniędzy i wie, że Armand jest wart fortunę.

– Nie sądzę, żeby wiedziała coś takiego. Nawet Armand nie wie, ile pieniędzy mu przydzieliłeś.

– Mogła się domyślić, że nie jest nędzarzem. Nie wspominając o tym, że jest hrabią.

– To nic nie znaczy, skoro we Francji zniesiono wszystkie tytuły.

– Ale ma znaczenie tutaj, w Anglii. Otwiera różne drzwi.

Znowu milczenie. Felicity gniewnie zacisnęła pięści. Czy oni naprawdę sądzą, że pieniądze albo tytuł mają dla niej jakieś znaczenie? Naprawdę powinna już stąd iść, zanim otworzy drzwi i powie albo zrobi coś, czego będzie żałowała.

– Nie sądzę, żeby panna Bennett miała jakiekolwiek plany związane z pieniędzmi hrabiego – tu Felicity usłyszała, że książę zaczyna protestować. – Chociaż rozumiem, dlaczego może cię to niepokoić. Ale zdajesz sobie sprawę, że w salonach spotkasz mnóstwo dam zwyczajnie chciwych. Co trzecia rozmowa toczy się wokół lorda takiego-a-takiego i jego rocznego dochodu. Niemniej jednak – dodała pospiesznie księżna, najwyraźniej nie chcąc pozwolić, by mąż jej przerwał – ogólnie zgadzam się na twój plan. Jutro porozmawiam z panną Bennett o przygotowaniu Armanda do pokazania się w towarzystwie. Jeśli uzna, że osiąga postępy, w przyszłym tygodniu będziemy mogli wybrać się na jakieś przyjęcie.

– Dobrze.

– Ale, Julienie, rozumiesz, że kiedy mówię my, mam na myśli również ciebie.

Teraz zapadło jeszcze dłuższe milczenie.

– Nie wiem, po co miałbym iść z wami. Ty i matka doskonale radzicie sobie…

– O nie! Nie zamierzam zajmować się tym… tym swataniem sama. Idziesz z nami. I także będziesz miał tę przyjemność.

– Wątpię. Chociaż może dam się namówić – jego ton stał się teraz łagodny i kusicielski, a Felicity w końcu odsunęła się od drzwi. Podsłuchiwała dostatecznie długo i nie miała ochoty być świadkiem prywatnych chwil księcia i księżnej.

Ale co ma myśleć o tym, co usłyszała? Księciu nie podobał się pomysł małżeństwa jej i hrabiego. Księżna nie sprzeciwiała się temu.

Dlaczego w ogóle interesują ją ich opinie? Jest nauczycielką hrabiego i nigdy nie będzie nikim więcej. Kiedy jej zadanie dobiegnie końca i zostanie guwernantką jakiegoś małego chłopca albo dziewczynki, już nie pomyśli o hrabi. Nie będzie nawet pamiętała jego pocałunków, jego dotyku i tych skupionych kobaltowych oczu. Jej ciało przestanie tęsknić za jego dotykiem. Prawda?

Niespiesznie zaczęła wchodzić po krętych schodach w holu. Nie miała książki, którą mogłaby zająć myśli, i bała się czekającej ją długiej nocy. Zastanawiała się, czy ktoś ze służby może jeszcze być w kuchni. Szklanka gorącego mleka pomogłaby się jej odprężyć. Może wtedy nie przewracałaby się przez całą noc z boku na obok, z głową pełną obrazów hrabiego.

Już się odwracała, żeby zejść po schodach, kiedy coś huknęło. To był odgłos tłuczonego szkła

11

Armand był w swoim pokoju i przebierał się do snu, kiedy usłyszał hałas. Przez chwilę poczuł się znowu jak dziecko, samotny i zagubiony, tamtej nocy, kiedy wieśniacy zaatakowali zamek. Ale teraz nie był już dzieckiem. Wszystkie jego instynkty krzyczały, by bronił rodziny i domu. By bronił panny Bennett.

Podszedł szybko do drzwi, otworzył je energicznie i wyszedł na ciemny korytarz przed sypialnią. Usłyszał krzyki służących i swojego brata, więc skierował się w ich stronę. Szedł zdecydowanym krokiem, chociaż głowę wypełniły mu wizje tamtej nocy, nocy napaści na zamek. Wtedy też znalazł się w korytarzu przed swoją sypialnią. Korytarz był wypełniony dymem, Armand z trudem oddychał i niemal nic nie widział, lecz dobrze słyszał, podobnie jak teraz.

Mort à l'aristocratie! – słyszał, jak wołają. I w tym pełnym dymu korytarzu dwaj ludzie – służący? wieśniacy? nigdy się tego nie dowiedział – umawiali się, by zabić każdego arystokratę, jakiego znajdą. Już jako dziecko Armand wiedział, że to dotyczy także jego.

Chciał wierzyć, że Bóg pomoże mu uciec, ale nie sądził, żeby zasługiwał na boże miłosierdzie bardziej niż tysiące innych szlachetnie urodzonych dzieci zamordowanych w czasie rewolucji. Więc może to po prostu szczęście pomogło mu uciec napastnikom. Przemykał korytarzem, kryjąc się w niszach, aż dotarł do sekretnego korytarza, którym jego bracia wymykali się z zamku bez wiedzy rodziców. Wolałby się tam ukryć – jakaś część jego umysłu i teraz chciała się ukryć – ale zmusił się, by pobiec, usilnie wypatrując jakichś śladów Bastiena albo Juliena.

Nie znalazł ich i wyszedł z tunelu samotny i zagubiony.

I przerażony.

To uczucie Armand pamiętał lepiej niż jakiekolwiek inne. Był tak przerażony. Nie chciał umrzeć.

Gdyby tylko wiedział, co go czeka, może nie spieszyłby się aż tak bardzo. Po ucieczce było wiele nocy, kiedy żałował, że nie umarł.

Teraz jednak żył i się nie bał. Jeśli ktokolwiek mu zagrozi, on to zagrożenie odeprze. Dźwięki dochodziły z westybulu i Armand skierował się do prowadzących tam schodów. Był w połowie drogi na dół, gdy zauważył pannę Bennett.

Trzymała rękę na sercu i Armand widział, jak jej pierś faluje. Nie miała tak starannie ułożonych włosów, jak to zwykle widywał. Zazwyczaj jej żółte loki były gładko uczesane i różnymi szpilkami spięte w rodzaj okrągłego węzła z tyłu głowy. Teraz jednak wiele loków wymknęło się ze swojego więzienia, opadając na plecy. Jej włosy były dłuższe, niż przypuszczał; niektóre pasma opadały aż do połowy pleców.

W tym momencie odwróciła się i popatrzyła na niego, a on dostrzegł strach w jej oczach. Wciąż były niebieskie, jak wtedy, gdy zobaczył ją po raz pierwszy, ale teraz wydawały się większe i ciemniejsze. Dwoma skokami pokonał resztę schodów i znalazł się u jej boku. Przez chwilę nie mógł z siebie wydobyć słów. Umysł nie chciał z nim współpracować i Armand nie potrafił wypowiedzieć choćby sylaby. Ale zacisnął pięści i wysiłkiem woli zmusił umysł do posłuszeństwa. W końcu udało mu się spytać:

– Wszystko w porządku?

– Całkowicie. Byłam w drodze do pokoju, kiedy usłyszałam głośny huk. Pański brat sprawdza, co to takiego.

Wskazała na Juliena, który stał pośrodku szybko powiększającej się grupy służących i lokajów. Sara trzymała się z boku, blada, ręką osłaniając brzuch.

– Co się dzieje, na miłość boską?

Armand odwrócił się i zobaczył matkę schodzącą po schodach. Miała na sobie krwistoczerwony szlafrok, a rozpuszczone, długie, ciemne włosy opadały jej po bokach twarzy. Przez moment zdawało mu się, że świat zawirował. Z tak rozpuszczonymi włosami przypominała mu coś... kogoś.

Zamrugał i starał się skoncentrować. Przypominała mu siebie samą sprzed wielu lat. Teraz nie wyglądała wcale staro, ale jej oczy się zmieniły – były smutniejsze. Przypomniał sobie, znacznie wyraźniej niż dotychczas, jak wyglądała w dniach poprzedzających atak na ich wielską posiadłość.

– Armandzie – odezwała się, zauważając go. – Co się stało?

Uniósł w górę palec i zerknąwszy jeszcze raz na pannę Bennett, ruszył w dół schodami. Przecisnął się między służącymi do wychodzącej na hol jadalni. W świetle jednej z lamp zauważył odłamki szkła i okno rozbite w górnej części. Dziura miała prostokątny kształt, a kiedy Armand prześledził tor, jakim musiał lecieć przedmiot, który ją wybił, zauważył zadrapania i wgniecenie na lśniącej powierzchni stołu.

Julien pochylił się obok stołu i podniósł ciężki czerwony przedmiot.

– To cegła – powiedział, odwracając się.

Armand skinął głową. Właśnie tego słowa mu brakowało. Czy odpadła ze ściany? Nie, natychmiast odrzucił ten pomysł. Ktoś wrzucił tę cegłę przez okno jadalni.

– I coś jest na niej napisane – dodał Julien. – Dajcie tu światło. Bliżej.

Jeden ze służących podszedł i stanął obok Armanda, który zajrzał Julienowi przez ramię. Widział wydrapane litery, ale niewiele mu mówiły. Mógł próbować rozszyfrować ich znaczenie, jednak zajęłoby mu to znacznie więcej czasu niż Julienowi.

– Oddaj nam Skarb Szesnastego albo – Julien odwrócił cegłę – zniszczymy cię.

Spojrzał Armandowi w oczy.

– Co to, u diabła, znaczy?

Wszyscy służący zaczęli mówić równocześnie, jeden bardziej zdezorientowany od drugiego, lecz Armand nagle poczuł, że zabrakło mu tchu, i stał, nie mogąc się ruszyć z miejsca. Coś w tych słowach wręcz go sparaliżowało.

– Jeszcze raz – powiedział cicho i zdał sobie sprawę, że Julien nie może go słyszeć. – Jeszcze raz!

W jadalni momentalnie zapadła cisza, a Julien spojrzał na niego pytająco. Armand wskazał na cegłę.

– Jeszcze raz, *s'il vous plait*.

Julien popatrzył na cegłę.

– Oddaj nam Skarb Szesnastego albo cię zniszczymy. Czy coś z tego rozumiesz, Armandzie?

Wszystkie oczy były wpatrzone w niego. Czuł, jak kłują go w plecy, lecz zignorował to i wyciągnął rękę po cegłę. Kiedy Julien podał mu ją, okazała się ciężka i masywna. Małe kawałeczki szkła przyklejone do krawędzi odpadły pod dłonią Armanda. Wpatrywał się w czarne litery, najwyraźniej nabazgrane kawałkiem węgla. Wpatrywał się w słowa tak długo, aż zaczęły nabierać sensu. Autor błędnie napisał słowo „skarb", stawiając „p" zamiast „b". Armand wiedział to, choć nie miał pojęcia skąd.

Skarb Szesnastego. Skąd znał tę nazwę? Dlaczego brzmiała tak znajomo? Mętna woda w jego myślach stała się nieco bardziej przezroczysta, jakby po wrzuceniu do wody cegły przez moment mógł zobaczyć dno. Wpatrywał się w przezroczystą wodę i nagle myśli napłynęły, jakby umieszczone tam przez dobrze znanego nieznajomego.

Jakieś pomieszczenie, noc. Słaby ogień trzaskający w palenisku. Smród niemytych ciał i kwaśnego wina. Ktoś coś mówi, ale on nie powinien tego słyszeć. Czyjeś silne ręce zaciśnięte na jego ramieniu, przeszywający ból, kiedy został podniesiony i uderzony w twarz.

Armand upuścił cegłę, a Julien zaklął.

– Omal nie trafiłeś mnie w nogę!

Armand zamrugał i rozejrzał się dookoła. Przez chwilę nie wiedział, gdzie się znajduje. Gdzie jest ogień? Co z winem?

– Armandzie, dobrze się czujesz? – ktoś dotknął jego ramienia, a on odwrócił się błyskawicznie, gotów zaatakować, bronić się. Powstrzymał się w ostatniej chwili, zanim uderzył Sarę.

Matka była teraz obok niego, a tuż za nią panna Bennett, która wyglądała na jeszcze bardziej wystraszoną niż przedtem. Chciał jej powiedzieć, że nie powinna się bać, ale wiedział, że w tej chwili z jego ust nie wydobędzie się nic oprócz wycia.

Nie mógł się pozbyć tego przeklętego smrodu wina z nozdrzy! A dopóki zapach nie zniknie, nie zapomni tamtej sceny. Musi ją zapomnieć. Przypomnieć sobie... Przyłożył ręce do głowy, jakby chciał wycisnąć z siebie wspomnienie.

Skarb Szesnastego.

Nie!

Przed oczami stanęły mu obrazy z więzienia: jego ciasna cela, ciemne palenisko.

Nie!

Nie może tam wrócić! Nie wróci tam!

– Armandzie, nikt cię tam z powrotem nie zabiera – głos matki wyrwał go ze wspomnień. Spojrzał na jej zatroskaną twarz. – Armandzie, słyszysz mnie? – uniosła rękę, ale go nie dotknęła.

Widział, że bardzo chciała, ale cieszył się, że tego nie zrobiła. Nie chciał być dotykany.

Skinął głową w odpowiedzi na jej pytanie, chociaż nie potrafiłby go wypowiedzieć.

– Jesteś tu bezpieczny. Chodź, usiądźmy – wskazała na jedno z krzeseł, a służący natychmiast wysunął je spod stołu. Armand usiadł i podparł głowę rękoma. Wspomnienie powoli bladło, ale wciąż było z nim, kąsało niczym maleńkie szczurze zęby.

– Przynieście nam kieliszek wina – powiedział ktoś, prawdopodobnie jego matka. Cichy szmer głosów narastał wokół niego, lecz Armand nie zwracał na to uwagi, skupiając się na oczyszczeniu umysłu od strachu, uwolnieniu się od tego smrodu.

Usłyszał, jak kieliszek wina stuknął o blat stołu przed nim i sięgnął po niego, nie patrząc. Wypił natychmiast i poczuł, jak ciepło rozchodzi się po jego ciele.

Gdzie jest panna Bennett? Podniósł wzrok, rozejrzał się do-
około i zauważył jej żółte włosy. Obserwowała go. Wszyscy pozostali, włącznie z matką, byli skupieni na Julienie, który podniósł
cegłę i przyglądał się napisowi.

Ale panna Bennett patrzyła na niego. On patrzył na nią, pragnąc, by podeszła bliżej. I w końcu to zrobiła.

– Czy dobrze się pan czuje?

Nie mógł odpowiedzieć, ale wziął ją za rękę. Wiedział, że nie
powinien jej dotykać w taki sposób. Julien zapewne powiedział-
by coś o małżeństwie, ale w tej chwili Armand nie przejmował
się tym. Tylko panna Bennett mogła całkowicie odpędzić to
wspomnienie.

I kiedy tylko jego dłoń dotknęła jej ciepłej skóry, ostatnie
zmarszczki na powierzchni mętnej wody się wygładziły. Pozwolił na to, nie chcąc nigdy więcej ruszać ukrytych tam wspomnień.

– Złe myśli – udało mu się w końcu wykrztusić.

Jego głos znowu był ochrypły i zgrzytliwy.

– Czy słowa na cegle mają dla pana jakieś znaczenie?

– Nie – odparł szybko, ale wyczytał w jej spojrzeniu, że mu
nie uwierzyła. Brat także patrzył na niego. Julien rozsunął służących i stanął po drugiej stronie stołu.

– Czy masz z tym coś wspólnego? – spytał, unosząc cegłę.

Armand pokręcił głową.

– Byłem w swoim pokoju. Usłyszałem hałas i przyszedłem.

– Ale coś wiesz.

Oczy wszystkich były znowu wpatrzone w Armanda. Poczuł
się nieswojo, jakby piekła go skóra. Uniósł rękę, żeby rozluźnić
fular, lecz zdał sobie sprawę, że nie nosi fularu. Coś ściskało go
w gardle.

– Nie – skłamał. – Nic nie wiem.

– Co to jest Skarb Szesnastego? – pytał Julien.

Armand nie odważył się odwrócić wzroku, ale przypomniał
sobie melodię, którą panna Bennett grała rankiem na fortepia-

nie. Odgrywał ją teraz w myślach. Julien w końcu popatrzył na pozostałych obecnych.

– Czy ktoś cokolwiek z tego rozumie?

– Nie, Wasza Wysokość – rozległo się równocześnie wiele głosów.

Julien, zirytowany, rzucił cegłę na stół, a Armand zacisnął pięści, żeby jej nie chwycić. Chciał złapać tę cegłę i wyrzucić ją za okno. Chciał, żeby znalazła się daleko, jak najdalej od niego.

– Grimsby – powiedział Julien. – wyjdź na zewnątrz i sprowadź strażników. Chcę wiedzieć, czy coś widzieli. I chcę wiedzieć, jak to znalazło się tutaj bez ich wiedzy. Odpowiedzą za to.

Lokaj skinął głową i pospieszył wykonać polecenie Juliena.

– Wy – książę wskazał dwóch służących – sprawdźcie resztę domu. Upewnijcie się, że wszystkie drzwi i okna są całe. Ty – zwrócił się do pokojówki – zabierz ten kieliszek.

Wydawał kolejne rozkazy, aż cała służba była czymś zajęta. Armand cały czas trzymał pannę Bennett za rękę. Powinien być tej nocy na zewnątrz. I byłby, gdyby nie czuł się tak zmęczony. Jego umysł był zajęty myślami o małżeństwie. Tymczasem powinien był myśleć o chronieniu domu.

Julien opadł na jedno z krzeseł obok Sary.

– Czy ktoś ma pomysł, co z tym zrobić?

– Sądzę, że to ci sami ludzie, przed którymi mieli nas chronić strażnicy – odezwała się jego matka. – Ci, którzy wykopali doły w ogrodzie.

Armand skinął głową. Jakże żałował, że nie pobiegł szybciej tamtej nocy, kiedy widział człowieka w ogrodzie. Gdyby go dogonił, to wszystko nigdy by się nie zdarzyło. Poczuł, że powierzchnia wody w jego umyśle zaczyna znowu falować, i zmusił się, by ją uspokoić. Ale to falowanie coś potwierdziło. Ludzie w ogrodzie mają związek ze Skarbem Szesnastego.

Panna Bennett już nie trzymała go za rękę. Puściła ją w którymś momencie, ale wciąż siedziała obok niego, a teraz się odezwała.

– Myślę, że hrabia coś sobie przypomniał.

– Doprawdy? – ton głosu jego brata był cierpki i Armand posłał mu piorunujące spojrzenie.

– Nie ma powodu do sarkazmu, Julienie – powiedziała Sara.

Spojrzała na Armanda i uśmiechnęła się, chociaż był to nieco wymuszony uśmiech.

– Jeśli wiesz coś o tych słowach na cegle, powinieneś nam powiedzieć, Armandzie. Wyjaśnić, dlaczego ktoś wrzucił nam to przez okno.

Armand przyglądał się jej przez chwilę, po czym spojrzał na brata. Nie mógł sobie przypomnieć. Nie powinien. A nawet gdyby, to ta wiedza nie mogła ich uratować. Im mniej wiedzą, tym lepiej.

– Nic nie wiem – powiedział, podnosząc się z krzesła.

Julien także wstał.

– Kłamiesz. Widziałem twoją reakcję. To wszystko ma dla ciebie jakieś znaczenie. Powiedz mi, jakie.

– Nic nie wiem – powtórzył Armand, lecz widział, że Julien nie zamierza zrezygnować. Armand zmusi go, by dał mu spokój. Uderzył pięścią w i tak już uszkodzony stół, aż się zakołysał, i warknął:

– Przestań mówić!

Lecz brat był już przy nim i zanim Armand zdążył zareagować, chwycił go za kołnierz i przycisnął do ściany jadalni.

– Powiedz mi, co wiesz! Co tu się dzieje, do diabła?

Wściekłość narastała w Armandzie już od wielu dni. Wściekłość i poczucie bezsilności. Odepchnął Juliena. Zaskoczony brat zachwiał się, lecz Armand go złapał i teraz to on cisnął Julienem o ścianę, zrzucając z niej obraz, ale z satysfakcją usłyszał, jak ciało brata łupnęło w mur.

– Mógłbym cię zabić – syknął, przechodząc na francuski.

Z jakiegoś powodu ten język nie sprawiał mu teraz najmniejszego trudu i słowa same cisnęły się na usta.

– Mógłbym zacisnąć ci ręce na szyi – chwycił Juliena za szyję i poczuł pod palcami jego silne mięśnie – i wydusić z ciebie resztkę życia.

– A więc zrób to – odparł Julien również po francusku. – Zabij mnie, ale to nie powstrzyma koszmarów, *frère*. W ten sposób nie zemścisz się na ludziach, którzy ci to zrobili.

Armand rozluźnił palce. Chciał skrzywdzić, zabić, chciał, żeby ktoś zapłacił za ból, który sprawiły mu nawet te przebłyski wspomnień.

– To nie ja cię uwięziłem. – Julien patrzył mu prosto w oczy. – Nigdy, ani na chwilę, nie zapomniałem o tobie. Nigdy nie przestałem cię szukać.

Armand patrzył na niego i zimny ogień w jego wnętrzu zaczął przygasać.

– Ale teraz ty coś tutaj sprowadziłeś.

Armand zacisnął palce, lecz jego brat nawet nie drgnął.

– A ja muszę wiedzieć, co to takiego. Nie będę mógł chronić matki, Sary ani panny Bennett, jeśli mi nie pomożesz. Co to jest Skarb Szesnastego?

Armand przyglądał się bratu przez dłuższą chwilę. Woda w jego umyśle burzyła się i kipiała, aż uspokoił ją siłą woli.

– Nie. Nie wiem – puścił Juliena i się cofnął.

Dłonie miał wilgotne i czuł pot spływający po plecach i górnej wardze. W tym pomieszczeniu stawało się zbyt gorąco. Powoli oddalał się od brata, wycofując w stronę schodów, do bezpiecznej przystani swojego pokoju.

Julien zrobił krok naprzód.

– Nie uciekaj od tego. Nie uciekaj przede mną. – Zanim jednak zdążył podejść bliżej, Sara stanęła przed nim.

– Julienie, pozwól mu odejść.

– On coś wie.

Armand odwrócił się do schodów i powoli zaczął się po nich wspinać.

– Cokolwiek to jest, on nie potrafi albo nie chce tego pamiętać. Daj mu spokój.

– Zmuszę go, żeby sobie przypomniał.

Julien rzucił się w jego stronę i Armand się zatrzymał. Nie będzie już walczył tej nocy ani nie będzie rozmawiał. Nie zostało już nic do powiedzenia.

– Nie, nie zmusisz.

To była jego matka. Teraz i ona stanęła pomiędzy braćmi.

– Robisz więcej złego niż dobrego. Zostaw go. Zacznie mówić, kiedy... jeśli będzie gotów.

Powinien być wdzięczny matce, lecz już przestało go obchodzić to, co się z nim działo. To była jego wina i wszyscy o tym wiedzieli. Nie obronił ich; być może nie mógł. Nie potrafił się powstrzymać, by nie odszukać wzrokiem panny Bennett. Czy zobaczy na jej twarzy niesmak? Strach? Odrazę?

Nie wstała od stołu. Siedziała tam, gdzie poprzednio, a w jej oczach malowało się zatroskanie. I wyglądała... jak brzmiało to słowo? Słyszał, jak Julien używa go w odniesieniu do Sary – pięknie. Wyglądała tak pięknie, że aż poczuł ból.

Ale nie wyglądała na zdegustowaną. Nie patrzyła też na niego z wyrzutem. To przynajmniej coś. Poszedł dalej na górę, do swego pokoju, cicho zamknął drzwi sypialni i zdmuchnął świecę.

Tym razem pragnął znaleźć się w ciemności.

Felicity nie widziała hrabiego przez dwa dni. W tym czasie czuła się coraz bardziej bezużyteczna. Książę i księżna płacili jej za uczenie hrabiego, ale jak miała go uczyć, jeśli on nie wychodził z pokoju?

A jednak nikt jej nic nie powiedział. Nikt nie kwestionował jej zatrudnienia. Ale nie mając ucznia, raczej nie mogła prosić o zaliczkę. W pewnym momencie dostała od Charlesa list, pełen gróźb i żądań pieniędzy. Spaliła go w kominku, zanim ktokolwiek zdążył zobaczyć, i modliła się, by Charles trzymał się z dala od niej. Ale była zmartwiona i zdenerwowana.

– Czy dobrze się pani czuje, panno Bennett? – spytała księżna po południu drugiego dnia nieobecności hrabiego. Spotkały się na herbacie i Felicity zdała sobie sprawę, że nie wzięła filiżanki, którą podawała jej księżna.

Sięgnęła po filiżankę.

– Tak, przepraszam. Błądziłam gdzieś myślami.

– Wszystkim nam ostatnio trudno się skupić. Będę o wiele spokojniejsza, kiedy hrabia znowu do nas dołączy. A wtedy chciałabym, żeby poświęciła pani lekcje zachowaniu w towarzystwie. Przyjęłam zaproszenie na wieczorek muzyczny u lady Spencer w przyszłym tygodniu. Armand pójdzie z nami.

A więc polowanie na żonę dla hrabiego miało się już zacząć. Felicity odstawiła filiżankę na spodek. Naczynia lekko grzechotały w jej drżącej dłoni, więc postawiła je na stole.

– Oczywiście, Wasza Wysokość.

– Pomyślałam, że wieczorek muzyczny będzie dobrą okazją na początek, skoro wszyscy wiemy, jak hrabia kocha muzykę. Nie będzie się też musiał martwić o rozmowę przy kolacji ani o tańce, chociaż i na to przyjdzie pora. Czy umie pani tańczyć, panno Bennett?

Felicity przełknęła ślinę. Przez głowę przemknął jej obraz hrabiego trzymającego ją w ramionach, kiedy będzie pokazywała mu kroki tańca. A potem zmaterializował się kolejny obraz, wspomnienie sprzed dwóch dni – hrabia w rozpiętej koszuli, z oczami płonącymi niczym u anioła zemsty. Nigdy nie widziała mężczyzny tak potężnego, reagującego tak intensywnie. Kiedy chwycił brata, była wystraszona, ale też dziwnie pobudzona. Jak by się czuła, gdyby jego emocje były skupione na niej – nie w gniewie, lecz w namiętności? W końcu czyż nie są to dwie strony tej samej monety?

Te same dłonie, które zacisnęły się na gardle księcia, dotykały jej skóry, aż poczuła żar. Zrobił to kiedyś, ale nie może już nigdy powtórzyć. A ona tylko ułatwi sprawę, jeśli pomoże mu znaleźć inną kobietę, którą poślubi, weźmie do łóżka, w ramiona…

Księżna patrzyła na nią wyczekująco i Felicity chrząknęła z zakłopotaniem.

– Przepraszam, Wasza Wysokość, o co pani pytała?

Księżna spojrzała na nią ze zdziwieniem i powtórzyła:

– Czy pani tańczy?

– Ach, tak, ale niezbyt dobrze. Nigdy nikogo nie uczyłam tańca.

Księżna skinęła głową i Felicity niemal zobaczyła, jak dopisuje w myślach kolejną pozycję na liście spraw do załatwienia.

– W takim razie zatrudnię nauczyciela.

– Czy sądzi pani, że hrabia zgodzi się brać lekcje tańca?

Księżna wzruszyła ramionami.

– Nie mam pojęcia. Potrafi być uparty, co sama pani widziała.

Felicity pomyślała o tym, jak zamknął się w pokoju i nie wyszedł z niego nawet wtedy, gdy godzinami grała na fortepianie, próbując go wywabić. A potem przypomniała sobie, jak zachowywał się tamtej nocy, kiedy cegła wybiła szybę w jadalni.

– Nie sądzę, żeby to był tylko upór, Wasza Wysokość. Wydaje mi się, że są jakieś rzeczy, których on nie może nam powiedzieć. Rzeczy, których nie chce pamiętać.

Teraz księżna odstawiła swoją filiżankę.

– Zgadzam się z panią, panno Bennett. I wiem, że książę również, chociaż on czuje się bezradny, gdy nie może chronić swojej rodziny, i to go frustruje.

– Myślę, że to frustruje także hrabiego.

Księżna się uśmiechnęła.

– Broni go pani. Podoba mi się to, ale zastanawiam się, czy on wciąż potrzebuje obrony. Może chroniliśmy go zbyt długo? Może nadszedł już czas, by otworzyć drzwi, które postanowił kiedyś zamknąć? One mogą się otworzyć bez względu na to, czy będzie tego chciał, czy nie.

– Widziałam go zeszłej nocy – wyznała Felicity, sama nie wiedząc, dlaczego o tym mówi. – Z mojego okna – dodała pospiesznie, widząc spojrzenie księżnej. – Był w ogrodzie, spacerował, obserwował bramę i dom.

Martwiła się wtedy, że Charles może się pojawić i spotkać z hrabią.

Księżna zmarszczyła brwi.

– Zeszłej nocy padał deszcz. Wolałabym, żeby hrabia tego nie robił. Książę zatrudnił dodatkowych ludzi, by pilnowali domu. Okno zostało naprawione i zamówiliśmy nowy stół.

– Tak, ale to nie usunęło zagrożenia, nie całkowicie. Ci ludzie nie zrezygnują tak łatwo. Jeśli zamkniemy jedne drzwi, znajdą inne. Hrabia wie o tym, ale mimo to sekrety, które kryją się w głębi jego umysłu, sprawiają mu zbyt wielki ból, by je wydobył na światło dzienne. Chce pilnować domu całą noc, znosić deszcz, mgłę i chłód, by nas strzec. Wszystko to wskazuje na powagę sekretu, który skrywa.

Księżna wpatrywała się w przestrzeń, zdając się nie zauważać Felicity, skupiona na czymś z przeszłości.

– Zastanawiam się, czy on kiedykolwiek dojdzie w pełni do siebie. Zastanawiam się, czy cokolwiek... albo ktokolwiek może go naprawdę uleczyć.

Ich spojrzenia się spotkały, po czym księżna wstała.

– Muszę porozmawiać z kucharką. Proszę spokojnie dokończyć herbatę. Zobaczymy się na kolacji.

Następny poranek był słoneczny i ciepły, a kiedy Felicity rozsunęła zasłony, mogło się wydawać, że nadeszła już wiosna. Wiedziała, że jest koniec listopada, ale pogoda na to nie wskazywała. Włożyła białą suknię w żółte kwiaty i przewiązała włosy żółtą wstążką. Suknia nie była dość ciepła jak na ten dzień, lecz Felicity nie dbała o to. Pasowała do jej nastroju.

Minęło sporo czasu, nim była gotowa, i zdawała sobie sprawę, że spóźniła się na śniadanie. Nie przejmowała się tym, ponieważ i tak nie czuła głodu, więc zamiast udać się do jadalni, poszła wprost do ogrodu. Powietrze było chłodne, lecz dość przyjemne, a niebo wydawało się bezkresnym morzem błękitu. Spojrzała w górę, obracając się dookoła. Nie, nie dostrzegła na niebie ani jednej białej plamki. Ani jedna chmurka nie kalała piękna tego dnia. Odchyliła głowę jeszcze bardziej do tyłu, by zobaczyć, czy księżyc już zaszedł, i obracając się, wpadła na masywny, bardzo znajomy kształt.

Omal się nie przewróciła, ale hrabia podtrzymał ją, zanim straciła równowagę. Ku jej rozczarowaniu i uldze, natychmiast cofnął ręce.

Felicity wyprostowała się i poprawiła suknię.

– Milordzie, jak miło widzieć pana znowu wśród nas.

– Panno Bennett – złożył jej ukłon.

Uśmiechnęła się zadowolona, że jej nauki dały widoczny efekt. Ale z żalem dostrzegła też rezerwę w jego oczach. Czy to ona nauczyła go tej powściągliwości?

– Jaka piękna pogoda – powiedziała, patrząc znowu na niebo.

– Tak, piękna.

Zerknęła na niego i zauważyła, że nie patrzy na niebo, lecz na nią. Być może zbyt pochopnie przypisała mu powściągliwość.

– Chciałem powiedzieć – dodał – że istotnie jest piękna.

– Nie widzieliśmy się przez kilka dni, ale nasze lekcje bynajmniej się nie zakończyły – powiedziała, nadal nie patrząc na niego. – Czy czuje się pan na siłach kontynuować je dzisiaj?

Westchnął ciężko, lecz Felicity nie potrafiła mieć mu tego za złe. Ona także nie miała nastroju na spędzenie dnia na nauce w zamkniętym pomieszczeniu.

– Może moglibyśmy odbyć poranną lekcję w ogrodzie.

Gdy na niego spojrzała, uśmiechał się.

– Bardzo by mi się to podobało.

– Doskonale. Więc zaczynamy? Księżna wspominała, że wybiera się pan na wieczorek muzyczny w przyszłym tygodniu.

– Na co?

Uśmiechnęła się do niego.

– To nie jest aż takie straszne, jak się wydaje. Chodzi o przyjęcie, na którym gra się muzykę. Często też występuje ktoś, kto śpiewa. Podaje się lekki poczęstunek.

– Lekki...

– Herbatę, poncz, małe kanapki i tym podobne. Sądzę, że spodoba się panu muzyka. Pomyślałam, że moglibyśmy porozmawiać o tym, jak będzie wyglądał wieczór, żeby był pan przygotowany.

– Pani tam będzie.

Pokręciła głową.

– Nie. Obawiam się, że nie jestem zaproszona.

– Nie rozumiem.

Przygryzła wargę, ostatni raz zerkając na błękit nieba.

– Nie jestem panu równa pozycją, milordzie. Nie mam pieniędzy, tytułu, koneksji. Pan jest hrabią de Valère i jako taki ma pan wszystkie te trzy rzeczy. Nie mogę pójść z panem, ale mogę zadbać, żeby był pan przygotowany na każde takie spotkanie.

Zmarszczył brwi i wyraz jego twarzy stał się zacięty.

– Ale ja chcę, żeby pani tam była. Pomówię z Ju...

Uniosła rękę i dotknęła jego ramienia, żeby go powstrzymać.

– Proszę tego nie robić – nie przychodziło jej do głowy nic gorszego, niż pójście na przyjęcie, na które nie była zaproszona; patrzeć, jak hrabia spotyka się z innymi kobietami, które są piękniejsze, bardziej wyrafinowane i bogatsze, niż ona mogłaby kiedykolwiek być.

– Ja nie chcę tam iść. Prawdę mówiąc, sądzę, że to dobra okazja, by poznał pan inne damy. Czy pamięta pan naszą ostatnią rozmowę o małżeństwie?

Z tego, jak pociemniały mu oczy, wywnioskowała, że pamięta doskonale. A fakt, że jego spojrzenie pomknęło w kierunku jej ust, wskazywał, że i emocje, które doprowadziły do tamtej rozmowy, nie przeminęły.

– To może być dla pana okazja poznania kobiety, którą pan poślubi, żony.

Jego spojrzenie stało się chłodne.

– Brat rozmawiał ze mną o tym, ale ja mu powiedziałem, że ożenię się z panią.

Serce Felicity przestało na chwilę bić i zabrakło jej tchu.

– Milordzie, to nie jest możliwe.

– Niemożliwe? – przybliżył się i zamknął jej nadgarstek w uścisku swojej gorącej dłoni. – Czy niepożądane? Proszę mi odpowiedzieć.

12

To nie jest łatwe pytanie, milordzie – rzekła Felicity.

Czuła mrowienie na nadgarstku, gdzie zacisnęła się dłoń hrabiego. Jego palce były szorstkie i twarde, wcale nie miękkie i zniewieściałe, jak wyobrażała sobie ręce arystokraty.

Ale ten mężczyzna nie był zniewieściałym arystokratą. Był dziki, nieokiełznany, namiętny. Spojrzała w jego oczy i zobaczyła w nich to wszystko, a nawet więcej. Zobaczyła w nich tęsknotę – tęsknotę za nią. On jej pragnął, a to przyprawiło ją o dreszcz. Ona także go pragnęła, ale nie była dzikim stworzeniem. Znała reguły i wiedziała, że musi się im podporządkować, mimo tego, co podpowiadały jej uczucia.

– Jest łatwe – zaprzeczył. – Czy mnie pani chce? Tak czy nie?

Był bardzo blisko i przez cienką suknię czuła ciepło promieniujące z jego ciała. Czemu nie włożyła płaszcza? Jego bliskość sprawiała, że zakręciło jej się w głowie, omal nie zemdlała. Nie była skłonną do omdleń panienką, ale przypuszczała, że to uczucie wynikało z faktu, iż krew odpłynęła jej z głowy w niższe części ciała.

– To pytanie – powiedziała – dotyczy małżeństwa, a nie pragnienia.

– Jaka jest różnica?

Przez chwilę niemal żałowała, że nie mogą wrócić do czasów, kiedy on nic nie mówił. Wtedy łatwiej było z nim postępować.

Teraz zadawał tak wiele pytań, a ona czuła się zupełnie nieprzygotowana do odpowiadania na nie.

– Małżeństwo to kontrakt, umowa prawna – powiedziała, choć wątpiła, czy będzie potrafił zrozumieć wszystkie niuanse jej wyjaśnień. – Pragnienie to coś ulotnego. Przychodzi i przemija.

Jego ręka przesunęła się niżej i teraz muskał palcami wnętrze jej dłoni. Niech to! O rękawiczkach także zapomniała!

– Nie dla mnie. Pragnienie jest... – zamilkł i widziała, że szuka w myślach odpowiedniego słowa. – Trwające?

– Stałe – szepnęła.

– Tak – obserwował ją teraz i oceniał.

Nie wiedziała, co zobaczył, ale wiedziała, co zobaczyć powinien: nauczycielkę zdecydowaną doprowadzić do końca dzisiejszą lekcję. Nawet jeśli ta lekcja miałaby dotyczyć znajdowania narzeczonej, którą nie będzie ona.

– Milordzie...

– Dlaczego nie mówisz mi po imieniu? – spytał. – Czy to jeszcze jedna reguła?

Zwilżyła wargi. Jak bardzo pragnęłaby mówić mu po imieniu. To imię było takie piękne i zmysłowe. Takie francuskie i egzotyczne. Jak bardzo pragnęła ułożyć usta do jego wymówienia.

– Tak – odparła, a potem musiała odchrząknąć, żeby jej głos zabrzmiał wyraźnie. – To reguła. Ja muszę zwracać się do pana „milordzie", a pan musi mnie nazywać panną Bennett.

– Nazywaj mnie Armandem.

Wielkie nieba. Uwielbiała brzmienie tego słowa w jego ustach. Lekki francuski akcent, z którym mówił, stawał się jeszcze wyraźniejszy przy jego imieniu i przyprawiał ją o dreszcz.

– Nie mogę – powiedziała, starając się, by nie poczuł, że cała drży.

– Jeden raz – powiedział, ale nie zabrzmiało to jak prośba. Zabrzmiało niemal jak rozkaz.

– Milordzie – spuściła wzrok, nie mogąc znieść pasji, którą zobaczyła w jego oczach. – To byłoby niestosowne.

– Jak ty się nazywasz?

– Panna Bennett.

Jeszcze raz przesunął palcami po wrażliwej skórze wnętrza jej dłoni.

– Twoje imię. Proszę.

Zerknęła na niego, zauważyła błysk w jego oczach i zrozumiała, że się z nią drażni. Nie znosił wszystkich tych grzecznościowych zwrotów, których go uczyła, i jeśli teraz użył jednego z nich, to znaczyło, że bardzo się stara ją przekonać. Może mogłaby obrócić to na swoją korzyść – wrócić do lekcji, zejść z niebezpiecznej ścieżki, którą oboje kroczyli.

– Powiem panu, milordzie – powiedziała, cofając się o krok – jeśli będziemy udawać, że jesteśmy na wieczorku muzycznym u lady Spencer.

Zmarszczył brwi, przez co wyglądał jeszcze poważniej niż zwykle. Uwielbiała każdy jego wygląd – poważny, namiętny, skupiony – a teraz zobaczyła żartobliwy.

– O, proszę stanąć koło tej ławki, a ja będę udawać, że jestem młodą damą, którą księżna chce panu przedstawić.

– Nie chcę udawać.

Spojrzała na niego tak samo, jak patrzyła na dziewczynki spierające się z nią w małej parafialnej szkółce w Selborne.

– Proszę tam stanąć – wskazała, a on usłuchał, z ciężkim westchnieniem.

Ale stanął nonszalancko, z jedną ręką w kieszeni, co zupełnie nie pasowało do sytuacji.

– Milordzie – powiedziała, kręcąc głową. – Nie tak. Musi pan stanąć prosto.

Uniósł brwi i nadal stał niedbale. Felicity westchnęła. Przypuszczała, że to najlepsze, co może osiągnąć w tej chwili. Postawa hrabiego zapewne nie będzie największym zmartwieniem księżnej na wieczorku muzycznym.

– Dobrze. Udawajmy, że księżna albo pański brat przyprowadzili mnie do pana. Nie znamy się, ale być może podziwiał

mnie pan przez cały wieczór. A teraz ma pan okazję mnie poznać.

– Nie rozumiem celu tego udawania.

Spojrzała na niego z irytacją.

– To ćwiczenie przed wieczornym spotkaniem! Czy może
pan po prostu spróbować, milordzie?

Uniósł ręce w geście rezygnacji, po czym, ku jej rozczarowaniu, wsunął je z powrotem do kieszeni. Niezrażona, podeszła
powoli do niego.

– Może pan się do mnie uśmiechnąć, milordzie. Jeśli będzie
pan wyglądał tak groźnie, odstraszy pan wszystkie damy.

– Co znaczy „groźnie"?

– To znaczy przerażająco i poważnie zarazem.

– Hm – prawdę mówiąc, wyglądał na raczej zadowolonego
z tego opisu, więc Felicity nie zdziwiła się, kiedy nie zaczął się
uśmiechać. W końcu stanęła przed nim.

– Teraz odgrywam rolę księżnej. Panno Felicity Bennett, czy
mogę pani przedstawić mojego szwagra, Armanda Harcourt,
hrabiego de Valère? Milordzie, to jest...

Jednak on uniósł rękę i znowu chwycił ją za nadgarstek.

– Podoba mi się, jak mówisz moje imię. Powiedz je jeszcze
raz, Felicity.

Spojrzała na niego surowo.

– Powinien pan nazywać mnie panną Bennett. Tylko mężczyźni i kobiety, którzy są spokrewnieni albo zaręczeni i zostaną
małżeństwem, mogą zwracać się do siebie po imieniu.

– Znowu małżeństwo – zauważył, unosząc brwi.

Oswobodziła rękę i mówiła dalej.

– Jak mówiłam, milordzie, to jest panna Bennett. Widzi pan,
damie zawsze przedstawia się dżentelmena, nawet jeśli to on
ma wyższą pozycję. Kiedy będzie pan przedstawiany innemu
dżentelmenowi, kolejność będzie zależała od...

– Felicity?

Zamilkła i starała się uspokoić serce, które omal nie wyrwało się jej z piersi. Zachwyciło ją brzmienie jej imienia w jego ustach, niczym szum chłodnego morza w upalny dzień.

– Tak?

– Co teraz robię?

– Sądzę, że ukłon byłby na miejscu. A ja mogę dygnąć – dygnęła, ale leciutko, ponieważ nie znosiła dygania.

– Ukłon?

– Cóż... – zapewne nie powinna mu tego mówić, ale co będzie, jeśli zobaczy, jak robią to inni i niewłaściwie sobie skojarzy?

– Tak? – znowu uniósł brwi. Jak mu się udaje to robić? I dlaczego to sprawia, że zaczyna jej brakować tchu?

– Może pan również ucałować dłoń damy.

– Proszę mi pokazać.

Chrząknęła i cofnęła się o krok, rozpoznając błysk w jego oczach.

– To jedna z możliwości, milordzie, ale zwykle korzystają z niej mężczyźni, którzy starają się być czarujący.

– Co to znaczy „czarujący"?

– To przeciwieństwo groźnego.

Skinął głową, ale ona znowu nie była pewna, czy zrozumiał jej wyjaśnienie.

– Proszę mi pokazać całowanie dłoni.

Teraz ona milczała przez chwilę.

– Naprawdę nie wiem, jak to panu pokazać. Nigdy tego nie robiłam.

Ani nie doświadczyła. Po prostu nie była aż tak urzekająca. Albo nie znała dostatecznie czarujących mężczyzn.

– Ale widziałam, że mężczyźni delikatnie ujmują dłoń damy, pochylają się nad nią, jak w ukłonie, i lekko całują kostki palców. – Przynajmniej wydawało się jej, że kostki. A może chodziło raczej o grzbiet dłoni?

– Kostki?

Uniosła nagą dłoń. Że też musiała zapomnieć rękawiczek w pośpiechu!

– Te wypukłości.

– Aha – wyciągnął rękę, a ona podała mu dłoń.

Przez chwilę stał i trzymał ją za rękę, nie odrywając oczu od jej twarzy. Już miała powtórzyć instrukcję, kiedy odezwał się niespodziewanie.

– Co mówię?

– Hm... – przychodziło jej do głowy wiele rzeczy, które chciałaby, żeby powiedział, ale żadna z nich nie ułatwiłaby tej sytuacji. – Cóż, właśnie zostałam panu przedstawiona. Bierze mnie pan więc za rękę... tak, to już pan zrobił, więc sądzę, że może pan powiedzieć coś w rodzaju „miło mi panią poznać, panno Bennett". Potem kłania się pan i ach... całuje pan kostki.

Skinął głową, wyglądając bardzo poważnie.

– Miło mi panią poznać, panno Bennett – jego głos był tak niski i ochrypły, że słowa wychodzące z jego ust brzmiały niemal obco. A potem pochylił się i poczuła muśnięcie jego warg na skórze. Połaskotało i omal nie zachichotała jak dziewczynka. Opanowała się jednak i powiedziała:

– Pana także, milordzie.

Nie puścił jej dłoni ani nie wyprostował się, więc szarpnęła lekko dłoń, by dać mu do zrozumienia, że powinien to zrobić. Kiedy nie zareagował, pociągnęła mocniej.

– Powinien pan mnie puścić, milordzie.

– Ale pani tak ładnie pachnie.

I znowu poczuła to kuszące muśnięcie warg na skórze. Zadrżała i zaczęła się zastanawiać, dlaczego dotyk ust w tak niewinnym miejscu, jakim jest dłoń, wywołuje u niej taką reakcję.

– Milordzie, powinien pan się wyprostować i puścić moją rękę.

– Czy to reguła?

Właśnie, czy to reguła?

– Tak. Przypuszczam, że tak.

Spojrzał na nią, a jego oczy były tak ciemne, że miały niemal barwę indygo.

– Nie lubię reguł.

Cóż, czasami ona też nie lubiła.

– Reguły są po to, by społeczeństwo funkcjonowało bez zakłóceń. Gdyby każdy robił to, na co ma ochotę, powstałby chaos.

– Chaos – powtórzył to słowo. – Czy to coś złego?

– Milordzie, powinien pan puścić moją rękę.

On jednak odwrócił jej dłoń wnętrzem do góry i pochylił się, żeby ją... powąchać?

– Tak ładnie pani pachnie. Co to jest?

Ponieważ tego ranka nie użyła żadnego pudru ani emulsji, nie umiała odpowiedzieć. A nawet gdyby chciała się odezwać, najprawdopodobniej i tak by zamilkła, ponieważ on pochylił się i pocałował wrażliwą skórę po wewnętrznej stronie jej dłoni.

– Milordzie – syknęła. – Nie powinien pan.

On jednak patrzył na nią z przekornym uśmiechem.

– Dlaczego? Przecież to się pani podoba, prawda?

– Nie podoba mi się, że łamie pan reguły.

– Hm. Chaos – i znowu musnął wargami jej dłoń.

Rzeczywiście wywołał chaos. W głowie miała zamęt, a ciało pragnęło podporządkować się zmysłom. Pragnienie poddania się chaosowi stało się tylko silniejsze, kiedy poczuła, jak jego usta przesuwają się po jej dłoni; a potem jego wargi rozchyliły się i język dotknął jej skóry.

Felicity musiała się ze wszystkich sił starać, by utrzymać równowagę, gdy objęła ją potężna fala podniecenia. Co ten mężczyzna z nią wyprawia? Próbowała oswobodzić rękę, ale on trzymał ją stanowczo.

– Milordzie! – Jego język znowu się wysunął. – Armandzie!

Teraz popatrzył na nią, a spojrzenie jego niebieskich oczu było tak niewinne. Och, ale ona wiedziała. Dokładnie wiedziała, co on robi.

– Podoba mi się, kiedy wymawiasz moje imię.

– Pańskie zachowanie jest niestosowne. Jeśli zrobi pan coś podobnego na wieczorku muzycznym, pan... oni... och, nie mam pojęcia, co się może stać!

Poddana takiemu zabiegowi dama najprawdopodobniej zemdleje. Albo, jeśli wziąć pod uwagę to, co Felicity czytała o niektórych damach z towarzystwa, zawlecze Armanda wprost do łóżka. Felicity sama chętnie by to zrobiła, tyle że nie była jedną z tego rodzaju dam.

– Nie zrobię tego przy muzyce. Będę to robił tylko z tobą – jego usta przesunęły się z dłoni na wewnętrzną stronę nadgarstka, którą muskał wargami.

Felicity czuła, jak puls jej przyspiesza.

– Nie powinien pan robić tego ze mną. Prawdopodobnie będzie pan to robił tylko ze swoją żoną.

Teraz spojrzał na nią z zainteresowaniem. To spojrzenie obudziło w niej czujność, ponieważ wiedziała, że kryją się za nim pytania. Jednak uznała, że w tym momencie lepsze pytania niż czary, jakie jego usta czyniły z jej ciałem.

– Co jeszcze powinienem robić z żoną? Mam różne pomysły...

Felicity uniosła wolną dłoń.

– Co to, to nie, milordzie. Tego nie powinien mi pan wyjawiać. To prywatna sprawa.

Spojrzał na nią, marszcząc brwi.

– To znaczy coś, co zostaje tylko między mężem a żoną.

– Ale ja chcę, żebyś była moją żoną.

Felicity westchnęła, sfrustrowana, ale w końcu udało się jej uwolnić rękę.

– To już mamy za sobą, milordzie. Omówiliśmy tę sprawę – dodała dla jasności. – To nie jest możliwe. Jestem pewna, że pozna pan inną kobietę, bardziej odpowiadającą pańskiej pozycji. Szczerze mówiąc, moim zadaniem jest dopilnować, żeby, kiedy już pan ją pozna, wywarł na niej wrażenie swoją uprzejmością i manierami.

– Proszę. Dziękuję – zastanawiał się przez chwilę. – Miło mi panią poznać. Lekcja skończona?

Nie potrafiła powstrzymać uśmiechu.

– Nie, lekcja nie jest skończona. Nie rozmawialiśmy jeszcze o tym, co powinien pan powiedzieć po „miło mi panią poznać".

Uśmiechnął się szeroko.

– Właśnie wtedy całuję dłoń.

Ponownie sięgnął po jej rękę, a Felicity pospiesznie schowała ją za plecy, poza jego zasięgiem.

– Właśnie. A co potem?

Przysunął się bliżej, a ona cofnęła się o krok.

– Pokażę.

– Nie – uniosła rękę. – Nie, milordzie. Może lepiej porozmawiajmy o tym, a demonstracje zostawmy na inną okazję.

– Słowa – burknął. – Za dużo.

I choć zgadzała się z tym stwierdzeniem, wiedziała, że to jest najbardziej odpowiednia droga. Dlatego większą część następnych trzech godzin spędziła na objaśnianiu zawiłości prezentacji, ćwiczeniu towarzyskich pogawędek i paplaniny oraz przedstawianiu mu możliwych sposobów zakończenia rozmowy z damą lub dżentelmenem. Hrabia wydawał się znudzony, ale tolerował te nauki, być może dlatego, że odbywały się w ogrodzie i pogoda była tak piękna. Przebywając na zewnątrz domu, wydawał się szczęśliwszy, mniej spięty i nerwowy.

W końcu znalazła ich księżna wdowa i zaprosiła Felicity na wspólną herbatę. Żołądek Felicity głośno protestował przeciwko długim godzinom bez pożywienia, więc z radością przyjęła zaproszenie. Obiecała jednak hrabiemu, że później omówią zasady przynoszenia damie ponczu. Słysząc to, spojrzał na nią, jakby zamierzała go zamordować.

– Obawiam się, że ta lekcja będzie musiała poczekać do jutra – wtrąciła się księżna wdowa. – Książę zgodził się zawieźć brata do Westina. Mamy nadzieję, że krawiec znajdzie coś odpowiedniego, co hrabia będzie mógł włożyć na spotkania, które planujemy.

Teraz hrabia miał taki wyraz twarzy, jakby został dźgnięty nożem, i Felicity uśmiechnęła się współczująco. Wiedziała, jak nie cierpiał być uwięziony w modnych męskich ubraniach, ale nic na to nie można było poradzić. Nie mógł pojawić się na przyjęciu boso i w samej koszuli.

– A zatem zobaczymy się wieczorem, milordzie – powiedziała i ruszyła za księżną do domu.

Cieszyła się z odpoczynku po długiej lekcji, lecz nie był to jedyny powód, dla którego chciała, żeby hrabia wybrał się do krawca. Nie potrafiła się oprzeć rozmyślaniu o tym, jak ten nieokiełznany mężczyzna będzie wyglądał we fraku i bryczesach.

Na samą myśl o tym serce zaczęło jej bić stanowczo zbyt szybko.

Armand chodził po ogrodzie aż do rana. Nie liczył, ale przypuszczał, że okrążył dom co najmniej sto razy. Po jednym z okrążeń spotkał swego brata. Armand spodziewał się, że Julien zapyta, dlaczego nie jest w łóżku, ale nie zapytał. Chodzili wokół budynku razem, a po jakimś czasie Julien wrócił do domu.

Armand jednak wiedział, że choć jest bardzo.późno, nie uda mu się zasnąć. Nie mógł uwolnić się od myśli o cegle. Minął już tydzień od tamtego zdarzenia. Dlaczego ci ludzie nie wrócili, żeby spełnić swoją groźbę? Zacisnął pięści. Jeśli wrócą, on będzie przygotowany.

Kiedy blade światło świtu rozjaśniło krzewy w ogrodzie, Armand w końcu opuścił posterunek, pozostawiając wynajętych strażników, i powoli wrócił do swego pokoju. Czekało na niego przygotowane łóżko ze świeżą pościelą i stosem poduszek, ale nie wyobrażał sobie, że mógłby się na nim położyć. Przez całe lata sypiał na twardej podłodze, a kiedy był śmiertelnie zmęczony, odżywało w nim stare przyzwyczajenie. Zdjął koszulę, położył się na dywanie i wpatrywał się w sufit, obserwując tańczące na gładkiej płaszczyźnie kolory poranka. W jego celi nigdy nie było żadnych świateł na suficie. Całe dnie, czasami tygodnie, mijały mu w zupełnej ciemności. Przywykł do tego i światło sączące się przez okna raziło go w oczy. I właśnie z tego powodu nie zasłonił okien. Ból, jaki sprawiało mu światło, przypominał, że nie jest już w celi. Oczywiście wiedział o tym. W celi nigdy nie miał miękkiego, grubego dywanu. Więzienie nigdy nie pachniało czystością, jak ten pokój. Tu wszędzie czuł mydło, wosk albo pastę do podłogi. Zapachy były mocne, lecz o ileż bardziej pociągające niż smród niemytych ciał i ekskrementów.

Zamknął oczy i pozwolił swoim myślom odpłynąć. Jak zwykle od pewnego czasu, pierwszym obrazem, jaki zobaczył w wyobraźni, była panna Bennett. Felicity. Podobało mu się to imię. Ktoś mu mówił – a może wiedział to już wcześniej – że jej imię oznacza szczęście. Pasowało do niej. Zawsze była szczęśliwa, nawet kiedy go karciła.

On zaś lubił, gdy go karciła, ponieważ zwykle działo się tak dlatego, że złamał którąś z jej bezcennych reguł. Ale z drugiej strony, nie widział najmniejszego sensu w wielu z tych reguł. Skoro chciał pocałować jej nadgarstek – jej drobny, słodki nadgarstek – to czemu nie miałby tego zrobić? Lubił to, co się z nią działo. Podobało mu się, jak jej błękitne oczy stawały się ciemne i zamglone. Podobało mu się, jak jej policzki stawały się... nie czerwone, jak się nazywa ten kolor? Ach, różowy. Podobało mu się, kiedy jej krew płynęła szybciej. Czuł to pod palcami i pod wargami, kiedy przykładał je do jej nadgarstka albo szyi. Ona chciała, żeby Armand łamał reguły.

Zaczął sobie wyobrażać, w jakie inne sposoby mogliby razem łamać reguły, lecz szybko musiał zawrócić z tej drogi. Mogła go doprowadzić tylko do frustracji. Zamiast tego zajął się ćwiczeniem nowych słów, których nauczył się dzisiaj, i powoli zaczął usypiać.

We śnie – Armand wiedział, że to sen, ponieważ nie mógł go zakończyć ani kontrolować – był znowu dzieckiem. Szedł zatłoczoną ulicą w... Paryżu. Tak, wiedział, że to Paryż, chociaż nie taki Paryż, jaki znał. Był to Paryż pełen głodnych oczu dzieci i ich matek, stojących na rogach ulic i sprzedających swoje wychudzone ciała za grosze, by kupić kawałek chleba. Ale chleba nie było gdzie kupić.

Armand przeciskał się przez tłum i smród, doskonale zdając sobie sprawę, że jego strój, choć zaplamiony sadzą i brudem po ucieczce, jest i tak lepszej jakości niż to, co wszyscy oni mieli na sobie.

Zatrzymał się tylko raz po ucieczce z zamku, żeby spojrzeć za siebie, a to, co zobaczył, sprawiło, że czym prędzej uciekł w przeciwnym kierunku. Jego dom płonął; płomienie strzelały z okien, a z dachu wzbijał się w niebo słup dymu. Modlił się, żeby Bastien i Julien byli poza domem tej nocy, na jednej ze swoich tajemniczych wypraw, ale nie miał takiej nadziei co do ojca i matki.

Aż do rana. Całą noc ukrywał się w lesie, a kiedy słońce wstało, usłyszał głos ojca. Chwilę później zobaczył ojca, ze związanymi rękoma, wpychanego na wóz wraz z kilkoma sąsiadami. Matki, Juliena ani Bastiena nie było z nim. Kiedy wieśniacy, którzy przez cały czas pluli na ojca i złorzeczyli mu, ruszyli za wozem, Armand poszedł ich śladem, trzymając się w pewnej odległości. Był na tyle rozsądny, by pozostać w ukryciu. Nie chciał, żeby go rozpoznano.

Wóz dotarł do Paryża, gdzie ojca z niego ściągnięto i zaprowadzono do jakiegoś budynku. Nie mógł pójść za nim do środka, więc stał na dziedzińcu i patrzył.

– Wynoś się stąd, smarkaczu – krzyknął jakiś człowiek w zgrzebnym ubraniu i o ochrypłym głosie.

– Tak, proszę pana – powiedział pospiesznie. – Co to za miejsce?

Mężczyzna przyjrzał mu się uważnie.

– To więzienie. Nie wiedziałeś? – nachylił się bliżej, a kiedy się uśmiechnął, odsłaniając żółte, połamane zęby, jego oddech cuchnął starym winem. – Kim jesteś? Mówisz jak mały arystokrata.

Armand przełknął ślinę i cofnął się o krok. Coś w spojrzeniu tego człowieka przeraziło go. Mężczyzna odwrócił się do innego strażnika, który snuł się w pobliżu.

– Hej, Jacques, chodź tutaj. Chyba mamy jeszcze jednego arystokratę!

Odwrócił się i wyciągnął rękę do Armanda, ale Armand był szybszy. Biegł, aż nie mógł już złapać tchu. Znalazł się pośród wygłodzonych dzieci i wynędzniałych kobiet. Byli tam też mężczyźni. Mężczyźni z nożami i bagnetami. Mężczyźni, którzy zabiliby go, gdyby tylko otworzył usta. Nie mógł się więcej odezwać. Mówienie równało się wyrokowi śmierci.

A jednak potrzebował jedzenia. W brzuchu mu burczało, a gardło wyschło na wiór. Musiał zdobyć coś do jedzenia, a potem wymyślić jakiś sposób, by uwolnić ojca z tego więzienia. Napotkał tawernę, w której ludzie pili, i wszedł do środka. Natychmiast ktoś go popchnął, ktoś uderzył w głowę, ktoś kopnął. Ale był zbyt głodny i spragniony, żeby się tym przejmować. Tawerna była brudna, a dziewczyna za kontuarem wyraźnie przepracowana. Była chuda, ale nie tak, jak kobiety, które widział na ulicach. To podsunęło mu pewien pomysł.

Od niechcenia starła rozlany płyn z jednego ze stołów brudną ścierką, po czym jej uwagę przyciągnęła kłótnia między dwoma klientami. Zostawiła ścierkę, żeby przyglądać się bójce, a wtedy Armand podkradł się i zabrał ścierkę. Zaczął energicznie wycierać stół, a kiedy bójka się skończyła, poprawił przy nim krzesła i wytarł je do czysta. Po chwili już kilku mężczyzn wołało, żeby przyniósł wina. Dziewczyna początkowo próbowała go przeganiać, lecz on udawał, że nie rozumie, udawał głuchego. W końcu dała za wygraną i Armand dalej zamiatał podłogi, sprzątał stoły, ścierał rozlane wino i inne płyny.

Właściciel tawerny nie płacił mu, nawet nie zauważał jego obecności, chyba że po to, by dać mu w ucho, lecz Armandowi od czasu do czasu udawało się wyżebrać kawałek chleba albo resztki wina. To było lepsze niż nic.

I każdego dnia chodził do więzienia, starając się trzymać z dala od strażnika, który próbował go złapać pierwszego dnia. Teraz już wiedział, że na placu odbywały się egzekucje. Codziennie przyprowadzano tu arystokratów, których kładziono pod lśniącym srebrzystym ostrzem. Ludzie w tawernie nazywali to urządzenie „Madame Guillotine", a Armand wiedział, że jeśli nic nie zrobi, pewnego dnia jego ojciec również znajdzie się pod Madame.

To właśnie przed więzieniem Armand po raz pierwszy zobaczył małego człowieczka. Mimo niskiego wzrostu nie chodził jak dziecko i nie wyglądał jak dziecko. Był stary, już wtedy, stary i okrutny. Jego syn chodził tuż za nim. Syn był wielki, trzy razy większy od ojca, a oczy miał szkliste i bezmyślne.

Armand spojrzał w te oczy i usłyszał trzask.

– Nie! – usiadł gwałtownie, sięgając ręką po coś... cokolwiek. Natrafił na pościel na łóżku i zamrugał zdezorientowany, czując jej miękkość. Gdzie? Co?

Wpadające przez okno promienie słońca rozproszyły mgłę i Armand wrócił do rzeczywistości. Był w Londynie. Był w domu brata. Tawerna, więzienie, głodne dzieci, wszystko to było daleko i dawno temu. Ci ludzie byli...

Ale oni nie odeszli.

Byli tutaj, w Londynie, i szukali go. Chcieli tego, co należało do nich, co uważali za swoje, i nie zrezygnują, dopóki tego nie dostaną.

13

*F*elicity czuła się tak, jakby to ona miała zostać zaprezentowana całemu towarzystwu. Kiedy stała w pięknym westybulu de Valère'ów, czekając, aż hrabia dołączy do reszty rodziny, serce jej łomotało, a dłonie się pociły.

Była zdenerwowana, a przecież nigdzie się nie wybierała! Wydawało się jej, że miała zbyt mało czasu, by przygotować hrabiego na wieczorek muzyczny. Zrobiła wszystko, co było w jej mocy, ale jak mogła mieć pewność, że o czymś nie zapomniała? Czy pamiętała, by powiedzieć mu, że do książąt należy się zwracać „Wasza Wysokość"? Wydawało się jej, że tak. A co z córkami książąt? Czy wspomniała o zwracaniu się do nich?

Niech to! Zapomniała o córkach książąt, a na wieczorku u lady Spencer z pewnością będzie co najmniej jedna lub dwie.

– Proszę przestać się zamartwiać – powiedziała z uśmiechem księżna de Valère. – Armand sobie poradzi.

Felicity czuła, że coś ją ściska w gardle. Przełknęła ślinę.

– Oczywiście, że tak. Wcale się nie martwię.

– Spaceruje pani nerwowo jak ojciec oczekujący narodzin dziecka – zauważyła księżna wdowa, gdy służąca układała pelerynę na jej wyszywanej klejnotami sukni.

– Naprawdę? – Felicity przyłożyła rękę do szyi. – Przypuszczam, że jestem odrobinę zdenerwowana. Czy któraś z pań byłaby tak uprzejma i powiedziała hrabiemu, jak należy się zwracać do córek książąt? Sama nie wiem, jak mogłam o tym zapomnieć.

Książę uniósł brwi.

– Nie mam pojęcia, jak należy się zwracać do córek książąt. – Felicity wiedziała jednak, że to nieprawda.

Książę de Valère był tak elegancki, tak wytworny. Nie potrafiła sobie wyobrazić, że mógłby kiedykolwiek popełnić gafę lub martwić się jakimkolwiek spotkaniem towarzyskim. Ona zaś mogła tylko współczuć jego młodszemu bratu. Odwróciła się i jeszcze raz spojrzała na schody. Gdzie jest hrabia? Felicity zawsze denerwowała się przed przyjęciami. Kiedy już dotarła na miejsce, była oczywiście zrelaksowana i dobrze się bawiła, ale zawsze martwiła się, że coś będzie nie tak z jej suknią, z włosami albo z pantofelkami.

Czy hrabiemu także podobne rozterki nie dają spokoju? Dlaczego tak długo go nie ma? Może powinna poprosić księcia, żeby posłał służącego, który sprawdziłby, jak mu idzie. Cała rodzina spóźni się na przyjęcie... a czy to wypada?

Felicity nie potrafiła się powstrzymać, by nie zerknąć jeszcze raz na schody, lecz tym razem jej cierpliwość została nagrodzona. Najprzystojniejszy mężczyzna, jakiego kiedykolwiek widziała, szedł powoli ku nim, z jedną ręką opartą na balustradzie, drugą w kieszeni i zawadiackim uśmieszkiem na twarzy. W pierwszej chwili go nie poznała. A potem aż zaparło jej dech w piersiach, gdy uświadomiła sobie, że to hrabia!

Tego wieczoru wyglądał na arystokratę w każdym calu. Miał na sobie ciemnoniebieski płaszcz z delikatnej tkaniny, doskonale skrojony, podkreślający szerokie ramiona i potężną pierś. Płaszcz był lekko obcisły, zwężony u dołu i odsłaniał szczupłe biodra w ciemnych spodniach. Spodnie również miał dopasowane, podkreślające muskularne uda. Miał elegancki, idealnie wykrochmalony fular, ale najbardziej zaskakujące były trzewiki. Włożył czarne trzewiki, jakie wszyscy dżentelmeni noszą do wieczorowego stroju. Felicity pomyślała, że chyba pierwszy raz ma na stopach buty.

I prawdę mówiąc, wolała go bez nich. Nie mogła jednak nie podziwiać widoku, kiedy majestatycznie schodził po schodach. Był najpiękniejszym mężczyzną, jakiego kiedykolwiek widziała. Miała ogromną ochotę rozluźnić mu fular i rozpuścić włosy spięte w kucyk. Chciała już mieć z powrotem swojego hrabiego, jednak ten hrabia wybierał się na przyjęcie, gdzie będzie się zalecał do wszystkich dam.

To był hrabia, który znajdzie sobie żonę równą mu stanem. Jeśli Felicity kiedykolwiek wcześniej choć przez moment pomyślała, że mogłaby marzyć o tej pozycji, to widok hrabiego uwolnił ją od tych fantazji. Nigdy nie będzie nikim więcej niż nauczycielką, a on zawsze będzie arystokratą, niezależnie od tego, czy jego tytuł został zniesiony, czy nie.

Nagle zdała sobie sprawę, że wpatruje się w niego, a on w nią. Wyraz jego twarzy stał się bardziej zacięty. Szybko podeszła ku niemu.

– Milordzie, wygląda pan doskonale.

Zawahał się i zerknął na swoje ubranie.

– Czuję się... – widziała, jak szuka odpowiedniego słowa. – Śmiesznie.

– Och nie! – Jego matka minęła Felicity i zmniejszyła dystans między rodziną a hrabią, wciąż stojącym na stopniach schodów. – Panna Bennett ma całkowitą rację. Wyglądasz tak, jak powinieneś. Jesteś gotów?

Jego spojrzenie pomknęło w kierunku Felicity, która zrozumiała, że hrabia zadaje to pytanie jej. Czy jest gotowy? Wzięła głęboki oddech.

– Oczywiście, że jest gotów. Milordzie, życzę panu cudownego wieczoru.

Pozwolił matce wziąć się pod rękę i tylko zaciśnięte szczęki wskazywały na dyskomfort, jaki sprawiał mu jej dotyk. Razem pokonali pozostałe stopnie. Nagle zatrzymał się przed Felicity i podał jej drugie ramię. Felicity cofnęła się.

– Milordzie, już o tym rozmawialiśmy. Ja nie idę na wieczorek do lady Spencer. Zaproszenie dotyczy tylko rodziny.

Zapadła długa chwila ciszy. Hrabia analizował tę informację i w końcu uznał, że jest nią zdegustowany.

– Armandzie – odezwał się książę, a w jego tonie zabrzmiało ostrzeżenie.

Hrabia machnął ręką.

– Pamiętam.

– To dobrze. Powóz już czeka. Chodźmy.

Książę podał ramię żonie i poprowadził całą czwórkę przez drzwi, w najbardziej odpowiednim momencie otwarte przez lokaja. Felicity stała jak skamieniała, ze złożonymi rękoma, i patrzyła, jak się oddalają. To jest jej miejsce, powtarzała sobie. To jest jej praca. Nauczyła hrabiego wszystkiego, co powinien umieć, a teraz zostanie tutaj, podczas gdy on pójdzie zaprezentować swoje nowe umiejętności. Tak właśnie powinno być, a jednak zabolało ją, gdy nawet się nie obejrzał, wychodząc. Zabolało, kiedy drzwi zatrzasnęły się za nim, a ona została sama w westybulu.

Wróciła do pokoju, wzięła książkę i pomyślała, że może spędzić wieczór, czytając lub pisząc listy do ciotki i przyjaciół w Selborne. Ale nie zajęła się ani jednym, ani drugim. Zamknęła się w pokoju, położyła na łóżku i rozmyślała o przyszłości. Nie lubiła myśleć o przyszłości. Do niczego dobrego to nie prowadziło. Aż do tej chwili skupiała się na utrzymaniu posady opiekunki hrabiego. Ale teraz on czynił postępy – prawidłowo mówił, odpowiednio się ubierał, miejmy nadzieję, że odpowiednio będzie się zwracać do córek książąt – a więc jak długo może jeszcze liczyć na zachowanie tej posady? Miesiąc? Dwa?

Najwyżej trzy i to tylko pod warunkiem, że hrabia wcześniej nie znajdzie sobie narzeczonej. A co Felicity zrobi po tych trzech miesiącach?

Jeśli hrabia dobrze wypadnie na dzisiejszym wieczorku muzycznym, to może będzie mogła poprosić o wypłatę zaliczki. Nawet dziesięć funtów mogłoby wystarczyć, żeby Charles zgodził się poczekać jeszcze trochę. Ale jeśli jej praca będzie trwała tylko kilka miesięcy, to czy dostanie pensję za cały rok? Co zrobi, jeśli nie zdoła zapłacić Charlesowi dwudziestu pięciu funtów w styczniu?

On wcale nie chce się z nią żenić. Może gdyby obiecała mu więcej, dałby jej jeszcze kilka miesięcy. I może księżna pomogłaby jej znaleźć inną posadę, gdzieś daleko od Londynu i hrabiego.

Mogłaby pracować u jakiejś bogatej rodziny na wsi; u ludzi, którzy unikają towarzystwa i nie przejmują się balami i sukniami. Byłaby tam szczęśliwa, ucząc dzieci o twarzach aniołków, i tylko czasami wracałaby myślami do tej posady i dziwnego, przystojnego hrabiego de Valère.

To było największe kłamstwo, jakie kiedykolwiek powiedziała samej sobie.

Dobrze wiedziała, że nie będzie ani jednego dnia, kiedy nie pomyśli o hrabi.

O Armandzie.

Będzie o nim myślała w każdej godzinie, w każdej minucie. Jak mogłaby go zapomnieć? Zapomnieć jego oczy, jego melodyjny akcent, jego usta... och, to, co robił ustami.

Ale, oczywiście, wtedy on już nie będzie tego robił z nią. Wtedy będzie już żonaty. Będzie całował inną kobietę. Najprawdopodobniej córkę jakiegoś księcia. Będzie miał z nią dzieci. Może pewnego dnia zatrudni dla swoich dzieci guwernantkę, ale to nie będzie ona. Ona wtedy będzie już starą panną. Nigdy nie będzie miała dzieci. Nigdy...

Felicity zamknęła oczy. Nie chciała więcej myśleć o przyszłości. Raczej skupi się na teraźniejszości. A teraz mieszkała w domu księcia przy Berkeley Square. Opiekowała się hrabią. Była zakochana w...

Felicity wzięła głęboki oddech i poderwała się. Skąd przyszła jej do głowy ta myśl? To niebezpieczny pomysł. Nie może być zakochana w Armandzie... w hrabi. Nie będzie w nim zakochana.

To, co czuje, to wcale nie miłość. To tylko pożądanie. Chce, żeby ją całował, dotykał – to wszystko.

I nie dopuści do siebie żadnych innych myśli, bez względu na to, jak bardzo będą natrętne. Wcale nie jest zakochana, a już na pewno nie w arystokracie. W mężczyźnie, na którego poślubienie nie miałaby najmniejszej szansy, nawet gdyby Charles jej nie zrujnował.

Rozległo się pukanie do drzwi; Felicity pospiesznie poprawiła suknię i wzięła do ręki książkę, starając się wyglądać na pochłoniętą lekturą. Starając się nie wyglądać na kobietę zakochaną.

Drzwi uchyliły się i zajrzała przez nie Gertruda, pokojówka, która często pomagała jej się rozbierać przed snem. Felicity uśmiechnęła się do niej i pomyślała, że wcześniejsze pójście spać dobrze jej zrobi. W końcu nie można o niczym – o nikim – myśleć, kiedy się śpi.

– Gertrudo, jak dobrze, że tu jesteś. Pomóż mi tylko rozwiązać gorset, a ja sama zajmę się resztą.

– Ale, panno Bennett, nie przyszłam pomóc się pani ro-zebrać. Przyszłam... – Gertruda przygryzła wargę i sprawiała wrażenie zakłopotanej.

Gertruda była młodziutka, zapewne nie miała więcej niż sie-demnaście lat, ale zwykle bywała bardziej pewna siebie. Felicity zerwała się z łóżka.

– Czy coś się stało? Coś złego? – Przed oczami stanął jej ob-raz rozbitej szyby i cegły na podłodze jadalni.

– Nie, nic złego się nie stało – zapewniła ją Gertruda. – Ale polecono mi przyjść i pomóc się pani ubrać. Mam pomóc pani włożyć to – teraz drzwi otworzyły się szerzej i Felicity zobaczy-ła ciemnoniebieską suknię, którą Gertruda ukrywała dotąd za nimi. Zmarszczyła brwi.

– Co to takiego?

Gertruda wysunęła suknię przed siebie. Była jedwabna i fa-lowała jak wody oceanu.

– Księżna wdowa przysłała wiadomość, że ma pani to wło-żyć. Suknia była w jej pokoju.

Felicity roześmiała się.

– Po co miałabym ją wkładać? To oficjalna suknia, a ja właś-nie zamierzałam się położyć.

Gertruda pokręciła głową.

– Nie, panno Bennett. Powóz właśnie wrócił i służący przy-wiózł liścik od księżnej wdowy, która prosi, żeby pani przyjechała na wieczorek muzyczny u lady Spencer.

– Co takiego? – Felicity cofnęła się do łóżka i usiadła na nim ciężko.

– Wiem! Czy to nie ekscytujące? Chcą, żeby pani była na wieczorku!

Felicity wcale nie uważała tego za ekscytujące. Ona raczej użyłaby słowa „przerażające".

– Księżna wdowa przysłała wiadomość?

– Tak, panienko – Gertruda podała jej arkusik papieru i Feli-city zmusiła się, by chwiejnie stanąć na drżących nogach i wziąć go od pokojówki.

Kiedy znalazła się bliżej sukni, poczuła, jak ściska się jej żołądek. Doskonale pamiętała ten niebieski materiał. Księżna wdowa wybrała go w czasie zakupów na Bond Street. Felicity myślała wtedy, że księżna tylko stara się być uprzejma, kiedy wspomniała o sukni balowej. Teraz przekonała się, że mówiła najzupełniej poważnie.

Jej ręce nieco drżały, kiedy otwierała list.

Potrzebujemy panny Bennett. Proszę ubrać ją w niebieską sukienkę, która wisi w moim pokoju, i przysłać czym prędzej.

List był podpisany inicjałami księżny wdowy, chociaż to nie było konieczne. Sam władczy ton wystarczył. Felicity spojrzała na Gertrudę, a pokojówka podała jej suknię.

– Czy jest pani gotowa, panno Bennett?

– Nie – pokręciła głową Felicity. – Nie jestem.

– Panienko, księżna prosi o pośpiech. Powóz już czeka.

– Ale moje włosy... – Felicity spojrzała w lustro. Na głowie miała masę splątanych loków. – I nie mam odpowiednich rękawiczek.

Gertruda machnęła ręką, najwyraźniej nie przejmując się tym.

– Ja zajmę się pani włosami i poproszę którąś z pokojówek, żeby poszukała rękawiczek, które mogłaby pani pożyczyć.

– Ale... – Felicity rozpaczliwie próbowała znaleźć jakąś inną wymówkę, lecz nic nie przychodziło jej do głowy. Niech to! Naprawdę pójdzie na wieczorek do lady Spencer. Kiedy Gertruda pomagała jej włożyć suknię, Felicity zdała sobie sprawę, że to nie sam wieczorek ją tak zaniepokoił. Wiedziała, że spodoba się jej przyjęcie. I nawet nie myśl o spędzeniu wieczoru wśród śmietanki towarzyskiej sprawiała, że poczuła się nieswojo, chociaż spodziewała się, że będzie traktowana protekcjonalnie.

Prawdziwą przyczyną jej niepokoju było to, że będzie musiała patrzeć, jak Armand – hrabia – poznaje inne damy. Czy będzie flirtował? Całował ich dłonie, tak jak całował jej dłoń w ogrodzie? Jak zniesie patrzenie na to?

– Panno Bennett, czy wszystko w porządku?

Felicity zamrugała.

– Przepraszam?

– Zaciska pani pięści – zauważyła Gertruda, poprawiając jej suknię i wygładzając ostatnie fałdki.

Felicity rozluźniła palce i spojrzała w lustro. Włosy wciąż miała w nieładzie, ale nauczycielka w praktycznej beżowej sukni gdzieś zniknęła. Nawet bez rękawiczek, w błękitnej sukni wyglądała jak księżniczka. Cóż, może nie jak księżniczka, ale z pewnością jak córka księcia. Odwróciła się na boki, podziwiając krój sukni i połysk jedwabiu. Dekolt odsłaniał akurat tyle z ramion i piersi, by wyglądało to interesująco, lecz nie tyle, by razić nawet najbardziej konserwatywne oczy.

Oczywiście fragment odsłoniętego białego ciała aż prosił się o jakąś ozdobę, lecz Felicity nie miała żadnej biżuterii.

– Wygląda pani doskonale – oceniła Gertruda, prostując się. – Kto by pomyślał, że jest pani jedną ze służby – jej oczy rozszerzyły się z przerażenia. – Och, proszę o wybaczenie, panienko.

Felicity roześmiała się.

– Ależ ja jestem jedną ze służby i wolałabym zostać tutaj z wami. – To jednak nie było do końca prawdą. Teraz, w tej sukni, kiedy czuła jej jedwabisty dotyk na skórze, chciała się pokazać i być oglądaną.

A zwłaszcza oglądaną przez jednego mężczyznę.

Gertruda poprowadziła ją do toaletki i Felicity siedziała cierpliwie, kiedy dziewczyna czesała i układała jej włosy, żeby zaprowadzić w nich chociaż pozory porządku. Fryzura była prosta – Felicity lubiła taką – a kiedy pokojówka skończyła, obie przyjrzały się jej odbiciu w lustrze.

– Potrzebuje pani czegoś na szyję – stwierdziła Gertruda.

– Też o tym pomyślałam, ale nie mam żadnych klejnotów.

– Ja też nie… chociaż mam coś. Proszę poczekać!

Zanim Felicity zdążyła spytać, co Gertruda ma na myśli, ona już wybiegła z pokoju. Po chwili wróciła z długimi rękawiczkami przewieszonymi przez rękę, niemal dokładnie w tym samym kolorze, co suknia.

– Proszę spróbować tego – pochyliła się i owinęła wstążkę wokół szyi Felicity, spinając ją małą agrafką z tyłu. Potem podała jej rękawiczki i pomogła je wciągnąć.

Felicity jeszcze raz została zaprowadzona przed wysokie lustro i musiała przyznać, że w długich rękawiczkach, ze wstążką i nową fryzurą wyglądała całkiem ładnie.

– Wstążka jest świetna, Gertrudo. Myślę, że naprawdę mogę się wtopić w tłum.

Gertruda parsknęła

– Uważam, że znacznie więcej, panienko. Pozwolę sobie powiedzieć, że będzie pani przyciągać spojrzenia.

– Tak, cóż... nie bądźmy zbytnimi optymistkami. – W duchu jednak miała nadzieję, że przynajmniej hrabia zwróci na nią uwagę.

– Lepiej proszę się pospieszyć, panienko. Powóz już czeka, a księżna prosiła o pośpiech.

Felicity wzięła głęboki oddech.

– Dziękuję ci za pomoc, Gertrudo.

Pokojówka znowu parsknęła.

– To nic takiego, panienko. Następnym razem, kiedy ja zostanę zaproszona na bal, pani będzie mogła mi pomóc.

Felicity wzięła ją za rękę.

– Możesz na to liczyć.

Wyszła z pokoju i z zaskoczeniem zobaczyła czekających na nią kilka osób ze służby, łącznie z gospodynią, panią Eggers. W kilka chwil została oceniona, sprowadzona po schodach i zapakowana do powozu. Jak zwykle, londyńskie ulice były zatłoczone. Powóz poruszał się bardzo wolno i minęły trzy kwadranse, nim Felicity w końcu wysiadła i stanęła przed drzwiami rezydencji lady Spencer. Prawdę mówiąc, lady Spencer była sąsiadką de Valère'ów i Felicity przypuszczała, że gdyby poszła piechotą, dotarłaby na miejsce w pięć minut. Uśmiechnęła się na myśl o przerażeniu, jakie wywołałaby, przybywając pieszo.

Drzwi otworzyły się i powitał ją służący. Felicity weszła do środka. Westybul u lady Spencer nie był tak okazały, jak de Valère'ów, ale dobrze rozplanowany i urządzony ze smakiem. Przyglądała się wielkiemu żyrandolowi wiszącemu pod sufitem, gdy usłyszała chrząknięcie.

Zamrugała i spojrzała w oczy lokajowi.

– Dobry wieczór – powiedział.

– Dobry wieczór – Felicity uśmiechnęła się.

Zerknęła mu przez ramię, w nadziei że zobaczy księżnę lub księżnę wdowę. Wcale nie wypatrywała hrabiego.

– W czym mogę pani pomóc? – spytał lokaj.

Natychmiast zrozumiała, na czym polega problem. Nie znał jej, a był na tyle delikatny, że nie chciał jej urazić pytaniem, kim jest i co tu robi. Lokaje zawsze zdawali się wiedzieć, kto jest nie na swoim miejscu.

– Księżna wdowa de Valère prosiła, żebym do niej dołączyła. Gdzie mogę ją znaleźć?

Wyraz jego twarzy zmienił się w jednej chwili. Oczy mu rozbłysły, a usta nie były już nieżyczliwie zaciśnięte.

– Ach, pani musi być panną Bennett. Proszę tędy.

Felicity nawet nie zdążyła zapytać, skąd zna jej nazwisko ani dokąd idą. Poprowadził ją przez labirynt pokojów pełnych mężczyzn i kobiet olśniewających jedwabiami i diamentami. Kiedy przechodziła, omiatali ją spojrzeniami, najczęściej wykazując niewielkie zainteresowanie. Kimże w końcu była?

Im dalej prowadził ją lokaj, tym więcej ludzi mijała Felicity. Kim oni wszyscy byli? Księżna powiedziała, że wybierają się na kameralne spotkanie. Taki tłum na pewno zaniepokoił hrabiego. Czy właśnie dlatego została wezwana? Czy to wyprowadziło hrabiego z równowagi?

W końcu dotarli do salonu muzycznego i Felicity zobaczyła stojący pośrodku fortepian otoczony krzesłami. Kilka z nich było zajętych, lecz większość wolna. To dziwne, pomyślała. Czyżby muzyczna część wieczoru już się zakończyła? Zerknęła na siedzących, ale nie zauważyła księżnej wdowy ani pozostałych de Valère'ów. Już miała poprosić lokaja, by zaprowadził ją do księżnej, kiedy ten ukłonił się i powiedział:

– Lady Spencer, przedstawiam pani pannę Bennett.

Lokaj usunął się na bok i kobieta w wieku około czterdziestu lat, ubrana w karmazynową suknię i pasujące do niej rubiny, uniosła brwi. Była drobną i ładną kobietą, na jej ciemnych włosach pojawiły się tylko nieliczne ślady siwizny. Uniosła brwi jeszcze wyżej i Felicity zdała sobie sprawę, że powinna dygnąć. Zrobiła to, dość niezdarnie, i powiedziała:

– Miło mi panią poznać, milady.

– Tak – wycedziła lady Spencer. – Powiedziano mi, że umie pani grać i to nieźle. Czy to prawda, panno Bennett?

Grać? Felicity przez chwilę poczuła się zagubiona, lecz wtedy zobaczyła stojący za lady Spencer fortepian.

– Ach, chodzi pani o grę na fortepianie? Tak, umiem grać. Ale nie mogę ręczyć za mój talent.

– To już zrobił kto inny. Chciałabym, żeby pani zagrała, coś wolnego na początek, potem coś szybszego. Mozart mógłby być dobry.

Felicity wpatrywała się w nią przez chwilę.

– Chce pani, żebym zagrała?

Lady Spencer spojrzała na nią bez słowa.

– Chce pani, żebym zagrała dla gości?

Dama wyglądała na znudzoną.

– Tak, oczywiście. Jak pani sądzi, po co została wezwana?

Rzeczywiście, pomyślała Felicity, po co ją wezwano? Ponieważ księżna wdowa chciała przedstawić ją w towarzystwie? Ponieważ Armand – nie, hrabia, dla niej zdecydowanie jest tylko hrabią – prosił, by ją sprowadzono?

Śmieszne. Teraz zdała sobie z tego sprawę. Wezwano ją, by zagrała dla arystokratów. Nic więcej, nic mniej. Jej zadaniem było służenie im, a jeśli czuła się rozczarowana, to sama była sobie winna.

– Może pani zagrać, panno Bennett, czy nie? Jeśli nie, będę musiała wysłać wszystkich do domu. Maestro, którego wynajęłam na dzisiejszy wieczór, rozchorował się, a nie sposób urządzać wieczorku muzycznego bez muzyki.

– Rozumiem – i rzeczywiście rozumiała. Rozumiała doskonale. – Oczywiście, zagram – już rozpinała rękawiczki. – Czy chce pani, żebym zaczęła od razu?

– Tak. Powoli będę przysyłała wszystkich do salonu muzycznego. Nie ma potrzeby robienia wielkich wstępów, kiedy rozrywki dostarcza jedna ze służących de Valère'ów – mruknęła do siebie. – Panno Bennett?

Felicity zamarła w pół kroku w drodze do fortepianu.

– Jeśli moja śpiewaczka zgodzi się wystąpić, zakładam, że będzie pani jej akompaniować.

Felicity skinęła głową. Czuła się, jakby kark jej pękał.

– Zrobię, co w mojej mocy, milady.

Usiadła przy fortepianie i starała się nie słyszeć szmeru rozmów, brzęku kieliszków i głośnych wybuchów śmiechu. Wcale nie była zdenerwowana. Była zbyt wściekła, żeby być zdenerwowaną. Dlaczego księżna wdowa nie wspomniała w liście, że będzie grała? Wtedy mogłaby zabrać ze sobą nuty. Teraz będzie musiała grać tylko te utwory, które znała na pamięć.

Lady Spencer posłała jej z przeciwległego końca pokoju zniecierpliwione spojrzenie i Felicity uniosła ręce. Kiedy jej palce dotknęły klawiszy, dźwięki były równie gniewne jak Felicity.

Armand nie mógł oddychać. Musiał znaleźć jakąś drogę ucieczki z tej masy ludzi, zanim załamie się jego ciężko wypracowana samokontrola i zacznie się przepychać, żeby dotrzeć do wyjścia. Sara rozmawiała z kimś gdzieś za nim. Przedstawiła mu większą rzeszę kobiet, niż mógłby policzyć, a on posłusznie kłaniał się i z każdą rozmawiał o pogodzie. Nie miał nic innego do powiedzenia tym kobietom o fałszywych uśmieszkach i pomalowanej na różowo skórze.

Miał ochotę zdjąć buty i zerwać z szyi fular. Jak można w ogóle oddychać w takim ubraniu? I gdzie, do diabła, jest muzyka? Gdy zacznie się muzyka, wszyscy będą na tyle zajęci, że może mu się udać uciec. Jeśli tylko znajdzie drzwi...

– Lady Georgiano – zwróciła się Sara do kolejnej damy o zaciśniętych ustach. – Niech mi będzie wolno przedstawić mojego szwagra, hrabiego de Valère.

Kobieta wyciągnęła do niego rękę, a Armand ją ujął. Ukłonił się, zdając sobie sprawę, że się poci. Musiał stąd uciec.

– To przyjemność poznać panią, lady Georgiano.

– Och, uwielbiam pana akcent, milordzie – zachichotała kobieta, szybko mrugając do niego sześć czy siedem razy.

– Czy coś pani wpadło do oka? – spytał.

– Armandzie – powiedziała Sara, dotykając lekko jego rękawa. Wiedział, że to sygnał, iż powiedział coś niestosownego. – Wiejska posiadłość lady Georgiany znajduje się tylko kilka mil od domu twojego brata w Sothampton. Jesteśmy sąsiadami.

– Tak – potwierdziła kobieta, znowu mrugając – A teraz, skoro już zostaliśmy sobie przedstawieni, mama musi zaprosić pana na herbatę.

Armandowi niezbyt zależało na zaproszeniu na herbatę, więc nic nie powiedział. Cisza przedłużała się i Sara znowu pociągnęła go za rękaw. Armand westchnął.

– Ładną mamy pogodę – powiedział mechanicznie.

– Och, nieprawdaż? Właśnie niedawno kupiłam żakiecik i zastanawiałam się, czy będę miała okazję go włożyć...

Rozległy się pierwsze dźwięki fortepianu, miłosiernie przerywając paplaninę tej kobiety. Armand szybko odwrócił się, by sprawdzić, czy muzyka nie jest tylko wytworem jego wyobraźni. Inni także wyciągali szyje, żeby lepiej słyszeć. Teraz miał okazję uciec. Musiał się wydostać z tego dusznego pokoju, wrócić do domu i upewnić, że pannie Bennett nic nie grozi. Tak długo się nie widzieli. A jeśli jest ranna albo w niebezpieczeństwie?

– Ach, zdaje się, że muzyka w końcu się zaczęła – powiedziała Sara. – Armandzie, chodź i usiądź przy mnie.

Odwrócił się gwałtownie i spojrzał na nią. Niech go diabli, jeśli pozwoli się uwięzić w tym lochu choć chwilę dłużej. Nawet muzyka nie byłaby w stanie uspokoić go w tej chwili.

– Idź przodem – burknął. – Dołączę do ciebie.

Zaczął się wycofywać, lecz Sara stanęła przed nim.

– Myślę, że zainteresuje cię, kto będzie dzisiaj grał na fortepianie. Proszę, usiądź obok mnie. – Sara szeptała, więc on także odpowiedział szeptem:

– Nie obchodzi mnie, kto gra. Zabierz Juliena, niech on z tobą usiądzie – i jeszcze raz spróbował ją ominąć.

Sara znowu płynnym ruchem znalazła się przed nim. Uśmiechała się szeroko i nieszczerze na wypadek, gdyby ktoś im się przyglądał.

– Nalegam, żebyś usiadł ze mną. Twoja matka zajęła dla nas dwa miejsca.

Wzięła go za rękę i chociaż ból, jaki sprawił mu jej dotyk, zirytował go, posłusznie poszedł za nią. Kiedy już usiądą, będzie mógł uciec i w ciągu kilku minut znaleźć się w domu, w swoim ogrodzie. Matka czekała w salonie muzycznym i wskazała im dwa wolne krzesła obok siebie. Armand zmarszczył brwi, widząc, że znajdują się tuż obok fortepianu. Nie lubił mieć obok siebie tak wielu ludzi. Sara próbowała pociągnąć go naprzód, ale stawiał opór. Skoro już musiał tutaj siedzieć, usiądzie z tyłu, tak, żeby mieć za plecami ścianę. Tylko w ten sposób mógł czuć się komfortowo, jeśli w ogóle można było mówić o komforcie w małym pomieszczeniu pełnym ludzi.

Jednak ledwie zaczął się wycofywać, muzyka się zmieniła. Coś w niej wydało mu się znajome i Armand zerknął na pianistkę.

Serce przestało mu bić na całą sekundę, kiedy ją zobaczył. Wywierała na nim takie wrażenie za każdym razem, kiedy widział ją po nawet krótkiej nieobecności. A teraz, w sukni błękitnej jak jej oczy, była jeszcze piękniejsza, niż pamiętał.

Była tutaj i była bezpieczna. A on jej pragnął. Niech piekło pochłonie reguły. Nie mógł ich już dłużej przestrzegać. Nie będzie ich przestrzegał.

Tej nocy będzie ją miał.

14

*F*elicity wiedziała, że coś się zmieniło, kiedy tylko hrabia wszedł do salonu muzycznego. Nie potrafiła powiedzieć, skąd wiedziała, że wszedł, ale jakby temperatura się podwyższyła, kolory stały się żywsze, nuty bardziej dźwięczne. Podniosła wzrok i napotkała jego spojrzenie w tej samej chwili, kiedy on ją zobaczył. Właśnie był w trakcie wycofywania się z salonu, ale kiedy spojrzał jej w oczy, zatrzymał się. Czuła, jak pod wpływem jego spojrzenia zaczynają ją piec policzki. Wpatrywał się w nią z żarliwością, od której krew szybciej krążyła w jej żyłach.

Czy patrzył w taki sposób na każdą kobietę, czy tylko na nią? Przez chwilę chciała wierzyć, że to namiętne spojrzenie jest przeznaczone wyłącznie dla niej.

Oderwanie od niego wzroku było jednym z najtrudniejszych zadań, przed jakimi kiedykolwiek stanęła, lecz wiedziała, że musi to zrobić, jeśli zamierza bezbłędnie dokończyć utwór. Nie potrafiła sobie już nawet przypomnieć, co grała, lecz wiedziała, że następny fragment będzie trudny i musi się na nim skoncentrować.

Łatwiej było to powiedzieć, niż zrobić. Kątem oka zobaczyła, jak hrabia zajmuje miejsce obok księżny i swojej matki. Czując na sobie to palące spojrzenie, ledwie mogła oddychać, a tym bardziej skupić się na muzyce. Czy on zdaje sobie sprawę, że siedzi wśród tak wielu ludzi? Wiedziała, jak nie znosił, kiedy ktoś stał za nim, i jak nie cierpiał przebywać w zamkniętym pomieszczeniu. Czy jego stan się poprawiał, czy też było to ustępstwo, na które poszedł ze względu na nią?

Dokończyła utwór, wywołując huraganowy aplauz, i zaczęła następny. Teraz wybierała tylko szybkie melodie, pasujące do rytmu, w jakim biło jej serce, a poza tym chciała, żeby występ jak najszybciej się skończył. Chciała porozmawiać z hrabią, znaleźć się blisko niego.

Brawa były coraz głośniejsze po każdym kolejnym utworze i Felicity zauważyła, że salon stopniowo się zapełnił. Kilku mężczyzn, wśród nich książę, stało przy ścianach, gdzie zostały jedyne wolne miejsca. Przypuszczała, że występując przed tak liczną, dystyngowaną publicznością powinna być zdenerwowana, ale taki wpływ miało na nią tylko spojrzenie hrabiego.

W końcu zagrała utwór, który uważała za ostatni, i pospiesznie wstała, ale lady Spencer miała inne plany. Przyprowadziła bogato ubraną kobietę w wieku około dwudziestu pięciu lat i przedstawiła ją jako najnowszą sensację na scenie operowej.

– I nie wątpię, że panna Bennett będzie zachwycona, mogąc akompaniować takiej gwieździe!

Felicity westchnęła i opadła z powrotem na taboret. Wcale nie była zachwycona akompaniowaniem śpiewaczce operowej, obojętnie, gwieździe czy nie. Od samego początku nie chciała grać, a teraz była w stanie myśleć tylko o hrabi.

Posłusznie jednak omówiła repertuar ze śpiewaczką, która na szczęście przyniosła swoje nuty, i primadonna zaczęła wykonywać pierwszy utwór. Była istotnie dobra, lecz Felicity niewiele słyszała z jej występu. Nie potrafiła się powstrzymać przed zerkaniem w kierunku hrabiego, nie mogła się przestać modlić, by jeszcze nie wychodził. Wiedziała, że źle znosi tłum. Ale gdyby wytrzymał choć chwilę dłużej…

Wtedy co? Czego właściwie oczekiwała?

Wiedziała, co najprawdopodobniej się stanie – podziękują jej za usługi i odeślą do domu de Valère'ów, natomiast hrabia zostanie i będzie flirtował z odpowiedniejszymi dla niego kobietami. Felicity mogła wyrazić swoje rozczarowanie i gniew z powodu tego, jak została wykorzystana, ale czy w ten sposób osiągnie cokolwiek poza poprawieniem sobie samopoczucia na kilka godzin?

Zerknęła jeszcze raz na hrabiego, ponownie czując, jak robi jej się gorąco w żołądku. Mimo usilnych starań, z każdym mijającym dniem hrabia coraz mocniej ją pociągał. Niczego nie pragnęła bardziej niż całować go, paść mu w objęcia... pójść z nim do łóżka?

Tak, gdyby miała być całkiem szczera wobec siebie, tego także pragnęła. Lecz to z pewnością byłby koniec jej pracy, a kiedy dowiedziałby się o tym Charles, także koniec narzeczeństwa. Nie przypuszczała, żeby się tym zmartwił, jeśli ona będzie mogła mu zapłacić.

W końcu zdawało się, że po całej wieczności śpiewaczka zaczęła ostatnią arię. Felicity grała starannie, lecz nie wkładała w to serca i poczuła ulgę, kiedy występ dobiegł końca i artystka zaczęła posyłać publiczności ukłony i całusy.

Felicity zamierzała się wymknąć, kiedy goście zgromadzą się wokół śpiewaczki, by jej gratulować, jednak ledwie wstała i odeszła od fortepianu, została otoczona przez mężczyzn i kobiety, którzy obsypywali ją pochwałami. Mając za sobą fortepian, nie widziała żadnej drogi ucieczki. Była dosłownie uwięziona przez zachwyconą publiczność. Czy naprawdę grała aż tak dobrze? Nie obchodziło jej to. Wyciągała szyję, próbując odszukać wzrokiem hrabiego, lecz nigdzie go nie widziała.

Niech to! Najpewniej uciekł, a teraz ona nie będzie już miała szansy zobaczyć go tej nocy.

Próbowała się uśmiechać i sprawiać wrażenie zadowolonej z gratulacji, ale niemal nie słyszała pochwał. Miała ogromną ochotę uciec i przez moment rozumiała, co musi czuć hrabia.

I nagle, z tyłu otaczającego ją tłumu, zauważyła jakieś poruszenie. Kilka osób zostało odepchniętych, ktoś podniósł głos.

Felicity zabrakło tchu, kiedy uświadomiła sobie, czyj to był głos – hrabiego. Widziała, jak przeciska się przez tłum, łokciami roztrącając wszystkich, którzy nie usunęli się dostatecznie szybko. Wyraz jego twarzy był niemal dziki, kiedy ją w końcu zobaczył.

– Nie, milordzie – szepnęła, chociaż wiedziała, że nie mógł jej usłyszeć wśród wrzawy gości. – Nic mi nie jest. Wszystko w porządku.

Lecz on albo nie widział, jak machała rękoma, by go powstrzymać, albo był zbyt skupiony na ratowaniu jej, by to zauważyć, ponieważ wytrwale parł do przodu, aż dotarł do niej i chwycił ją za rękę.

– Milordzie, nic mi nie jest. Nikt nie chciał mnie skrzywdzić. Oni mi tylko gratulowali.

– Chodź ze mną – zażądał, lecz Felicity nie ruszyła się z miejsca.

– Nie, milordzie, to byłoby nie…

– Nie obchodzą mnie twoje reguły. Nie chcę innej żony, chcę ciebie.

Felicity mogła sobie tylko wyobrażać plotki, jakie już zaczęły krążyć. Gdyby wyszła z hrabią, byłoby po dziesięćkroć gorzej. Być może nawet nie utrzyma posady do następnego ranka.

Spojrzała mu w oczy, gotowa stawiać opór, gotowa powiedzieć mu jednoznacznie, że w żadnych okolicznościach nie ucieknie razem z nim. Ale kiedy tylko ich spojrzenia się spotkały, wiedziała już, że nie będzie umiała mu odmówić. Wiedziała, że go kocha. Wszystkie jej nieprzekonujące protesty były jedynie okłamywaniem samej siebie. Kochała tego mężczyznę i wiedziała, że jest gotowa zrobić dla niego wszystko.

– Pójdę z tobą – podała mu rękę i zauważyła w jego oczach najpierw niedowierzanie, a potem instynktowną, męską pewność siebie.

Chwycił ją mocno za rękę i zamierzał pociągnąć za sobą, ale teraz goście byli już zainteresowani nie tylko utalentowaną pianistką. Chcieli zobaczyć, co hrabia de Valère z nią zrobi.

Hrabia próbował odsunąć ich na bok i nawet udało mu się przejść kilka kroków w ten sposób, ale nie mógł pociągnąć za sobą Felicity. Zagubiła się w morzu ciał, które zamknęło się za nim, i tylko ich ręce pozostały splecione w pochłaniającej wszystko ludzkiej fali.

Wreszcie hrabia odwrócił się, jeszcze raz rozdzielił morze i stanął przed nią. Felicity nie była pewna, co zamierza zrobić, ale to, co zobaczyła w jego spojrzeniu, wystarczyło, by gwałtownie pokręciła głową.

– Nie, milordzie, nie! – ledwie wykrztusiła ostatnie słowo, on objął ją mocno i zarzucił sobie na ramię.

Felicity wydała zupełnie niestosowny jęk i starała się zachować równowagę, kiedy cały świat stanął na głowie. Usłyszała westchnienia i okrzyki, a potem została przeniesiona przez tłum, który – na co zwróciła uwagę – rozstąpił się bez trudu. Przed oczami przemykały jej twarze, wśród nich twarz księżny wdowy. Ku jej zaskoczeniu, starsza dama bynajmniej nie wydawała się wstrząśnięta. Przeciwnie, sprawiała wrażenie raczej zadowolonej z tego, co zobaczyła. Felicity przymknęła oczy, gdy nagle zrozumiała. Księżna wcale nie sprowadziła jej tutaj dlatego, że zależało jej na sukcesie wieczorku muzycznego lady Spencer. Chciała zobaczyć Felicity i swojego syna razem. Być może nawet chciała, żeby doszło do tej sceny, która niechybnie na zawsze zwiąże hrabiego i Felicity w oczach całego towarzystwa.

Hrabia pomknął do najbliższego wyjścia, a potem przez balkonowe drzwi do ogrodu. Felicity zamrugała, gdy owionęło ją chłodne nocne powietrze. Światła domu lady Spencer bladły w oddali. Zaczęła się szamotać.

– Puść mnie.

– Jeszcze nie teraz. Idziesz ze mną.

– Tak, najwyraźniej w tej materii nie dałeś mi wielkiego wyboru. Wiesz, że tym razem nieodwracalnie złamałeś reguły, prawda?

– Nie obchodzi mnie to.

W tym momencie Felicity także to nie obchodziło. Postawił ją na ziemi, lecz nadal trzymał za ręce. Kiedy przestało się jej kręcić w głowie, rozejrzała się dookoła i zauważyła, że stoją przy tylnej furcie ogrodu de Valère'ów. Dom lady Spencer był jeszcze bliżej, niż sądziła.

Spojrzała na hrabiego i zobaczyła, jak jego oczy błyszczą w ciemności.

– Taka piękna – powiedział i wyciągnął rękę, by dotknąć kosmyka jej włosów, który wysunął się z fryzury. Prawdę mówiąc, czuła włosy opadające jej na plecy i powiewające na wietrze. Fryzura zupełnie się rozpadła.

– Twój brat będzie wściekły – szepnęła, kiedy przesunął ręką po jej plecach.

Wiedziała jednak, że minie trochę czasu, zanim księciu i księżnej uda się wydostać od lady Spencer. Będą musieli zmierzyć się z plotkami, wezwać powóz i dotrzeć do domu, co przy tak zatłoczonych ulicach zajmie im jakąś godzinę.

– Taka piękna – powtórzył hrabia, wsuwając palec pod jedwab na jej ramieniu i lekko pociągając go w dół.

– Milordzie – szepnęła.

– Armandzie – poprawił, patrząc jej w oczy. Muskał jej ramię, przyprawiając o rozkoszne dreszcze. – Felicity.

Och, jakże uwielbiała brzmienie swojego imienia w jego ustach. Pochylił się, by ją pocałować, a wtedy usłyszała jego szept:

– Moja.

Kiedy zaś ich usta się spotkały, wiedziała, że tej nocy będzie naprawdę należała do niego.

Właśnie tego pragnął. W chwili, kiedy jego usta dotknęły jej warg, Armand zrozumiał, że właśnie tego pragnął przez całe życie. Sądził, że pragnie wolności, niezależności, posiadłości na wsi. Teraz jednak wiedział, że żadna z tych rzeczy nie może się równać z całowaniem ust Felicity, czuciem jej skóry pod palcami, jej cichym jękiem, kiedy przyciągał ją do siebie. Nie była jego żoną i zapewne postępując tak, łamał reguły, ale nie obchodziło go to. Miał już serdecznie dosyć reguł. Dosyć kobiet, które uśmiechały się do niego wargami, lecz nie oczami.

I miał dosyć zatłoczonych pomieszczeń, ciasnych ubrań i ludzi za plecami. Potrzebował powietrza, przestrzeni – i tej kobiety w swoich ramionach. Właśnie ją sobie brał.

Uniósł rękę i przesunął dłonią po jej włosach. Od tak dawna chciał dotknąć tych żółtych włosów. Były znacznie miększe, niż sobie wyobrażał, miększe niż futerko jego oswojonego szczura. I ciężkie. Wplótł w nie palce, napawając się ich miękkością. Dotyk Felicity nigdy nie sprawiał mu bólu i nigdy nie miał go dość.

Delikatnie odchylił jej głowę do tyłu, aby mieć łatwiejszy dostęp do jej ust. Oderwał się od niej na moment, odsunął się tylko na tyle, żeby na nią spojrzeć. Z odchyloną głową i zamkniętymi oczami wyglądała piękniej, niż kiedykolwiek ją sobie wyobrażał. Pragnął całować jej usta, jej oczy, jej twarz – każdy cal jej ciała.

Ale nie tutaj. Nie stojąc w otwartym ogrodzie. W pobliżu wciąż byli ludzie pilnujący domu i ogrodu, a Armand chciał się znaleźć z dala od ich spojrzeń. Latem często sypiał na zewnątrz. W głębi ogrodu znajdowała się okrągła biała budowla. Słyszał, jak Sara nazywała ją altaną. Ocieniona drzewami, stała na tyle daleko od domu, że nikt ich tam nie zobaczy. Położył Felicity dłoń na plecach i poprowadził ją do altany.

– Bałam się, że wyjdziesz, zanim skończyłam grać – powiedziała cicho, kiedy szli przez ogród. – Bałam się, że cię nie zobaczę dzisiejszej nocy.

– Nie mogłem wyjść bez ciebie – odparł po prostu. To była prawda. Bez względu na to, jak rozpaczliwie chciał uciec z tamtego zatłoczonego domu, wiedział, że musi ją zabrać ze sobą.

– Czy pamiętałeś wszystko, czego cię uczyłam? Zapomniałam ci wyjaśnić, jak należy się zwracać do córek książąt.

Nie miał pojęcia, o czym mówi Felicity, ale widział w jej oczach troskę.

– Zrobiłem wszystko, jak mówiłaś – dotarli do ocienionej altany i przyciągnął Felicity do siebie. – Zapytaj Sarę.

– Z jakiegoś powodu nie sądzę, żeby księżna była ze mnie zadowolona po tym wszystkim – przysunęła się do niego, objęła go za szyję i spojrzała mu w oczy. Drzewa rzucały ciemne cienie na jej bladą twarz. – Ale nie przejmuję się tym. Wszystko, czego chcę, to być z tobą. I tylko o tym mogę teraz myśleć.

Pochylił się i delikatnie ją pocałował. Jego ciało przynaglało go, kazało mu się pospieszyć, wziąć to, czego potrzebowało, czego pragnęło, ale zmusił się, by działać powoli. Wszystko w Felicity wydawało mu się nowe i fascynujące.

– Czy całowałeś dziś ręce wielu dam? – spytała, muskając oddechem jego wargi.

– Zbyt wielu – odparł szczerze.

Cofnęła się, mrużąc gniewnie oczy, i Armand zorientował się, że była to zła odpowiedź.

– Rozumiem. To musiało być bardzo przykre: wszystkie te bogate i piękne damy, które marzyły o tym, żeby cię poznać.

Najwyraźniej ją rozgniewał, chociaż nie miał pojęcia, co takiego złego powiedział albo zrobił.

– Jesteś piękna – postanowił wrócić do słowa, które znał bardzo dobrze.

Uniosła brwi.

– Nie piękniejsza od tamtych kobiet.

Nie zrozumiał dokładnie, co powiedziała, ale wydawało mu się, że rozumie jej odczucia. Zazdrość? Omal się nie roześmiał.

– Nie chcę tamtych kobiet. Tylko ciebie – i żeby dowieść prawdziwości tych słów, zsunął materiał z jej drugiego ramienia tak, że teraz oba były odsłonięte i aż zdawały się prosić, by je pocałował. Przesunął dłońmi po jej plecach, aż dotarł do nagiej skóry ramion. Wiedział, że są białe jak śnieg, ale teraz tańczyły na nich cienie. Powoli przyłożył wargi do jednego z ramion i ustami eksplorował jedwabistą skórę. Nigdy nie dotykał niczego podobnego do skóry Felicity. Przez cały czas spędzony w więzieniu, kiedy marzył o miękkich łóżkach i miękkich ubraniach, nie wyobrażał sobie czegoś tak miękkiego.

Jęknęła cicho i odchyliła głowę, odsłaniając szyję, a wtedy on odczuł nieodpartą potrzebę pocałowania również tam. Niemal wyczuwał, gdzie pod białą skórą przepływa krew. Tak wiele chciał poczuć i posmakować, że sam nie wiedział, od czego zacząć.

Nie mogąc się oprzeć, przywarł ustami do jej szyi i sunął językiem po skórze, aż dotarł tuż poniżej ucha. Felicity drżała i trzymała się go kurczowo, a Armand wiedział już, że działa na nią tak samo potężnie, jak ona na niego. Lecz pragnął jeszcze więcej. Jak zareaguje, jeśli pocałuje jej ucho?

Zrobił to, a ona drgnęła i wydawała się bliska omdlenia.

Teraz przesunął dłonią po jej ramieniu aż do gładkiego materiału sukni. Chciał dotknąć tego, co znajdowało się pod nią, i tym razem już nie bał się złamać reguł.

– Nigdy mi nie mówiłaś… – szepnął jej prosto do ucha, od czego aż ciarki przeszły jej po plecach. – Jak się nazywa ta część?

Zsunął rękę niżej, na delikatną skórę jej piersi. Ciało było tu bardziej zaokrąglone i twardsze, niż się spodziewał, a do tego usłyszał, że jej oddech staje się przyspieszony. A jednak kiedy spojrzał na jej twarz, zobaczył, że jest czerwona i wyraźnie zakłopotana.

– Pierś – powiedziała zdławionym głosem.

– Przyjemna w dotyku – rzekł, biorąc w dłonie obie piersi i sprawdzając ich ciężar.

– Hm… cóż… – próbowała się odsunąć, ale przycisnął ją do siebie.

– Czy chcesz, żebym przestał? – Nie był pewien, czy potrafiłby przestać, ale wiedział, że musiałby, gdyby ona tego chciała.

Nigdy nie skrzywdziłby innej osoby ani nie zrobił niczego wbrew jej woli. Zbyt wiele razy padał ofiarą czegoś, czego sobie nie życzył.

– Powinieneś przestać – powiedziała tonem, który słyszał już wcześniej.

– Reguły – powiedział, wiedząc, co odpowie.

– Tak, łamiemy je. Znowu – lecz ku jego zaskoczeniu zbliżyła się do niego i położyła dłoń na jego piersi. – Ale nie przejmuję się tym. Nie chcę, żebyś przestał.

Stanęła na palcach, żeby go pocałować, a kiedy on napawał się dotykiem jej warg na swych ustach, ona musiała poluźnić mu fular, gdyż nagle zdał sobie sprawę, że znowu może swobodnie oddychać. Zapomniał, jakie to cudowne uczucie być wolnym. Natychmiast zdjął buty i cisnął je za siebie, w głąb ogrodu. Roześmiała się, a on próbował zdjąć płaszcz. Zajęło mu to chwilę, ponieważ był dobrze dopasowany, ale kiedy mu pomogła, uwolnił się od niego.

Następnie przyszła kolej na górne guziki jego koszuli, a potem Armand doszedł do wniosku, że właściwie koszula w ogóle nie jest mu potrzebna. Zerwał ją przez głowę i stanął przed nią na nocnym chłodzie w samych spodniach.

– Wielkie nieba – powiedziała, patrząc na niego wielkimi, okrągłymi oczami – Zdaje się, że nigdy dotąd nie widziałam mężczyzny bez koszuli. To jest...

Nie dokończyła, lecz on się tym nie przejął. I tak powiedziała zbyt wiele słów. Wolał jej czyny, a teraz właśnie długim, białym palcem dotknęła jego szyi i przesunęła palec w dół, kreśląc linię aż do środka piersi. Skóra go paliła tam, gdzie ona jej dotknęła. Spojrzał w dół, spodziewając się zobaczyć spalone ciało, lecz nie stała mu się żadna krzywda. Felicity przysunęła się bliżej i oparła na jego piersi obie dłonie.

– Jesteś taki twardy, jak stal – szepnęła i objęła jego biceps. – I taki silny.

Jej dotyk łaskotał go, podniecał, sprawiał, że chciał więcej.

Sprawiał, że chciał dotykać jej w taki sam sposób. Otworzył usta, żeby powiedzieć jej, czego chce, ale zrezygnował ze słów.

Przy niej słowa były jego wrogiem. Słowa sprawiały, że zbyt dużo myślał o regułach. Czyny były lepsze.

Chciał zerwać z niej suknię, żeby dotknąć... jak ona to nazwała? Ach tak, żeby móc dotknąć jej piersi, zobaczyć je w cieniach rzucanych przez księżycowe światło. Nie wiedział, jak się zdejmuje coś takiego, więc szarpnął lekko, aż odsłoniły się potrzebne mu wypukłości.

Materiał był zbyt obcisły, żeby zsunąć się niżej, więc Armand dotknął wypukłości palcami, a następnie wargami.

– Chcę cię pocałować – wskazał najbardziej wypukłą część. – Tutaj.

– Och, ja...

Poczuł coś twardego pośrodku miękkości, coś sterczącego pod dotykiem, i potarł to dwoma palcami. Okazało się, że podjął słuszną decyzję, ponieważ Felicity westchnęła i przywarła do niego całym ciałem. Potem sięgnęła za siebie i sekundę później materiał był już na tyle luźny, że dał się zsunąć aż do pasa.

Armand wyciągnął rękę i zmarszczył brwi. Pod suknią miała następne ubranie, lecz on zupełnie nie wiedział, jak je zdjąć. Spojrzał na jej twarz i zauważył, że się uśmiecha.

– To się nazywa gorset – odwróciła się do niego plecami i zerknęła przez ramię. – Z tyłu ma sznurowadła.

Teraz zobaczył, jak jest zawiązany gorset. Sznurowadła były cienkie i mocno zawiązane; najchętniej po prostu by je rozerwał, ale zajął się ich rozplątywaniem. Ku jego zaskoczeniu rozluźniły się łatwo i gorset spadł.

Felicity odwróciła się do niego, lecz wciąż jakieś ubranie dzieliło go od jej piersi, jednak mniej niż poprzednio i ta warstwa była niemal przezroczysta. Widział zaokrąglenia jej piersi. Były podobnie blade jak ramiona, lecz pośrodku miały ciemne kółka.

– To się nazywa koszulka, po francusku *chemise*.

Była delikatna i luźna, i Armand wiedział, że zdejmie ją bez trudu. Chwycił jedną ręką u góry i powoli pociągnął w dół. Patrzył, jak środek jej piersi wybrzuszył się i stwardniał pod materiałem. Dotknął tego małego kamyka.

– Co to jest?

Teraz nawet jej szyja stała się czerwona.

– Sutek – odpowiedziała. – Jest mi zimno.

Spojrzał na nią.

– Ja cię ogrzeję.

Najpierw jednak musi zerwać do końca materiał. Musiał zobaczyć jej ciało – to, o czym tak długo marzył. Ostatni raz szarpnął za koszulkę, zsuwając ją do pasa.

Była jeszcze piękniejsza, niż kiedykolwiek sobie wyobrażał. Talię miała smukłą, a piersi duże i ciężkie. Nie potrafił się oprzeć i znowu ujął je w dłonie i przesunął kciukami po twardych wypukłościach. Felicity jęknęła i wygięła się do tyłu. To było coś, czego się nie spodziewał; poczuł przeszywającą go falę gorąca i poczuł, że twardnieje.

Ale choć bardzo pragnął zrobić coś z tą twardością, jeszcze nie zakończył eksploracji. Musiał poczuć smak Felicity, pochylił się więc i dotknął ustami wypukłości jej piersi. Jej reakcja była zaskakująco gwałtowna. Wczepiła się w niego palcami i zaczęła drżeć. Wysunął język i powiódł nim po chłodnej skórze, zauważając, że pod jego dotykiem stawała się cieplejsza. W końcu język dotarł do sutka. Zacisnął na nim wargi, a ona drgnęła, gdy musnął go językiem. Uniósł rękę do drugiej piersi i musnął ją delikatnie palcami.

Z cichym westchnieniem wypowiedziała jego imię. Jej palce wbiły się w jego plecy i chociaż paznokcie raniły go, spodobało mu się to uczucie. Podobało mu się, że to on wywołał w niej taką reakcję. Powoli oderwał usta od piersi i przesunął niżej, w stronę brzucha. Materiał znowu stanął mu na drodze, więc jednym szarpnięciem zsunął go na biodra.

Smak jej skóry nie przypominał niczego, co było mu wcześniej znane. Była słodka i lekko słona i smakowała dokładnie tak, jak sobie wyobrażał, że powinna – pięknie.

Felicity była niemal naga, więc teraz musiał zobaczyć ją całą. Jednym ruchem ściągnął suknię i koszulkę na ziemię, odsłaniając całe ciało. Jej biodra były blade i zaokrąglone, z trójkątem żółtych włosów, takich jak na głowie, pośrodku. Bardzo chciał dokładniej zbadać ten trójkąt, lecz Felicity drżała, więc przyciągnął ją bliżej, żeby ją ogrzać.

Jeszcze raz pocałował ją w usta, czując na skórze dotyk jej nagiego ciała. Co by było, gdyby zdjął spodnie i stanął przy niej nagi? Ale to musi poczekać. Ona wciąż drżała, lecz Armand zorientował się, że powodem nie było zimno. Ona się bała.

– Nie skrzywdzę cię – powiedział, całując jej powieki i policzki, przesuwając ręce po jej cudownych piersiach i biodrach. Jak mogą być tak miękkie? Tak pełne? Tak ciepłe?

– Wiem. To tylko... – przełknęła ślinę. – Nigdy wcześniej tego nie robiłam. Nigdy wcześniej nie stałam naga przed mężczyzną.

Nigdy nie przypuszczał, że stała, lecz sama myśl o dzieleniu się nią z kimkolwiek, o tym, że mogłaby się odsłonić przed kimś innym, wprawiła go w gniew. Chciał wiedzieć, że tylko on będzie ją tak oglądał. To musi być znowu ta sprawa małżeństwa.

– Ja też nigdy wcześniej tego nie robiłem – powiedział. – Czy bałabyś się mniej, gdybym i ja był nagi?

– Nie! – W jej głosie zabrzmiała nuta paniki. – To znaczy, rozumiem, co masz na myśli, mówiąc to, ale na razie czuję się swobodniej, kiedy jesteś ubrany... czy na wpół ubrany.

– Chodź tutaj. – Chciał mieć ją pod sobą i poprowadził ją do jednej z ław stojących wokół altany. Ułożono na nich poduszki, dzięki czemu były miękkie i wygodne. Często tu sypiał, ciesząc się swobodą, jaką dawała mu otwarta przestrzeń i niebo w górze. Czuł się tu wolny i szczęśliwy. Chciał, żeby ona poczuła się tak samo.

Położył ją na poduszkach, sam zaś pochylił się nad nią. Dotknął piersią jej nagiej skóry i poczuł coś, czego nie doświadczył nigdy wcześniej. Nie był to ból, lecz przyjemność tak silna, że niemal bliska bólu. Kiedy czuł ją pod sobą, czuł jej zapach, słyszał ciche jęki, kiedy zaczął ją całować i dotykać, cały świat, cała reszta jego życia jakby przestały istnieć. Kiedy był z nią, bladły jego wspomnienia o więzieniu. Mały człowieczek i jego wielki syn wycofali się gdzieś w głąb umysłu. Przed nią nie było nic. Nie było nic oprócz teraźniejszości i to mu się podobało.

Całował jej wargi, rozchylając je, aby poczuć jej smak. Odpowiedziała na jego pocałunki i namiętność narastała w niej podobnie jak w nim. Wsunął dłonie pod jej plecy i przycisnął ją do siebie, a jej paznokcie zachęcały go, by całował mocniej, by jeszcze bardziej do niej przylgnął.

Zajął się jej szyją, smakując ją, badając drogę do jej piersi, brzucha, tego trójkąta włosów, który tak go intrygował. Kiedy zbliżył się do niego, jęknęła, a gdy jego dłoń musnęła żółte kędziorki, drgnęła i usiadła.

– Co robisz? – jej głos był ochrypły i zdyszany, niemal tak samo jak jego, kiedy pierwszy raz przemówił.

– Eksploruję – dotknął jej znowu, a ona aż podskoczyła. – Jak się nazywa ta część?

– Milordzie, nie wiem, czy powinniśmy...

– Połóż się – powiedział, popychając ją lekko. Może ta część nie potrzebuje żadnej nazwy. – Pozwól, żebym cię dotknął.

– Milordzie...

– Armandzie – musnął ją znowu palcami i znowu podskoczyła. Lecz jej reakcja była mniej gwałtowna niż za pierwszym razem, a kiedy powtórzył manewr, wyprężyła się, unosząc ku niemu. – Czy łamię teraz jakąś regułę?

– Ja... hm... nie wiem... Ja... wielkie nieba.

Rozchylił jej nogi i zobaczył kwiat jej kobiecości.

– Nie znam reguł, które by tego dotyczyły – wyszeptała.

Armand uśmiechnął się. Nie ma reguł. Doskonale.

Jeszcze raz powiódł rękoma wzdłuż jej ciała, a ona wygięła się w łuk, wychodząc naprzeciw jego dotykowi. Wsunął palec do jej wnętrza i zaskoczyło go, jak bardzo jest tam gorąco i wilgotno.

Tak, właśnie tam pragnął być. Czuł mrowienie, potrzebę znalezienia się w tym gorącym miejscu.

Instynkt kazał mu zdjąć spodnie i zagłębić się w nią, lecz wiedział, że to by ją przeraziło. Dlatego tylko muskał ją palcami, a równocześnie pochylił się i pocałował ją. Przy niej tracił poczucie czasu. Każda chwila spędzona z nią zdawała się zamieniać w wieczność, a ona wpijała się w niego palcami, prężyła się i szeptała jego imię.

Sięgnął, by rozpiąć spodnie, i natychmiast poczuł ulgę, kiedy przestały go krępować. Zdjął je, zdając sobie sprawę, że ona go obserwuje, lecz teraz widział w jej spojrzeniu raczej ciekawość niż strach. A potem, zanim zdążyła za dużo pomyśleć, zanim zdążyła zacząć mówić następne słowa, był już na niej, całował ją i wsuwał palce w jej wnętrze.

I wreszcie znalazł się w niej. Poruszał się powoli i delikatnie, choć nie przychodziło mu to łatwo. Wszystkie prymitywne żądze domagały się spełnienia. Wiedział, że ono nadejdzie, kiedy był w niej. Czuł jednak, jak jest ciasna, jak sztywnieje, kiedy on porusza się zbyt szybko. Dlatego poruszał się powoli. Poruszał się powoli do bólu, ale jej reakcja była dla niego nagrodą. Powoli otworzyła się przed nim, przyjmując go do swego wnętrza.

To uczucie było obezwładniające. Nigdy nie czuł niczego podobnego, a wiedział, że to dopiero początek. Jej biodra unosiły się ku jego biodrom w pierwotnym tańcu dobrze znanym ich ciałom, choć nieznanym umysłom. Poruszał się wewnątrz niej, zwracając baczną uwagę na to, co zdawało się sprawiać jej największą przyjemność. Chciał, by czuła się tak samo cudownie, jak on.

– Armandzie! – krzyknęła, dotrzymując tempa jego ruchom.

– Powoli – jęknął. Jeśli będzie nadal poruszała się tak szybko, on nie będzie w stanie się powstrzymać. Ona jednak przyspieszała jeszcze bardziej, prowadząc go na szczyt rozkoszy.

I nagle wydała stłumiony krzyk, a on poczuł, jak zaciska się wokół niego. To go zgubiło. Zatopił się w niej, zatopił się w uczuciach, pogrążył się w ciemności.

I tym razem zupełnie go nie obchodziło, czy kiedykolwiek jeszcze zobaczy światło.

15

*F*elicity nie mogła uwierzyć w to, co się właśnie stało. Nie miała pojęcia, że jej ciało potrafi odczuwać w ten sposób, że może zatracić całe poczucie przyzwoitości, poczucie samej siebie i oddać się tak swobodnie. Nie wiedziała, jak inaczej opisać to, co się zdarzyło. Zapomniała – być może świadomie – o wszystkich zasadach dobrego zachowania i pozwoliła sobie po prostu czuć i reagować. To hrabia – Armand – wywarł na nią taki wpływ.

A teraz leżał na niej; czuła jego ciężar i cieszyła się z tego, i nie chciała, żeby się oddalił. Powinna się martwić. Byli na zewnątrz, oboje nadzy, a książę i księżna najprawdopodobniej już ich szukali. Ile czasu mogło minąć? De Valère'owie będą wściekli. Jeśli wyglądała tak, jak się czuła, to natychmiast zgadną, co się tu działo dzisiejszej nocy.

Armand wtulił twarz w jej szyję, co przyprawiło ją o miły dreszcz. Jak to możliwe, że było jej aż tak przyjemnie? On wziął od niej wszystko, co mogła dać. Och, zdawała sobie sprawę, że powinna się martwić o de Valère'ów i wszystkie reguły, które złamała. O konsekwencje – a konsekwencje mogły być druzgocące. Ale w tej chwili mogła tylko wygiąć szyję, żeby Armand miał do niej lepszy dostęp.

Wstał i pochylił się nad nią, szukając jej wzroku. Mówił bez słów, chciał, żeby wiedziała, że było to dla niego równie doniosłe doświadczenie, jak dla niej.

Felicity uśmiechnęła się i przesunęła palcami po jego policzku i wargach. Ucałował po kolei jej palce, a potem ich usta znowu się spotkały.

Wiedziała, że mogliby tak spędzić całą noc. I choć bardzo by tego chciała, zdawała sobie sprawę, że to niemożliwe. Gdyby tu zostali, wcześniej czy później znaleziono by ich.

– Armandzie...

Zamknął jej usta kolejnym pocałunkiem.

– Żadnych słów. Za dużo słów.

Delikatnie odchyliła się do tyłu, przerywając pocałunek.

– Wiem, ale teraz słowa są konieczne. Nie możemy tu zostać.

– Bardziej cię lubię bez słów – powiedział, pochylając się, by ją znowu pocałować.

– Tak, ja też to lubię, ale twój brat i księżna będą nam mieli do powiedzenia bardzo wiele słów, jeśli nas tutaj znajdą. Musimy się ubrać i pójść do domu.

Odsunął się i przeczesał palcami rozwichrzone włosy.

– Znowu reguły.

Mając nadzieję, że nie będzie walczył z następną regułą, usiadła i odchrząknęła.

– Może byłoby najlepiej, gdybyśmy nie wspominali o tym, co się dzisiaj zdarzyło. Nie powinniśmy o tym nikomu mówić.

Spojrzał na nią, marszcząc brwi.

– Ale teraz jesteśmy małżeństwem.

Wielkie nieba. Czy właśnie tak sobie to wymyślił?

– Niezupełnie. Przed małżeństwem jest ceremonia, rytuał. Powinniśmy być małżeństwem przed... zrobieniem tego, co zrobiliśmy, ale bez ceremonii nie jesteśmy.

– A więc pobierzmy się. Teraz – pochylił się z figlarnym uśmiechem. – Chcę to zrobić jeszcze raz.

Ona również, lecz sądziła, że jednak nie powinna mu o tym mówić w tej chwili. Dlatego odszukała w stosie porzuconej garderoby swoje ubranie i zaczęła je wkładać. Nie było to zadanie, któremu mogła łatwo podołać sama, i kilkakrotnie musiała prosić Armanda o pomoc. Kiedy już w końcu była ubrana, spojrzała na siebie i westchnęła. Jej suknia była pognieciona, rozpuszczone włosy opadały jej na ramiona i zgubiła gdzieś jeden pantofel.

Armand włożył spodnie oraz koszulę i uznał, że to wystarczy. Buty, pończochy i frak zostawił rzucone na stos pośrodku altany. Pomyślała, że jego zdaniem do niczego więcej się nie nadają.

Teraz, gdy już była ubrana, chwile nieprzytomnej przyjemności powoli bladły i przed oczami stanęła jej twarz Charlesa. Wiedziała już, że bez względu na konsekwencje nigdy nie zgodzi się wyjść za niego. Znajdzie jakiś sposób, żeby zapłacić mu te dwadzieścia pięć funtów. Ale jeśli nie...

Nie lubiła myśleć o tym, jaki wpływ taka decyzja będzie miała na jej przyszłość. Dokąd pójdzie, jeśli zostanie wyrzucona z tej posady? Jeśli księżna ją będzie obwiniać o zachowanie Armanda na wieczorku muzycznym albo jeśli rodzina domyśli się, do czego doszło nocą w ogrodzie, nie dadzą jej listu polecającego. Możliwe, że zostanie wyrzucona z dnia na dzień. I co wtedy? Zapłaci Charlesowi, ale z czego będzie żyć? Dokąd pójdzie?

A jeśli tego, co jej zapłacą, będzie za mało, Charles może sprawiać problemy. Niektórzy potencjalni pracodawcy pewnie się nie przejmą plotkami o jej uprowadzeniu przez Armanda. Felicity wiedziała, że w oczach wielu ludzi na obrzeżach dobrego towarzystwa ten incydent i zatrudnienie u bogatej, potężnej rodziny de Valère może jej przydawać pewnej klasy. Ale jeśli Charles nagłośni ich zaręczyny, to zrujnuje jej szanse na posadę nawet u takich rodzin. Guwernantka porwana z przyjęcia przez hrabiego to jedno. Ale kobieta zaręczona z bohaterem wojennym – a niewątpliwie za takiego Charles będzie się podawał – która zdradziła nieszczęśnika z hrabią, to zupełnie inna sprawa. Zostałaby bez wyjścia, a jak długo utrzymałaby się na ulicach, zanim zostałaby zgwałcona albo zamordowana?

Nie sądziła, żeby Armand na to pozwolił, ale co on wie o zasadach towarzyskich i konsekwencjach ich łamania? Nie chodzi o to, że jej nie kocha. Ale jeśli jego uczucie do niej okaże się nietrwałe? Westchnęła. Przypuszczała, że będzie musiała wrócić do ciotki. Tam będzie nie tylko ciężarem, ale w dodatku kobietą skompromitowaną, już zawsze potępianą przez prawych sąsiadów. A jeśli Charles znajdzie ją również tam i będzie się domagał więcej pieniędzy? Czy ciotka zażąda, aby spełniła swój obowiązek i wyszła za niego?

Armand położył jej rękę na ramieniu, ona zaś odwróciła się do niego i uśmiechnęła, nie chcąc, by widział, że coś ją martwi.

– Twój brat i szwagierka na pewno już nas szukają. Powinniśmy pójść, zanim nas znajdą – zamierzała pozostać w ukryciu najdłużej, jak to możliwe.

Skinął głową i Felicity ruszyła w stronę domu. On szedł tuż za nią.

– Powiem Julienowi, że dzisiaj się pobieramy.

Westchnęła.

– Armandzie, to niemożliwe. Musimy mieć dokumenty i znaleźć pastora.

Ona nigdy się na to nie zgodzi. Formalnie jest zaręczona z innym mężczyzną. Czy Armand będzie ją dalej chciał poślubić, kiedy się dowie, że to przed nim ukrywała? A jeśli spróbuje mu to wyjaśnić, czy on cokolwiek zrozumie?

Zrobiło się jej ciężko na duszy, kiedy myślała o konsekwencjach tego, co przed chwilą zrobili. Czy namiętność, którą dzielili, była warta takiej ceny?

Zerknęła za siebie na Armanda, a on spojrzał na nią ciepło, bardzo ciepło. Tak, uznała. Było warto. A kiedy znaleźli się bliżej domu, Armand wziął ją za rękę.

– Pobierzemy się najszybciej, jak to możliwe.

Uśmiechnęła się blado, pragnąc, żeby to mogło być prawdą.

– A potem pojedziemy na wieś.

Spojrzała na niego ze zdziwieniem.

– Na wieś? Dlaczego?

– Tam jest dom, w Southampton. Właśnie tam chcę zamieszkać. Nie lubię miasta.

Felicity uśmiechnęła się. Bez trudu mogła sobie wyobrazić hrabiego żyjącego szczęśliwie w posiadłości w Southampton. On uwielbia otwarte przestrzenie i świeże powietrze. I wiedziała, że lubi pracować w ogrodzie, uprawiając wszelkiego rodzaju kwiaty i rośliny. Wieś to idealne miejsce dla niego.

– Co do tego jesteśmy zgodni – powiedziała. – Ja też nie lubię miasta. Ale Armandzie, ja nie mogę...

Położył jej palec na ustach.

– Będziemy mieli psa, a może dwa albo więcej. I możemy... – wskazał ręką na altanę. – Jak to się nazywa? To, co robiliśmy?

Przełknęła ślinę i poczuła, że jej policzki robią się gorące.

Położył jej dłoń na policzku.

– Dlaczego twoja twarz robi się czerwona?

– Ponieważ jestem zakłopotana.

Zmarszczył brwi.

– To coś jak wstyd?

Skinęła głową.

– Troszkę.

Cofnął się o krok, oczy mu rozbłysły.

– Ja cię zawstydzam?

– Nie – położyła mu rękę na ramieniu. – Nie, ale twoje pytanie sprawiło, że poczułam się nieswojo. To jest coś, o czym ludzie nie rozmawiają. Znowu reguły.

Skinął głową, a Felicity pomyślała, że musi być już zmęczony tymi wszystkimi jej regułami.

– Odpowiem jednak na twoje pytanie: myślę, że można powiedzieć, że kochaliśmy się.

– Kochaliśmy się? To samo mówi mi moja matka.

– Hm. Cóż, to nieco inny rodzaj miłości. Bardziej fizyczny.

– Rozumiem.

Felicity zastanawiała się jednak, czy na pewno rozumie. Niewątpliwie był kochany i rozpieszczany jako dziecko, ale jaki wpływ na zdolność dawania i przyjmowania miłości miały wszystkie te lata w więzieniu, bez kontaktu z innymi ludźmi? Czy udało się jej zakochać w mężczyźnie całkowicie niezdolnym do odwzajemnienia jej uczucia? Mężczyźnie, który nawet nie rozumie, co to słowo oznacza? Może wie tylko, czym jest pożądanie, pierwotne i instynktowne. Czy jedynie to ich łączyło?

A wtedy on pochylił się, ujął jej twarz w dłonie i spojrzał na nią z taką czułością, że po prostu musiał mieć przynajmniej jakieś pojęcie o miłości. Teraz nie patrzył na nią z pożądaniem. W jego spojrzeniu było tyle łagodności, że aż serce się jej ścisnęło, i zapragnęła objąć go i całować, dopóki znowu nie zabraknie im tchu.

Musiał wyczuć jej nastrój, ponieważ poprowadził ją w kierunku drzwi domu – tych samych drzwi, przez które wyprowadził ją do ogrodu tamtej pierwszej nocy. Tą drogą mogła pójść do swojego pokoju niezauważona przez nikogo. Przynajmniej rozumiał, że muszą zachować dyskrecję. Otworzyła drzwi i zorientowała się, że on za nią nie idzie.

– Nie wchodzisz?

– Później – powiedział, wpatrując się uważnie w ciemny ogród.

Felicity podążyła za jego spojrzeniem.

– Sądzisz, że oni wciąż gdzieś tam są? Ci dwaj, którzy kopali w ogrodzie i wrzucili cegłę?

Nie odpowiedział, lecz Felicity zauważyła, jak napięły się jego mięśnie.

Położyła mu rękę na ramieniu.

– Twój brat zatrudnił ludzi do pilnowania domu. Nie musisz czuwać całą noc.

– Oni nigdy nie rezygnują. Nigdy nie odchodzą.

– Dopóki nie dostaną Skarbu Szesnastego.

Spojrzał na nią ostro i zacisnął usta. W oczach Armanda pojawiła się udręka i Felicity zrozumiała, że jej słowa poruszyły coś w jego umyśle. Jakieś wspomnienie? Nie będzie na niego naciskać, nie po tych magicznych chwilach, które spędzili ze sobą tej nocy. Nie chciała tego zniszczyć.

A jednak, czy on kiedykolwiek będzie znowu sobą, jeśli nie uwolni się od demonów, które go nękają? Może gdyby razem się z nimi zmierzyli, byłoby mu łatwiej.

– Co to jest Skarb Szesnastego, Armandzie?

Zaczął się odwracać, ale teraz to ona przyciągnęła go do siebie.

– Wiem, że nie lubisz myśleć o tamtych czasach, ale jeśli mógłbyś powiedzieć, co to jest za skarb, może wiedzielibyśmy, jak sobie poradzić z tymi ludźmi.

– Nie – to słowo było proste i powiedziane tonem oschłym, nieznoszącym dyskusji.

Nie będzie rozmawiał o skarbie. Felicity westchnęła. Była głupia, sądząc, że mógłby z nią o tym rozmawiać; głupia, sądząc, że razem mogą sobie poradzić z jego przeszłością. I tak najprawdopodobniej jutro zostanie odprawiona i znajdzie się na ulicy. Może to nawet lepiej, jeśli nie będzie jeszcze bardziej komplikowała sprawy.

– Dobranoc, Armandzie – powiedziała.

Ukłonił się.

– Dobranoc.

Felicity pokręciła głową i ruszyła samotnie po schodach. Pożegnanie było takie oficjalne, ale właściwie czego się spodziewała? Dobrze go wyedukowała.

Na całym ciele wciąż jeszcze czuła jego dotyk, rozkosz tamtych chwil, ale czy on przeżywał to samo? A ona – co zrobi jutro, kiedy księżna ją odprawi?

Niech to, ależ była idiotką! Musiałaś się w nim zakochać – zbeształa samą siebie. Nie mogłaś zostać po prostu jego nauczycielką! Cóż, dobrze znała reguły, jakimi rządziło się towarzystwo, i wiedziała, jakie są konsekwencje ich łamania. Teraz będzie musiała za to zapłacić.

Wślizgnęła się do swojego pokoju i zamknęła za sobą drzwi. Czuła się samotna i zagubiona – i bardziej zakochana, niż sądziła, że to możliwe.

Armand sprawdził każdy skrawek ogrodu i terenów wokół domu, aż w końcu uznał, że mały człowieczek i jego syn nie ukrywają się nigdzie w pobliżu. Felicity miała rację. Oni nie dadzą za wygraną, dopóki nie dostaną Skarbu Szesnastego. A on był takim tchórzem, że nie chciał wrócić do przeszłości, przypomnieć sobie, czym był ów skarb i dlaczego ci ludzie go szukają.

Ale strzępy wspomnień, które zachował, nie dawały mu spokoju. Nie bał się o siebie – oni nie mogli mu zrobić nic, czego nie zrobili już wcześniej. Jednak bał się o swoją rodzinę i o Felicity.

Żałował, że nie może trzymać jej w objęciach przez całą noc. Rozstanie z nią było udręką. Potrzebował dotyku jej skóry, potrzebował mieć ją blisko siebie. Nie przypominał sobie, żeby kiedykolwiek pragnął czegoś – światła, pożywienia, wody, powietrza, wolności... – tak bardzo jak jej.

Zrobiłby wszystko, żeby ją ochronić.

Myśląc tylko o tym, skierował się do frontowych drzwi i otworzył je, zaskakując lokaja, który stał w holu, najwyraźniej próbując podsłuchać rozmowę toczącą się w jadalni.

Armand zatrzymał się i zerknął na zamknięte drzwi jadalni.

– Mój brat... – powiedział.

Lokaj szybko doszedł do siebie.

– W jadalni, milordzie.

Armand skinął głową, minął go, otworzył drzwi i wszedł do środka. Brat, matka i szwagierka równocześnie spojrzeli na niego.

– Co ci się stało? – matka odezwała się pierwsza. Wstała. – Gdzie jest twój frak, twoje buty?

Armand machnął ręką w kierunku ogrodu.

– Zdjąłem je.

– Gdzieś ty był, u diabła? – Teraz Julien także wstał, wyraźnie rozgniewany. – I gdzie jest panna Bennett? Czy wiesz, jakich kłopotów narobiłeś?

Armand wzruszył ramionami, odsunął krzesło i usiadł. Nagle poczuł się zmęczony.

– Znowu reguły. Nie obchodzą mnie już reguły.

– Gdzie jest panna Bennett? – spytała Sara, zanim Julien zdążył się znowu odezwać. – Czy nic jej nie jest?

– Poszła do swojego pokoju. Nic jej nie jest.

– Muszę się z nią zobaczyć – Sara wstała, lecz księżi

wa dała jej znak, by usiadła.

– Posłuchajmy najpierw, co Armand ma do powie

Wiesz, że twoje zachowanie wywołało pewne problemy.

nie przejmować się sobą, ale skompromitowałeś pannę F

To poważna sprawa – jej głos brzmiał surowo, lecz nie był

gniewu, jak w głosie Juliena.

Armand skinął głową.

– Chcę poślubić Felicity.

Julien załamał ręce.

– Och, a więc to już jest Felicity, tak? Co właściwie

po tym, jak wyszliście od lady Spencer?

Kusiło go, żeby im powiedzieć, ale wydawało mu się

licity nie chciałaby tego, a ona znała reguły lepiej niż o

– Chcę ją poślubić.

Jego matka sprawiała wrażenie wręcz zadowolonej, l

opadła ciężko na krzesło i ukryła twarz w dłoniach.

– Oczywiście, że ją poślubisz. Jakie jest inne wyjści

Armand nie zwrócił na nią uwagi.

– Ale ona mówi, że jest jeszcze jakaś ceremonia.

– Są różne możliwości – odezwał się Julien. – Arman

gał reputację tej dziewczyny, ale to jeszcze nie znaczy,

się z nią żenić.

Sara popatrzyła na niego z potępieniem, lecz on w

ramionami.

– To nie moja wina, że społeczeństwo uznaje podwój

dardy. Poza tym nie ulega wątpliwości, że ona szuka pi

albo awansu społecznego. – Julien skrzyżował ręce na j

– Bzdury! – odezwała się matka. – To nie ona go p

Dlaczego ma za to płacić? Poza tym, czy widziałeś ich

Myślę, że ona kocha Armanda.

Julien spojrzał na nią z potępieniem.

– *Ma mère.*

– Kocha. – Armand skinął głową, rozpoznając to słowo. – Tak. Chcę ją zabrać na wieś, kiedy się pobierzemy.

– Nie ożenisz się z nią! Nie słyszałeś, co powiedziałem? – Julien rozgarnął włosy palcami. – A co właściwie zamierzasz robić na wsi? Jeszcze kilka tygodni temu nie umiałeś nawet mówić. A teraz... Cóż, jak mogę cię spuścić z oczu?

Armand wstał powoli i podszedł do brata.

– To, że nie mówiłem, nie znaczy jeszcze, że jestem idiotą. Wy wszyscy traktujecie mnie jak idiotę – spojrzał na każde z nich po kolei.

Sara spuściła wzrok, lecz jego matka przytaknęła.

– Nie uważam, że jesteś idiotą, Armandzie – powiedział Julien. – Ale nie sądzę, żebyś cokolwiek wiedział o zarządzaniu wiejską posiadłością.

– Mogę się nauczyć. Szybko się uczę. Zawsze uczyłem się szybciej niż ty.

Zauważył, że matka otworzyła usta, jakby chciała coś powiedzieć, ale zrezygnowała. Nieważne. I tak wiedział, że to prawda. Julien mógł być najstarszy, a Bastien najbardziej zuchwały, ale on, Armand, był najbystrzejszy.

Julien westchnął.

– Nie wiem...

– Czy zabrałeś mnie z więzienia tylko po to, żeby zamknąć w tym domu? – Armand obrzucił wzrokiem jadalnię z krzesłami o czerwonych obiciach, ciemnym drewnem i błyszczącym żyrandolem nad wielkim stołem. – To więzienie jest piękne, ale jeśli nie mogę z niego wyjść, nadal jest więzieniem.

Twarz Juliena poczerwieniała; skoczył do Armanda i chwycił go za koszulę. Przewrócił przy tym krzesło, lecz Armand nawet nie drgnął.

– Za kogo ty się, do diabła, uważasz? – ryknął Julien, ciskając nim o ścianę. – Wiesz, co poświęciłem, żeby cię wyciągnąć? Wiesz, ile lat cię szukałem? Wiesz, że nadal szukam Bastiena?

Armand nie wiedział i zastanawiał się nad tym przez chwilę. Ale wciąż był zły.

– Jego też chcesz zamknąć?

– Ty niewdzięczny…

– Przestańcie! – Matka nie podniosła głosu, ale jej ton sprawił, że obaj zamarli. – Ta kłótnia do niczego nie doprowadzi. Armandzie, nie jesteś tu więźniem, a ty, Julienie, jesteś nadopiekuńczy. Twój brat świetnie sobie poradzi w Ogrodach. Daj mu miesiąc, a przypuszczalnie będzie tą posiadłością zarządzał lepiej niż człowiek, którego masz tam teraz. A zapewne lepiej niż ty sam.

Julien pokręcił głową.

– Chciałbym to zobaczyć.

– Daj mu ten dom. I tak się nim nie zajmujesz. Ale to nie wszystko – uniosła rękę, kiedy Julien już zamierzał się odwrócić. – Skoro chce poślubić pannę Bennett, to sądzę, że będzie najlepiej, jeśli wszyscy damy mu nasze błogosławieństwo. Armand zawsze był upartym i zdecydowanym dzieckiem. Kiedy wiedział, czego chce, zwykle to zdobywał. I zazwyczaj wychodziło mu to na dobre. Chce panny Bennett. Jeśli ona także chce jego, a myślę, że obserwowaliśmy ich wystarczająco długo, żeby wiedzieć, że tak jest, dlaczego nie zgodzić się na to małżeństwo? To zakończy skandal wywołany przez dzisiejszy incydent.

Sara uniosła brwi i spojrzała na Juliena.

– To prawda.

Julien jednak wciąż sprawiał wrażenie niezdecydowanego. Armand pokręcił głową. Załatwił sprawę traktowania go jak idioty.

– Nie możesz zatrzymać mnie tutaj i nie możesz powstrzymać mnie przed poślubieniem Felicity, Julienie. Chcę chronić Felicity. W Ogrodach nie będzie żadnych cegieł wrzucanych przez okno.

Julien uniósł brwi.

– Doprawdy? Nie sądzisz, że ludzie, którzy to zrobili, znajdą cię i tam? Tutaj cię znaleźli.

Armand zacisnął pięści, ponieważ wiedział, że Julien ma rację. Tylko przez własną słabość nie chciał myśleć o takiej możliwości. Wolał udawać, że może uciec od swoich problemów. Ale przed nimi nie było ucieczki. Spojrzał na swoją matkę i Sarę.

Nawet jeśli on i Felicity uciekną przed tymi ludźmi, ci, którzy tutaj zostaną, nadal będą w niebezpieczeństwie. Nie może pozwolić, żeby płacili za jego grzechy.

Armand pochylił się, wyprostował krzesło i usiadł. Nie chciał musieć sobie przypominać o tym, co widział, co zrobił. Przez kilka pierwszych lat w więzieniu sam doprowadzał się do szaleństwa, rozmyślając o tym wszystkim w nieskończoność. Wreszcie stłumił to, upchnął w najgłębszych zakątkach umysłu, aż ten stał się niemal czystą kartą. Tylko dzięki temu udało mu się przetrwać wszystkie lata samotności w zamknięciu. Ale teraz będzie musiał to wszystko wydobyć na powierzchnię. Nie było innego wyjścia. I czy nie obiecywał, że zrobi wszystko, żeby chronić Felicity?

– Wiem coś o Skarbie Szesnastego – wyznał w końcu.

Wszyscy w pokoju znieruchomieli, a Armand czuł na sobie ich spojrzenia.

– Powiem wam, co wiem. Przypomnę sobie – dodał, zamykając oczy, aby na razie powstrzymać napływ wspomnień. – Jutro.

Był zbyt zmęczony, zbyt wyczerpany, żeby pozwolić dziś pochłonąć się ciemności. Musiał odpocząć, upewnić się, że to jedyna droga. Przed tym, co go czeka, będzie musiał zebrać wszystkie siły.

– Jutro? – wyszeptała Sara. – Porozmawiasz z nami o tym... co było przedtem?

Skinął głową. Matka wstała i położyła mu rękę na ramieniu. Poczuł ból, ale słabszy niż dotąd. Niemal mógł go nie zauważać.

– Jutro to całkiem niedługo. Teraz potrzebujesz odpoczynku. W końcu czeka nas planowanie ślubu.

Powlókł się do swojego pokoju, czując się ociężały i wyczerpany. Niemal padł na podłogę, rezygnując nawet z luksusu koca. Świece w pokoju paliły się jasnym płomieniem. Okno było otwarte, lecz zaczął śnić niemal natychmiast, gdy zamknął oczy.

Paryż. Znowu był dzieckiem i bał się o swego ojca. Z każdym dniem było coraz więcej egzekucji i wydawało się, że nic nie można zrobić, żeby ocalić skazanych na śmierć arystokratów – zresztą nikt nie chciał czegokolwiek robić.

Wieśniacy pragnęli krwi i zdarzały się dni, kiedy krew płynęła ulicami strugami niczym wino.

Kiedy pierwszy raz zobaczył małego człowieczka i jego syna, oni zdawali się go nie zauważać. Wiele osób przewijało się przez dziedziniec więzienia, w którym przetrzymywano jego ojca. Mało kto zwracał uwagę na niemego chłopca.

Popełnił jednak błąd, chodząc tam zbyt często i o tych samych porach, dlatego wkrótce, kiedy ponownie stanął na dziedzińcu więzienia, Armand poczuł na sobie spojrzenie małego człowieczka. Był obserwowany i oceniany.

Armand zdawał sobie sprawę, że powinien przestać przychodzić do więzienia, ale jak mógł zostawić tam ojca samego? Jeszcze ani razu go nie zobaczył, ale też ojca nie było wśród tych wynędzniałych postaci, które ładowano na wozy, żeby rzucić na pożarcie Madame Guillotine. Książę musiał wciąż być w więzieniu i Armand miał nadzieję, że pewnego dnia uda mu się go zobaczyć.

Stał na dziedzińcu przez godzinę każdego dnia i wpatrywał się w okna, licząc na to, że zauważy silną, szlachetną twarz ojca. Tymczasem pewnego dnia pojawiła się przed nim twarz innego mężczyzny.

– Zaczynasz zwracać na siebie uwagę, *mon ami*.

Armand zamrugał zaskoczony i podążył za jego wzrokiem; spostrzegł małego człowieczka i jego syna. Człowieczek wpatrywał się w niego złowrogim spojrzeniem.

Armand przyjrzał się nieznajomemu. Był to przeciętnie wyglądający człowiek w stroju wieśniaka. Miał miłą twarz, lecz twarde spojrzenie, przed którym nic nie mogło się ukryć.

– Widzę cię tu codziennie, *mon ami*. Czy masz przyjaciela w więzieniu?

Armand pokręcił głową. Mieć przyjaciela w więzieniu znaczyło sympatyzować z arystokratami.

– A więc dlaczego tu przychodzisz, *mon ami*?

Armand wzruszył ramionami i spuścił wzrok. Chciał odejść, wrócić do tawerny i zająć się czymś, aż stanie się znowu niewidoczny.

Teraz do tamtego mężczyzny dołączył drugi. Byli niezwykle podobni do siebie.

– To jest mój brat, *mon ami*. Nazywa się Jacques. Ja też mam na imię Jacques. Możesz nazywać mnie Jacques Pierwszy, a jego Jacques Drugi – roześmiał się, pokazując nierówne zęby.

Armand zmarszczył brwi. Obaj bracia o imieniu Jacques. Ale wtedy przypomniał sobie, że wielu rewolucjonistów używało tego imienia, żeby ukryć swoją prawdziwą tożsamość. Jacques Drugi pochylił się i przyjrzał Armandowi.

– Czy masz jakieś imię, *mon ami*?

Armand milczał, wiedząc, że wystarczy słowo, aby rozpoznano w nim arystokratę.

– Może masz na imię Jacques – roześmiał się Jacques Pierwszy. – Możesz być Jacques Trzeci!

Armand skinął głową, uśmiechając się nieznacznie. Musiał się stąd wydostać. Mały człowieczek wciąż go obserwował, a obaj Jacques'owie budzili w nim niepokój.

– Nie umiesz mówić, Jacques? – spytał Jacques Pierwszy.

Armand pokręcił głową i przyłożył rękę do gardła. Tym gestem często pokazywał, że jego głos nie działa.

Jacques'owie wymienili spojrzenia. Następnie Jacques Drugi powiedział:

– Czemu nie miałbyś pójść z nami, Jacques? Mamy pracę, którą mógłbyś się zająć. Możemy użyć chłopca, który będzie ciężko pracował i nie wyjawi naszych sekretów.

Armand cofnął się o krok, nie wiedząc, czy w ogóle ma w tej sprawie coś do powiedzenia.

– Widziałem cię w tej małej tawernie, gdzie spotyka się tak wielu naszych kolegów Jacques'ów – rzekł Jacques Pierwszy. – Umiesz ciężko pracować. Czemu nie miałbyś pracować dla nas?

Mały człowieczek ruszył w ich stronę przez dziedziniec więzienia. Armand obserwował go i modlił się, żeby nie szedł do niego.

Jacques odwrócił się i zobaczył małego człowieczka.

– I możemy chronić cię przed nim – dodał Jacques Drugi. – On cię nawet nie dotknie, jeśli będziesz pracował dla nas. Na razie niezbyt cię lubi, *mon ami*.

Armand przełknął ślinę. Widział nienawiść i podejrzliwość w oczach małego człowieczka. Spojrzał na Jacques'a Pierwszego i Jacques'a Drugiego, po czym skinął głową i wraz z nimi opuścił dziedziniec...

– Och, Armandzie – powiedziała Felicity.

Podniósł wzrok, zaskoczony widokiem całej rodziny zgromadzonej przy stole w jadalni. Przez okna sączyło się poranne światło, aż zmrużył oczy. Nie był w Paryżu i nie śnił. Tego ranka obudził się wcześnie i chciał opowiedzieć rodzinie, co sobie przypomniał. Teraz wszyscy siedzieli wokół niego; matka ocierała oczy, a głos Felicity wyrwał go z zamyślenia.

Zerknął na nią i na moment zamilkł urzeczony jej pięknem. Brudne ulice Paryża, Jacques'owie i lęki małego chłopca gdzieś znikły. I wtedy odezwał się jego brat.

– A więc ci dwaj ludzie zabrali cię stamtąd, zajęli się tobą i chronili cię przed małym człowieczkiem. Co to wszystko ma wspólnego ze Skarbem Szesnastego?

Armand przełknął ślinę, sam nie będąc pewnym, jak ma odpowiedzieć. Wyglądało na to, że wspomnienia wracały do niego powoli i w swoim tempie. Nie potrafił tego przyspieszyć ani ich powstrzymać.

– Nie wiem, co to ma wspólnego ze skarbem – odezwała się Felicity, dając mu czas do zastanowienia. Spojrzał na nią z wdzięcznością. – Ale ten mały człowieczek i jego syn... Powiedział pan, że jest jego synem, milordzie? To ludzie, których widziałam w ogrodzie. To oni kopali dołki i oni wrzucili cegłę przez okno.

– Ale co oni tu robią? – spytała Sara, popijając herbatę. – Dlaczego pojawili się w Londynie po tylu latach?

– Chcą skarbu – odparł krótko Armand.

– I sądzą, że ty wiesz, gdzie ten skarb jest – powiedział Julien.

Armand skinął głową.

– Wiesz?

Armand wziął głęboki oddech i wtedy drzwi się otworzyły. Grimsby złożył krótki, sztywny ukłon.

– O co chodzi, Grimsby? – ton Juliena był ostry i zniecierpliwiony.

Lokaj odchrząknął.

– Przepraszam, że przeszkadzam, Wasza Wysokość, ale jest tu pewien człowiek, który chce się widzieć z panną Bennett.

Ręka Felicity sama uniosła się ku szyi.

– Ze mną?

– Tak, panienko. Mówi, że nazywa się... – uniósł dwoma palcami wizytówkę i zerknął na nią. – Charles St. John. Twierdzi, że jest pani mężem.

16

Cały świat spowiła ciemność. Widziała, że na zewnątrz świeci słońce, jasne promienie sączyły się przez zasunięte zasłony do radosnej jadalni. Za oknem przejeżdżały powozy – dzwonki dzwoniły raźno, a woźnice pokrzykiwali „wio". Mężczyźni w wysokich kapeluszach i kobiety z parasolkami przechadzali się po parku przy Berkeley Square, ciesząc się ostatnim być może ciepłym dniem w roku. Był już grudzień, lecz przenikliwe zimowe chłody jeszcze nie nadeszły.

Tylko Felicity zrobiło się zimniej niż kiedykolwiek dotąd. Zadrżała, rozejrzała się dookoła i zobaczyła, że oczy wszystkich są utkwione w niej. Jedynie Armandowi potrafiła spojrzeć w oczy. Nie było w nich potępienia. Jeszcze nie. Prawdopodobnie nie rozumiał wszystkich konsekwencji tego, co powiedział lokaj.

– Czy mam mu powiedzieć, żeby sobie poszedł, panno Bennett? – spytał lokaj. – Nie potrzebujemy tu takich niedorzeczności.

Felicity przełknęła ślinę. Chciałaby powiedzieć „tak" i odprawić Charlesa, ale wiedziała, że on wróci. Wiedziała, że nie będzie łatwo się go pozbyć.

– Nie, Grimsby – odparła. – Lepiej się z nim zobaczę.

Księżna przyłożyła rękę do piersi, a w jej oczach Felicity dostrzegła całe potępienie, jakie musieli czuć pozostali. Nie wiedziała, co Armand powiedział im ostatniej nocy, ale rano czuła z ich strony akceptację. Księżna i wdowa przywitały ją ciepło, nawet książę skinął jej głową. Może niczego nie podejrzewali. Może jednak uda się jej utrzymać posadę.

Ale teraz całe ciepło zniknęło, zastąpiła je podejrzliwość i oburzenie.

– Ja... – chciała powiedzieć coś, by ich uspokoić, ale co mogła powiedzieć? Charles nie kłamał. Pomijając jeden mały szczegół, był jej mężem.

Wstała i na drżących nogach skierowała się do westybulu. Lokaj zostawił otwarte drzwi jadalni. Felicity przypuszczała, że po jej wyjściu de Valère'owie wrócili do śniadania. Przyzwoitość nakazywała, by dali jej nieco prywatności. Lecz Armand nie miał takich skrupułów. Nie wiedział nic o przyzwoitości, a nawet gdyby wiedział, nie przejmowałby się tym.

Czuła jego obecność u swego boku. Wstał razem z nią i poszedł z nią do ogromnego westybulu. Zerknęła na niego i uśmiechnęła się blado. Nie odpowiedział na jej uśmiech. Och, jakże chciałaby wciąż siedzieć przy nim i słuchać jego głębokiego głosu – im dłużej go używał, tym głos ten stawał się głębszy i bogatszy, malując obraz rewolucyjnej Francji. Jego nieznaczny akcent porywał ją, niemal słyszała tamte głosy i dźwięki, czuła jego gniew z powodu uwięzienia ojca.

Chciałaby odwrócić się teraz do niego, rzucić mu się w objęcia, przytulić głowę do jego piersi. Lecz kiedy spojrzała przed siebie, stał tam Charles St. John.

– Felicity! – Zrobił krok naprzód, wyciągając ramiona.

Pewnie wziąłby ją za ręce lub objął, gdyby Armand nie wydał ostrzegawczego dźwięku. Charles cofnął się gwałtownie, spojrzał na Armanda, potem znowu na nią. Felicity zdawała sobie sprawę, co zobaczył – mężczyznę ubranego tylko w spodnie i koszulę, bosego, z długimi, rozpuszczonymi włosami.

Kiedy dorastała, uważała Charlesa St. Johna za najprzystojniejszego mężczyznę wśród swoich znajomych. Lecz teraz, kiedy obaj stali obok siebie, Charles wydawał się nijaki w porównaniu z Armandem. Charles ubierał się zgodnie z najnowszą modą, ale jego wykrochmalony krawat, haftowana kamizelka i wypolerowane jeździeckie buty sprawiały pretensjonalne wrażenie przy niedbałym stroju Armanda. Zawsze podobały się jej jasne włosy Charlesa, to, jak starannie układał je w loki na czole, jednak teraz nie rozumiała, jak mogło się jej to wydawać pociągające. Dzikie loki Armanda były zmysłowe i nieposkromione. Hrabia nie miał w sobie nic pretensjonalnego.

– Charles... – Felicity starała się nie okazać zniecierpliwienia ani gniewu. – Nie wiem, co mam powiedzieć.

Roześmiał się i zobaczyła, że ta sytuacja sprawia mu prawdziwą przyjemność.

– Nie musisz nic mówić. Wszystko masz wypisane na twarzy.

Felicity uśmiechnęła się sztywno. Wzięła głęboki oddech, czekając na jego następny ruch.

– Musisz być zaskoczona, widząc mnie tutaj.

Skinęła głową.

– Raczej tak.

Nie wiedziała, co więcej powiedzieć, ale hrabia uwolnił ją od zastanawiania się nad tym, podchodząc bliżej. Felicity obserwowała go, niepewna, co zrobi, lecz kiedy uniósł brwi, patrząc na nią, szybko odzyskała panowanie nad sobą.

– Milordzie, to jest Charles St. John, stary przyjaciel mojej rodziny. Charles, to jest hrabia de Valère.

Charles ukłonił się.

– Milordzie.

– Przyjaciel panny Bennett jest naszym przyjacielem – powiedział chłodno Armand. Podszedł i stanął bliżej Felicity, zakreślając granice swego terytorium, a przynajmniej tak się jej wydawało. – Nie widziałem pana wcześniej, panie St. John.

Charles roześmiał się znowu.

– Cóż, to rzeczywiście niefortunna sprawa. Jestem w Londynie już od tygodni i nie miałem pojęcia, że Felicity także jest tutaj – mrugnął do Felicity, która domyśliła się, że chce zachować ich wcześniejsze spotkania w sekrecie. – Tymczasem dziś rano zobaczyłem w gazetach wzmiankę, że jakaś panna Bennett wyśmienicie grała – tu zerknął na Felicity. – Przy okazji, właśnie takiego określenia użyły gazety. „Wyśmienicie". Mniejsza z tym. Przeczytałem, że grała dla lady Spencer i mieszka u księcia de Valère i jego rodziny. No cóż, od razu się domyśliłem, że to musi być moja Felicity. Nikt nie umie grać tak jak ona.

– Nie widziałem dzisiejszych gazet – rzekł hrabia.

Felicity uniosła brwi. Nie przypominała sobie, żeby hrabia kiedykolwiek czytał poranne gazety. Ale miał marsową minę, a Felicity wiedziała, że nie cierpi być w taki sposób zaskakiwany. Miała też przeczucie, że dziennikarze mogli napisać więcej, niż mówił Charles. W końcu uciekła, a właściwie została uprowadzona przez hrabiego de Valère. Żadna gazeta nie pominęłaby tak smakowitego szczegółu.

Charles zmrużył oczy i Felicity nabrała pewności, że gazety wspominały o jej dramatycznym wyjściu.

– Myślę, że ta lektura będzie dla pana interesująca, milordzie – znowu wlepił w nią zielone oczy. – Jakże się miewasz, moja droga? Wyglądasz całkiem dobrze, jeśli zważyć, że wciąż jesteś w żałobie.

Wydawał się patrzeć z niejakim potępieniem na jej błękitną suknię, chociaż wiedział równie dobrze jak ona, że nie miała pieniędzy na żałobne stroje.

Felicity spojrzała na niego lodowato.

– Mam się tak dobrze, jak można tego oczekiwać – jak zwykle myśl o ojcu wzburzyła ją i w jej słowach zabrzmiał ból, chociaż wolałaby, żeby Charles tego nie słyszał. Musiał to usłyszeć również Armand. Położył jej dłoń na plecach w pocieszającym geście.

Charles zauważył jego ruch i zmarszczył brwi.

– Wyobraź sobie, jak byłem zaskoczony, kiedy dowiedziałem się, że jesteś w Londynie. Musiałem się z tobą zobaczyć. Chcę się upomnieć o moją narzeczoną.

Poczuła, jak dłoń hrabiego na jej plecach napręża się, lecz nie zabrał jej.

– Nasz lokaj powiedział, że jest pan jej mężem – rzekł spokojnie Armand. – To znaczy, że jesteście małżeństwem – spojrzał na Felicity, oczekując potwierdzenia.

– Nie, ale był...

– Mąż oznacza małżeństwo, mam rację? – przerwał jej.

Skinęła głową z rezygnacją.

– Tak.

Armand znowu spojrzał Charlesowi w oczy.

– Czy jest pan mężem panny Bennett?

– Ceremonia jest tylko formalnością. Nasze małżeństwo było życzeniem jej ojca. Pielęgnowałem biednego pastora w jego ostatnich dniach. Zanim odszedł, wielebny podpisał dokument zaręczający mnie z jego córką. Mam jego kopię, jeśli chcielibyście zobaczyć.

Spojrzał na Felicity, sięgając ręką do kieszeni fraka.

– Nie – odchrząknęła. – Widziałam go.

– A więc rozumiesz, jakie było życzenie twojego ojca – spojrzał znowu na Armanda. – Wielebny obiecał mi swoją córkę.

Felicity nie chciała patrzeć na Armanda. Nie potrafiła sobie wyobrazić, jakie myśli przychodziły mu do głowy, jednak nie potrafiła się powstrzymać. Odwróciła się do niego w tej samej chwili, kiedy on zabrał rękę z jej pleców.

– Mam wielki dług wobec pana St. Johna – ale w jej słowach nie było ciepła.

Charles machnął lekceważąco ręką.

– Nie jesteś mi nic winna, moja droga. Cieszę się po prostu, że cię widzę, i chcę cię zabrać do domu.

Jego słowa były śmieszne. Nie miał domu, do którego mógłby ją zabrać. Próbował ją przestraszyć, dać do zrozumienia, że chce pieniędzy.

– Teraz? – wyjąkała, niepewna, co powiedzieć albo zrobić. Nie miała pieniędzy. – Ale... Ja... – spojrzała na Armanda i znowu na Charlesa. Co powie, co zrobi, jeśli przyzna, że nie ma pieniędzy?

– Nie może jej pan teraz zabrać – rzekł Armand.

Felicity drgnęła zaskoczona jego władczym tonem. Poczuła równocześnie ulgę i obawę.

Charles niebezpiecznie zmrużył oczy, a Felicity odchrząknęła, zanim zdążył cokolwiek powiedzieć.

– Jak sądzę, chodzi o to, że nie jestem gotowa w tej chwili. Może powinniśmy to omówić...

– Oczywiście. – Charles znowu machnął ręką. – Nie spodziewałem się, że pójdziesz ze mną natychmiast. Tymczasem możemy się przejść, by na nowo do siebie przywyknąć. Mamy wiele spraw do omówienia... prywatnie.

Innymi słowy, chciał porozmawiać z nią sam na sam i przedstawić swoje żądania. Wcale jej to nie uspokoiło. Czy to była zawoalowana groźba, że wyjawi publicznie ich zaręczyny, wśród takich kłamstw, jakie przyjdą mu do głowy, byle tylko dostać to, czego chce?

Felicity spojrzała na Armanda, który w tej samej chwili patrzył na nią. Wiedziała, że nie chce, by poszła z Charlesem, ale jak mogła odmówić? Bała się tego, co tamten mógłby powiedzieć albo zrobić, gdyby odmówiła.

A była już zmęczona strachem! Może powinna pozwolić mu zrobić to, co najgorsze, a wtedy przynajmniej mogłaby stawić czoło konsekwencjom, zamiast wiecznie o nich rozmyślać.

Pomyślała o Armandzie i jego rodzinie. Czy może się im zwierzyć? Czy będą źli o to, że sprowadziła tego ohydnego szantażystę do ich domu? Teraz nie byli jej pewni. Księżna i wdowa wydawały się ją dość lubić, lecz książę jej nie ufał. A wszyscy oni chcieli przede wszystkim chronić Armanda.

Ona także chciała go chronić. Co pomyśli rodzina, kiedy pozna całą prawdę o jej położeniu? Czy uznają, że wykorzystała Armanda, zagrała na jego uczuciach, podczas gdy była obiecana innemu? Albo czy uwierzą, gdy powie, że Charles podstępnie wymusił to zobowiązanie?

Czy jej pomogą? Czy w ogóle mogą pomóc?

Nie wiedziała. Ale wciąż miała resztki szacunku do samej siebie. Charles to jej problem i musi przynajmniej spróbować jeszcze raz sama poradzić sobie z nim i jego żądaniami.

Spuściła wzrok, nie potrafiąc spojrzeć Armandowi w oczy.

– Muszę wziąć płaszcz. Proszę mi dać chwilę, panie St. John.

– Oczywiście.

Z wahaniem zostawiła obu mężczyzn i ruszyła schodami na piętro. Zerknęła do tyłu i zobaczyła, że stoją naprzeciwko siebie, nie odzywając się ani słowem. Drzwi do jadalni były uchylone i przez szczelinę widziała resztę rodziny. Bez wątpienia wszystko słyszeli.

Szybko chwyciła płaszcz oraz torebkę i wróciła na dół. Charles czekał przy drzwiach, zaś Armand stał u podnóża schodów. Spojrzała na nich obu. Dlaczego czuła, jakby ten jej spacer z Charlesem znaczył coś więcej dla Armanda? Chciała zapewnić Armanda, że nie woli Charlesa od niego. Jak mogłaby, po tym, co ich połączyło ostatniej nocy?

Zerknęła na Armanda i podeszła do Charlesa. Grimsby otworzył drzwi, Charles podał jej ramię. Spojrzała jeszcze raz na Armanda, lecz on był już odwrócony tyłem do niej. Szedł do jadalni, gdzie czekała jego rodzina.

– Nie rozumiem, dlaczego nigdy o niczym nie wspominała – mówiła Sara.

W jej głosie zabrzmiała uraza, pomyślał Armand. Nie był do końca pewien, czy to odpowiednie słowo, lecz wydawało mu się, że raczej tak. Powoli odzyskiwał swoje słownictwo. Jednak jej oczy nie pasowały do głosu. Patrzyła na niego z litością. Nie cierpiał litości bardziej niż czegokolwiek innego.

– Czemu miałaby cokolwiek mówić? – spytał Armand bardziej oschle niż zamierzał, ale musiał jakoś zmazać z ich twarzy ten wyraz litości. – Nie są jeszcze małżeństwem. On powiedział „zaręczeni".

– To obietnica małżeństwa. Nie można tego lekceważyć – rzekł Julien, odchylając się na oparcie krzesła. On jeden nie patrzył na Armanda, jakby go żałował. – Nic nie powiedziała, ponieważ chciała dostać tę posadę – spojrzał na Sarę. – Zatrudniłabyś ją, gdybyś wiedziała?

Sara pokręciła przecząco głową.

Julien złożył dłonie w daszek.

– Ale dlaczego on przyszedł właśnie teraz? Zdemaskować ją? Nie wierzę, żeby właśnie teraz dowiedział się, że ona jest w mieście.

– On czegoś chce – powiedział Armand. Ten człowiek wyraźnie chciał dostać Felicity, ale to nie było wszystko.

– Pieniędzy – powiedziała z westchnieniem matka. – Mogła nie wspominać o zaręczynach, ponieważ były nieistotne i żadne z nich nie miało na to ochoty. Ale zobaczył jej nazwisko w gazetach, wymienione w związku z nami, a teraz sądzi, że może wyciągnąć pieniądze.

Sara pokręciła głową.

– Ale dlaczego my mielibyśmy dawać mu pieniądze?

– Nie damy – rzekł Julien. – Ale ona może dać, jeśli nie chce, żeby zmusił ją do realizacji tej umowy.

– To jest szantaż! – zawołała Sara.

– Oczywiście. On wcale nie chce się z nią żenić. Ona ma mu zapłacić albo on bardzo jej utrudni znalezienie innej posady.

– Ona nie będzie potrzebowała innej posady – wtrącił się Armand. – Ja się z nią ożenię.

Matka pokręciła głową.

– To nie takie proste. Ona jest obiecana innemu.

– Ona jest moja.

– A jeśli Charles St. John dowie się o twoich uczuciach, zażąda pieniędzy również od ciebie – zauważył Julien.

– Więc damy mu pieniądze. – Armand odwrócił się, zamierzając wyjść na zewnątrz.

W jadalni, w domu zresztą również, dusił się. Potrzebował powietrza i światła, żeby móc swobodnie oddychać i myśleć.

I musiał zaliczyć swoje okrążenia, upewnić się, że dom jest bezpieczny. Jeśli mały człowieczek i jego syn są w Londynie, to znaczy, że nikt w tym domu nie jest bezpieczny.

– Nie damy mu pieniędzy. – Julien wyszedł za nim z jadalni. – Nie zamierzam pozwolić, by mnie szantażowano. Myślisz, że zapłacisz raz i na tym koniec, ale to nigdy tak nie działa. Lepiej daj sobie z nią spokój. Nie chcę, żeby ten człowiek poniewierał nazwisko de Valère w rynsztoku.

Armand zatrzymał się i odwrócił do brata.

– Nie stracę jej.

Nawet teraz cierpiał, nie mając jej przy sobie, nie wiedząc, gdzie ona jest. Czy ten St. John dotyka jej? Trzyma ją za rękę? Nie. Ona nigdy by na to nie pozwoliła.

Ale czy jest z nim bezpieczna? Powinien był pójść za nimi, żeby ją chronić.

Jednak nawet człowiek taki jak on, który zaznał wszelkich wyobrażalnych cierpień i upokorzeń, nadal miał swoją dumę. Nie jest szczeniakiem, który biega przy jej nodze.

Julien przeczesał włosy palcami.

– Możesz nie mieć wyboru, bracie. Ona jest samodzielną kobietą. Może chce wyjść za niego.

– Ona chce mnie.

Julien roześmiał się i pokręcił głową.

– Jesteś znacznie bardziej pewny siebie, niż ja kiedykolwiek byłem przy Sarze – zmrużył oczy. – Co właściwie zdarzyło się ostatniej nocy?

Armand przecisnął się przez drzwi balkonowe na zewnątrz. Grudniowe powietrze było rześkie i świeciło słońce. Można było wyczuć zbliżające się mrozy. Może za kilka dni zacznie padać śnieg. Rozejrzał się po ogrodzie.

– Kochaliśmy się… a przynajmniej ona tak to nazwała.

Tuż za nim rozległ się dziwny zdławiony dźwięk. Armand obejrzał się za siebie i zobaczył, że Julien zamarł w bezruchu z wyrazem niedowierzania na twarzy. Może Felicity miała rację, kiedy nie chciała nic mówić jego rodzinie. Cóż, i tak było już za późno.

– Mam szczerą nadzieję, że nie znaczy to, co myślę, że może znaczyć.

Armand wzruszył ramionami, a Julien zasłonił dłonią oczy.

– Niech to diabli, Armandzie. Tego się obawiałem. Miałem nadzieję, że sprawy nie zaszły aż tak daleko.

– To wbrew regułom – Armand znowu rozglądał się uważnie po okolicy, wypatrując, czy nic nie zmieniło się od wczoraj.

– Do diabła, oczywiście, że to wbrew regułom. Wbrew wielu regułom i to nie tylko moim. A co będzie, jeśli ona jest w ciąży?

Armand spojrzał na niego ze zdziwieniem.

– W ciąży? – zastanawiał się przez chwilę nad tym słowem. – To znaczy, tak jak Sara?

– Tak jak Sara. Jak ci się wydaje, skąd jej się to wzięło?

Armand nigdy się nad tym nie zastanawiał. Czyżby Sara spodziewała się dziecka dlatego, że ona i Julien robili coś takiego, jak on i Felicity ostatniej nocy?

– Niech cię diabli, Armandzie, jakie książki czytałeś w dzieciństwie? Cały czas coś czytałeś. Bastien i ja myśleliśmy, że wiesz wszystko.

Armand pomyślał przez chwilę, ale nie przypominał sobie, żeby czytał jakiekolwiek książki o tym, jak się kochać. W ogóle niewiele pamiętał z książek, które czytał, poza tym, że było tam coś o wilkach...

– Mniejsza z tym. To i tak niczego nie zmienia. Ona i tak może wyjść za Charlesa St. Johna albo...

– Ona jest moja. – Armand spojrzał na niego stanowczo i zrobił krok naprzód, aż stanął nos w nos z bratem. – I będę ją miał. Julien podniósł ręce.

– Dobrze już, dobrze. Skąd się u ciebie wziął taki ośli upór?

– Ona jest moja i będę ją miał. Dzisiaj się pobierzemy. Julien przeczesał palcami włosy.

– Ona jeszcze nawet się nie zgodziła...

– Zgodzi się.

– Nawet jeśli się zgodzi, to ślub dzisiaj nie jest możliwy. Armand odwrócił się i rzucił przez ramię.

– A więc postaraj się, żeby było możliwe. Te reguły – burknął jeszcze do siebie.

Felicity drżała. Nie była pewna, czy to przez chłód zimowego poranka, czy dlatego, że nie potrafiła zapomnieć wyrazu twarzy Armanda. Czemu Charles to zrobił? Czy chce pieniędzy już teraz? A może po przeczytaniu gazet pomyślał, że może dostać więcej?

– Wiem, co pewnie sobie myślisz – powiedział. Szedł obok niej raźnym krokiem, jego hebanowa laska w miarowym rytmie stukała o bruk, stuk, stuk.

– Doprawdy? – spytała lodowatym tonem.

– Oczywiście. Zastanawiasz się, dlaczego przyszedłem dziś rano i co mogło mną kierować, kiedy wyjawiłem nasze zaręczyny.

– Przyszło mi to do głowy. Właśnie miałam poprosić o zaliczkę...

Charles spojrzał na nią ostro.

– Mówisz to od tygodni, a mimo to wciąż nic nie dostałem.

216

– To delikatna rozmowa, a ja nie pracuję nawet miesiąca. Czekałam na odpowiedni moment.

Zatrzymał się i obrzucił ją zimnym spojrzeniem.

– Czy taki moment nie nastąpił zeszłej nocy? Czytałem, że hrabia wyszedł od lady Spencer, niosąc cię przerzuconą przez ramię. Może kiedy cię wynosił, mogłaś zacząć tę delikatną rozmowę.

– Mogę to wyjaśnić... – zaczęła. Ale czy naprawdę mogła?

Machnął ręką i ruszył dalej.

– Nie potrzebuję twoich wyjaśnień. Zobaczyłem wszystko całkiem wyraźnie dziś rano. Hrabia uważa, że należysz do niego. Cóż, tak nie jest, Felicity. Należysz do mnie.

– Nie, nie należę.

Odwrócił się gwałtownie i chwycił ją za ramię

– Och, ależ tak. Zgodnie z prawem należysz do mnie – w jego oddechu nie było czuć alkoholu, a jego opanowanie ją zaniepokoiło.

– Nikt mnie nie zmusi, żebym honorowała ten kontrakt – syknęła.

– Czy naprawdę trzeba cię do tego zmuszać? Mogę po prostu pójść do „Timesa" i zrujnować ci reputację, wywołać jeszcze większy skandal wokół de Valère'ów. Będą musieli cię oddalić. A wtedy, jakie będziesz miała inne wyjście, niż poślubić mnie? – To była jawna groźba. Zadba o to, żeby nie miała żadnych innych możliwości. – Chyba nie sądzisz, że hrabia naprawdę ożeni się z tobą? Córką prostego pastora.

Odwróciła się, by odejść, ale złapał ją za rękę i przytrzymał.

– Mam nadzieję, że on chce się z tobą ożenić. Wtedy zapłacą każdą sumę, żeby ten kontrakt przestał istnieć.

Raczej spaliłaby się ze wstydu, niż pozwoliła, żeby Armand zapłacił za nią Charlesowi. Nie chciała, żeby Armand się dowiedział – żeby ktokolwiek się dowiedział – iż płaci Charlesowi za zwolnienie jej z obietnicy małżeństwa. Że była do tego zmuszona, ponieważ ojciec zaręczył ją z pijakiem, kłamcą i hazardzistą. To było... takie upokarzające. Chciała zostawić ojcu... samej sobie... choć trochę godności.

– Nie zamierzam wychodzić za hrabiego.

Charles parsknął.

– Chcesz powiedzieć, że to on nie chce ciebie.

– Dlaczego to robisz? – spytała nagle. – Obiecałam ci pieniądze, a ty i tak nie chcesz się ze mną ożenić. Nigdy nawet na mnie nie spojrzałeś.

– Ale teraz patrzę – obrzucił ją przeciągłym spojrzeniem, od którego aż ciarki ją przeszły. – I podoba mi się to, co widzę. Podoba mi się dziwka hrabiego i myślę, że chciałbym spróbować, jak smakuje to, co dajesz temu idiocie za darmo.

– On nie jest idiotą.

Charles roześmiał się.

– Słyszałaś go? On mówi jak pięciolatek.

– Nie doceniasz go.

– Och, cały drżę – puścił ją, podszedł do ławki i oparł na niej nogę.

Felicity stała nieprzyjemnie blisko niego, czując ciężar upływających sekund. Przy Armandzie przywykła do ciszy. Przez większość czasu nie musieli wymieniać nawet słowa, mimo iż jej zadaniem było nakłonienie go do mówienia. Jednak w obecności Charlesa taka cisza była złowieszcza.

– Jeśli po ostatniej nocy de Valère'owie jeszcze nie byli gotowi cię wyrzucić, to teraz to zrobią.

– Ty o to zadbałeś.

– Nieprawdaż? Ale ty nie odejdziesz cicho. Zażądasz stu funtów za milczenie.

– Za milczenie? O czym?

Zmrużył oczy, patrząc na nią.

– O tym, co socjeta i tak już podejrzewa. Że hrabia de Valère jest potworem. Porwał cię, zgwałcił, pobił...

– To kłamstwo!

– Zamknij się! Ty tak powiesz, ale socjeta nigdy w to nie uwierzy, zwłaszcza jeśli zraniony narzeczony wyda oświadczenie i potwierdzi, że zostałaś zaatakowana i zhańbiona.

Pokręciła głową.

– Nie.

– Tak. Zażądasz pieniędzy i dasz je mi. A potem znajdziemy ci inną posadę. Twoje związki z de Valère'ami muszą być coś warte.

Wpatrywała się w niego z otwartymi ustami.

– Jesteś szalony.

Nachylił się ku niej tak blisko, że poczuła zapach jego perfum.

– Jestem sprytny.

– Teraz to się kończy, Charlesie. Nie będę dłużej twoim pionkiem.

Uśmiechnął się, jakby właśnie tego oczekiwał. Przyjrzał się swoim paznokciom.

– Jestem sprytny i jestem bezwzględny, Felicity. Czy wiesz, co się stanie, jeśli nie zrobisz, jak mówię?

Już otwierała usta, by powiedzieć, że nie dba o to, lecz zrezygnowała, przestraszona tym, co zobaczyła w jego oczach. Było w nich coś, czego nie widziała nigdy wcześniej. A może po prostu nigdy nie chciała przyglądać się dostatecznie dokładnie.

– Widziałaś dzisiejsze poranne gazety?

Zdezorientowana, pokręciła głową. Coś ściskało ją w gardle, a serce waliło, jakby chciało się wyrwać z piersi.

– A więc nie czytałaś notatki o kobiecie, której ciało znaleziono. To twoja znajoma, możesz mi wierzyć albo nie.

Zawirowało jej w głowie. O czym on mówi? Charles naprawdę oszalał.

– Moja znajoma? – Nie miała żadnych znajomych w Londynie. – Mówisz od rzeczy.

– Pamiętasz Celeste?

Pokręciła głową.

– Nie. Ja... – A jednak pamiętała. Kobieta z półświatka, z którą Charles był na Bond Street.

– Ach. Widzę, że pamiętasz – uśmiechnął się znowu. – Znaleziono ją martwą wczoraj rano. Zasztyletowaną.

Felicity poczuła, jak zimny dreszcz przeszedł jej wzdłuż kręgosłupa. Wzdrygnęła się i odwróciła wzrok.

– To nie ma nic wspólnego ze mną.

O Boże. Modliła się, żeby to nie miało nic wspólnego z Charlesem.

– Doprawdy? Nazywają to zbrodnią namiętności. Zazdrość jest rodzajem namiętności.

Zakręciło się jej w głowie i tylko patrzyła na niego z otwartymi ustami.

– Zazdrość? Ja nie byłam zazdrosna o tę kobietę i nie zabiłam jej.

– Oczywiście, że nie – wykonał szybki ruch końcem laski i błysnęło ukryte ostrze. – Ja to zrobiłem.

Zachwiała się. Cały świat zdawał się wirować. Rozpaczliwie szukając podpory, chwyciła oparcie ławki i powoli usiadła. Gdzieś daleko usłyszała śmiech Charlesa.

– Czyżbyś była wstrząśnięta?

Jego twarz przepłynęła jej przed oczami. Patrzyła na niego, nie mogąc powiedzieć ani słowa.

– Uwierzyłabyś, że to był wypadek? – parsknął, mówiąc niemal do siebie. – Ja raczej nie. Obawiam się, że jestem dość nerwowy.

Obrzucił wzrokiem Felicity.

– Nie chciałabyś zobaczyć, jak wpadam w zły humor, Felicity. Byłaś zazdrosna, ponieważ ona skradła ci narzeczonego. Przedostatniej nocy postanowiłaś się zemścić. Przyszłaś do mojego mieszkania, zastałaś ją tam i zamordowałaś. A potem namówiłaś tego idiotę hrabiego, żeby pomógł ci pozbyć się ciała. Tyle... że ciało zostało znalezione.

Brakowało jej tchu. Jakiś ciężar zgniatał jej płuca i nie potrafiła się od niego uwolnić.

– Nikt w to nie uwierzy – szepnęła.

– Doprawdy? Sądzę, że publika to łyknie – mlasnął ohydnie językiem. – Zazdrosna narzeczona, szalony hrabia, martwa dziwka. Prasa będzie zachwycona.

– Ale nie możesz tego udowodnić – w jej głosie zabrzmiała nuta histerii.

– A muszę? Ty będziesz zamknięta w Newgate. Może nawet w końcu cię uniewinnią. A może policja znajdzie świadków. Mogą znaleźć zakrwawiony nóż w ogrodzie hrabiego.

– Charles...

– Powieszą cię w Tyburn. Co wtedy powiesz gapiom, którzy tam przyjdą, Felicity?

Wpatrywała się w niego z obrzydzeniem, czując, jak wzbiera w niej nienawiść.

– Nienawidzę cię. Ja...

– Och, tak nie wzbudzisz współczucia – uśmiechnął się. – Teraz znasz moje warunki. Przyjmujesz je?

Przełknęła ślinę.

– Charles, nie mogę tego zrobić – nienawidziła błagalnego tonu w swoim głosie. – Nie mogę im grozić. Daj mi czas, a...

– Czas się skończył. Wrócę jutro. Musisz podjąć decyzję, kochanie – pogładził ją po policzku, a ona wzdrygnęła się z obrzydzenia. – Wyciągnij te pieniądze od de Valère'ów albo spędzisz resztę życia w Newgate. Tak czy inaczej hrabia, twój kochanek, jest zrujnowany.

Powiedziawszy to, odwrócił się i odszedł, zostawiając ją samą wśród bezlistnych drzew i pożółkłej trawy.

17

Armand siedział na łóżku Felicity, przyglądając się falbaniastej nocnej koszuli, którą zostawiła na kołdrze. Była biała i delikatna, z ozdobnymi łatkami, które miały dziurki. Armand pomyślał, że takie dziurki musiały być celowo zrobione, ponieważ widział u swojej matki chusteczki z brzegami z takiego samego dziurkowanego materiału. Podniósł nocną koszulę, zastanawiając się, jak wyglądałaby na Felicity.

Właśnie wtedy drzwi się otworzyły i usłyszał westchnienie.

– Jesteś tutaj.

Odłożył nocną koszulę i popatrzył na Felicity. Wciąż miała na sobie niebieskie okrycie, a pod nim jaśniejszą suknię z cieniutkimi białymi koronkami wokół szyi. Jej policzki były zaczerwienione, zapewne od panującego na zewnątrz chłodu, ale włosy miała nadal starannie ułożone. Lśniły w popołudniowym słońcu, przebijającym przez zasłony, które rozsunął. Otworzyłby też okna, ale obawiał się, że może być zbyt zimno.

Spojrzała na drzwi, gdzie jej ręka jeszcze spoczywała na klamce, a potem na niego. Zauważył wyraz niepewności na jej twarzy. Znajdując się tutaj, łamał reguły – wiedział o tym.

I nie przejmował się.

– Zamknij drzwi.

Tym razem nie oponowała. Zamknęła drzwi. Stała, patrząc na niego przez długą chwilę, po czym lekko drżącymi palcami zaczęła rozpinać płaszcz.

– Mam nadzieję, że nie czekasz zbyt długo – zsunęła płaszcz z ramion, podeszła do garderoby i otworzyła ją. – Nie spodziewałam się, że to będzie tak długo trwało. Poszliśmy na spacer.

Złożyła starannie płaszcz i odłożyła na półkę. Z jej powolnych, wystudiowanych ruchów wywnioskował, że jest wzburzona. St. John zdenerwował ją.

– Ty i twój mąż rozmawialiście.

Powoli zamknęła drzwi garderoby i odwróciła się do niego.

– On nie jest moim mężem. On i mój ojciec zawarli umowę.

Teraz on wstał z łóżka. Chwycił ją za ramię i obrócił przodem do siebie. Próbowała zaprotestować, lecz nie dał jej dojść do słowa. Jeśli o niego idzie, powiedziała już o wiele za dużo.

– Dlaczego mi nie powiedziałaś? Chcę, żebyś była moją żoną.

Zamknęła oczy.

– Nie – potrząsnął nią. – Nie traktuj mnie jak dziecka. Znam reguły, ale to, że postanowiłem je ignorować, nie czyni mnie dzieckiem. Będziesz moją żoną.

– Chciałabym, żeby to było możliwe – powiedziała cicho.

– To jest możliwe. Powiedziałem Julienowi, a on zgodził się wszystko przygotować.

Spojrzała na niego wyraźnie zaskoczona.

– Więc możesz zapomnieć o tej regule.

– To nie jest takie łatwe.

– Nie? Dlaczego nie? Bo St. John przyszedł tu dziś rano? On nie ma z nami nic wspólnego.

– Ma, Armandzie – strąciła jego rękę, a on, chociaż nie miał na to ochoty, puścił ją. – Mój ojciec i on zawarli umowę. Chcę, żeby sobie poszedł, ale… to skomplikowane.

– Więc poślubisz St. Johna.

Zasłoniła oczy rękoma i potarła.

– Nie. Nie poślubię, ale teraz, kiedy on wie, że ty i ja jesteśmy… związani, wszystko mi utrudni. Utrudni nam. Myślę, że będzie najlepiej, jeśli odejdę. Nie chcę wciągać twojej rodziny w skandal.

– Reguły?

Skinęła głową.

– Zeszłej nocy nie przejmowałaś się regułami. Żadna z nich nie miała znaczenia, kiedy moje usta były na twoich piersiach, a moje ręce na twoich udach. Nie miały znaczenia, kiedy leżałaś naga pode mną.

Na te słowa jej policzki przybrały intensywny odcień czerwieni, a Armand wiedział, że trafił w dziesiątkę.

– Jak to się nazywa – spytał – kiedy twoje policzki stają się czerwone?

– Rumieniec – odparła, unosząc rękę, by go dotknąć.

– Dlaczego się rumienisz, Felicity? Czy zapomniałaś, co zdarzyło się między nami? Zapomniałaś, że się kochaliśmy?

– Nie, nie zapomniałam, a ty masz prawo być na mnie zły. Nie powinnam była tego robić.

– Chciałem, żebyś to zrobiła. Chcę to zrobić znowu.

Zauważył, że wstrzymała oddech, przełknęła ślinę i przygryzła wargę. To interesujące, że słowa mogą mieć na nią aż taki wpływ. Zawsze przypuszczał, że tylko dotyk może wywołać taką reakcję. Może zbyt pochopnie zlekceważył słowa.

– Ja też cię pragnęłam, ale to było niewłaściwe, zważywszy moje zaręczyny z Charlesem. To było niewłaściwe, ponieważ powinnam wiedzieć, że jeśli pokażę się z tobą, to sprowadzi tutaj jego.

– Ale nadal mnie pragniesz.

– Tak… nie. Ja… muszę się zastanowić, co dalej robić. A nie mogę myśleć…

Już był przy niej i trzymał ją za rękę.

– Za dużo myślisz. Odpowiedź jest prosta. Wybierasz mnie czy jego? To pytanie, na które musisz mi odpowiedzieć.

Próbowała zabrać rękę, ale tym razem on nie puścił.

– Może nie wybiorę żadnego. Może w ogóle nie wyjdę za mąż. Kocham cię, ale to może nie wystarczyć.

– Kochasz mnie? – Armand ścisnął jej dłoń.

O ile pamiętał, słyszał te słowa tylko kilka razy, niemal zawsze od matki. I jeszcze raz, kiedy Julien i Sara nie wiedzieli, że jest w pokoju razem z nimi. Julien szepnął do Sary „kocham cię", a potem ją pocałował.

– Więc powinniśmy się pobrać – powiedział.

– Ludzie nie pobierają się dla samej miłości, Armandzie. To coś więcej. I tym razem nie wystarczy.

– Dlaczego?

Pokręciła głową i nagle posmutniała. Chwycił ją za rękę. Chciał mieć ją blisko siebie, sprawić, żeby była szczęśliwa.

– Czy ten Charles cię kocha?

Roześmiała się.

– Nie.

– Czy troszczy się o ciebie? – Pociągnął ją za rękę, by poczuła jego bliskość. – Czy przy nim czujesz się tak jak przy mnie?

– Nie – szepnęła.

– Więc oddaj się mnie – pochylił się, objął ją za szyję i pocałował. To nie był delikatny pocałunek. Nie miał dziś nastroju na delikatność. Wiedział, czego chce, i będzie to miał. Weźmie – niezależnie od tego, co ona zechce dać.

Wpił się ustami w jej usta i zaatakował je językiem, aż jęknęła i zarzuciła mu ręce na szyję, przyciągając go bliżej siebie. A wtedy jej język poszedł w jego ślady i Armand niemal zapomniał, że chciał odnieść zwycięstwo, i tylko poddał się radości, jaką dawała mu jej bliskość, dotyk jej ust i jej zapach. Przesunęła dłonią po jego ramionach i zatrzymała się na odsłoniętej skórze przy szyi. Jej druga ręka znalazła się pod jego rozpiętą koszulą i wzdłuż piersi sunęła do brzucha. Drgnął, kiedy dotknęła jego spodni.

– Pragnę cię – powiedział, zrywając delikatną białą koronkę z jej szyi i piersi. – Powiedz, że ty też mnie pragniesz.

Pochylił się ku jej szyi i całował ją, znajdując czułe miejsca. Przesunęła dłonią wzdłuż jego ramienia, on zaś znowu odchylił się do tyłu.

– Powiedz, że mnie pragniesz.

– Armandzie, nie sądzę, że powinniśmy…

– Kłamstwa. Twoje słowa to kłamstwa. Ale twoje ciało nie kłamie.

Szarpnął w dół rękawy i suknia zsunęła się, odsłaniając krągłości piersi. Zbliżył do nich usta, powiódł językiem po wypukłości, zagłębił się w dolinę między nimi.

– Powiedz, że mnie pragniesz – jego ręka rozluźniła wiązanie z tyłu sukni i zsunęła ją, pozwalając dostać się do kolejnej warstwy.

Rozległ się odgłos rozrywanej tkaniny i Felicity jeszcze raz stanęła przed nim niemal naga. W świetle dnia widział, że jest biała jak mleko. Jej sutki były ciemne i twarde jak jagody. Dotknął ich i potarł palcami. Odchyliła głowę.

Zaniósł ją do łóżka i położył. Zatrzymując się tylko na moment, zerwał przez głowę koszulę, a potem uwolnił swą męskość. Felicity obserwowała go spod wpółprzymkniętych powiek, jej pierś unosiła się i opadała, a wtedy on przywarł do niej całym ciałem i znowu wpił się w nią ustami.

Jej usta były tak słodkie. Nie mógł się nasycić, a ona żarliwie odwzajemniała jego pocałunki. Jego ręka znalazła się pod jej spódnicą i sunęła wzdłuż łydki, minęła kolano i udo, aż dotarła do trójkąta, którego szukała.

Była gorąca i wilgotna, i jego palce z łatwością wsunęły się do środka.

– Powiedz, że mnie pragniesz. – Spojrzał na jej zaczerwienione policzki, ciemnoniebieskie oczy i piersi unoszące się w przyspieszonym oddechu. Nie wiedział, czy czuje tę miłość, o której ona mówiła, ale przypuszczał, że to najbliższe temu uczucie, jak rozumie.

– Pragnę cię – szepnęła. – Pragnę cię, Armandzie. – Poruszał palcem, a ona przywarła do niego biodrami. – Potrzebuję cię. Kocham cię. Och, szybciej!

A wtedy znalazł się w niej i zapomniał zupełnie o zwyciężaniu, ponieważ Felicity należała do niego.

Każda cząstka jej ciała płonęła z pożądania. Chciała czuć jego usta na swoich ustach. Czuć jego dłonie na swoich piersiach – które tęskniły za jego dotykiem – i chciała czuć go w sobie. Na szczęście on już był w niej. Teraz zdała sobie sprawę, że wciąż jeszcze jest nieco obolała po poprzedniej nocy, lecz jej pożądanie było tak wielkie, że zapomniała o tym niewielkim dyskomforcie. Poruszał się w niej, jego pierś ocierała się o jej piersi, czuła jego usta przy swoim uchu i chciała zawołać „jeszcze". Nie przypuszczała, żeby kiedykolwiek mogła mieć dosyć tego – i dosyć jego.

– Felicity – szepnął, a ona przyciągnęła go jeszcze bliżej, czując narastającą rozkosz. Poruszył się znowu, niemal doprowadzając ją do szaleństwa, aż krzyknęła i wyszła mu na spotkanie. Poczuła jego spełnienie, poczuła, jak napręża się w niej i wreszcie nieruchomieje. Wbiła palce w jego plecy i przycisnęła go do siebie.

– Armandzie.

W tym momencie nie istniało nic oprócz ich dwojga. Nie było żadnego Charlesa, stu funtów, groźby skandalu i więzienia. Byli tylko oni dwoje, a Felicity pragnęła zatrzymać tę chwilę, aby trwała już zawsze. Lecz mgła rozkoszy powoli opadała i brutalny świat zaczął się znowu pojawiać przed nią.

Armand oparł się na łokciach i patrzył na nią; jego kobaltowe oczy stały się tak niewiarygodnie ciemne, że pomyślała, iż mogłaby w nich utonąć. I to jego spojrzenie. Żaden mężczyzna nigdy nie patrzył na nią w taki sposób i zapewne żaden nie będzie już tak patrzył.

– Jesteś moja – powiedział, nie odrywając od niej wzroku. – Moja.

Westchnęła i wysunęła się spod niego. Przesunął się na bok, a Felicity poprawiła suknię i podciągnęła gorset. Za drzwiami usłyszała kroki przechodzącej pokojówki. Niech to! Mogła sobie tylko wyobrazić, jak czułaby się zakłopotana, gdyby ktokolwiek ich teraz zobaczył. Czy w ogóle pomyślała o zamknięciu drzwi?

– Armandzie – powiedziała, odwracając się do niego.

Aż wstrzymała oddech. Był tak niewyobrażalnie pociągający. Siedział nagi i zupełnie niezawstydzony; ciało miał zaskakująco muskularne jak na kogoś, kto tyle lat spędził w więzieniu. Włosy sięgały mu aż do ramion. Miała ochotę wsunąć palce w jego loki i uporządkować je. Ale pozbawiłaby go tego rozpustnego wyglądu. A z takim zamglonym spojrzeniem, pełnymi wargami i nieogoloną szczęką wyglądał naprawdę imponująco. Każda kobieta omdlałaby z zachwytu.

Musi być silna.

– Armandzie – powiedziała, tym razem bardziej stanowczo.

Spojrzał na nią i uśmiechnął się leniwie. Widząc ten uśmiech, zapragnęła znowu rzucić mu się w ramiona.

Ale nie zrobi tego.

– Rozumiem, że chcesz się ze mną ożenić.

– Julien to zorganizuje. Potem wyjedziemy do Southampton. Tam będziesz bezpieczna.

Ale ona nie będzie bezpieczna w Southampton. Charles znajdzie ją i tam. I tam dosięgną ją jego oskarżenia. Nigdy nie była tchórzliwa, ale wszystkie instynkty podpowiadały jej, by uciekała przed Charlesem i ukryła się gdzieś, gdzie nigdy jej nie będzie mógł znaleźć.

To zaś oznaczało opuszczenie Armanda.

– Nie mogę teraz myśleć o małżeństwie – powiedziała.

Ale im dłużej na niego patrzyła, tym bardziej pragnęła, żeby to było możliwe. Jak by to było, budzić się każdego ranka u boku tego mężczyzny? Każdej nocy móc patrzeć w te kobaltowe oczy? Dotykać jego ciała zawsze, kiedy tego zapragnie...

Lepiej o tym nie myśleć.

Patrzył na nią ponuro.

– Odmawiasz mi?

– Tak.

Wstał i oparł ręce na biodrach.

– Naprawdę, powinieneś coś na siebie włożyć – powiedziała, odwracając się, aby jego widok jej nie rozpraszał. – Nie odmawiam. Mówię tylko, że potrzebuję czasu do namysłu. Tak dużo się wydarzyło. I tak szybko. Potrzebuję czasu, żeby zebrać myśli i rozważyć możliwości.

Musiała wymyślić jakiś sposób, żeby uciec przed Charlesem, wydobyć się z tych kłopotów. Nie pozwoli mu skrzywdzić Armanda. Charles może zranić ją, ale ona ochroni Armanda.

Armand stanął tuż za nią i położył jej ręce na ramionach. Czy jest nagi? Oczywiście, że jest! Jak ma z nim poważnie rozmawiać, kiedy jest nagi?

– Za dużo myślisz, Felicity. Za dużo mówisz. Pragniesz mnie. Przyznaj to i pobierzmy się.

– Pragnę cię – powiedziała, ponieważ była to prawda, której nie dało się zaprzeczyć. – Ale potrzebuję czasu, żeby uporać się z Charlesem i naszymi zaręczynami.

Skinął sztywno głową, z zaciśniętymi zębami.

– Nie zamierzam cię błagać.

– Nigdy cię o to nie prosiłam. Proszę tylko, żebyś dał mi czas. Czas na obmyślenie jakiegoś planu, znalezienie wyjścia.

– A jeśli nie mamy czasu? Marius i jego syn wrócą. Wiedzą, że ja jestem kluczem do skarbu. Nie spoczną, dopóki go nie zdobędą.

– Marius? Tak się nazywa ten mały człowiek?

Przez moment sprawiał wrażenie zaskoczonego, jakby ta informacja była dla niego czymś nowym. Może była.

– T-tak... właśnie sobie przypomniałem. Syn... nie pamiętam...

– Wszystko w porządku. Przypomnisz sobie. Potrzebujesz tylko czasu. A kiedy będziesz wiedział, jak się nazywają, możesz pójść na policję. Tych ludzi trzeba aresztować.

Pokręcił głową, a widząc wyraz jego twarzy, poczuła się jak dziecko.

– Myślisz, że to takie proste?

– Nie wiem, ale wiem, że twój brat jest wpływowym człowiekiem. Być może on będzie wiedział, co zrobić.

– Jest coś, co my możemy zrobić. Stawimy czoło tym ludziom i zabijemy ich.

Spojrzała na niego ze zgrozą i cofnęła się o krok.

– Nie sądzę...

– To dla mnie jedyny sposób, żeby być wolnym. Kiedy wrócą, Julien i ja zabijemy ich. Ale chcę, żebyście ty, *ma mère* i Sara były wtedy daleko stąd.

Felicity spuściła wzrok i zdała sobie sprawę, że nerwowo wykręca palce.

– Czy mówiłeś matce i księżnej, że chcesz, żebyśmy wyjechały?

– Nie. Ale już podjąłem decyzję.

Oczywiście, że podjął. Po cóż przejmować się rozmową z innymi? To był tylko jeden z konwenansów, które nie miały dla niego żadnego znaczenia.

– W takim razie przypuszczam, że najlepiej będzie, jeśli i ja jak najszybciej podejmę decyzję.

Ale już ją podjęła. Została w swojej sypialni przez całą noc, wdzięczna, że rodzina hrabiego zostawiła ją samą sobie. Aż do rana chodziła po pokoju, starając się znaleźć jakieś wyjście z opresji. Obie propozycje Charlesa były dla niej nie do przyjęcia: ani oskarżenie Armanda o gwałt, ani stanięcie przed sądem pod zarzutem morderstwa.

Mogłaby uciec, ale czy będzie się już zawsze ukrywać?

A jeśli uda jej się zdobyć sto funtów, nie oskarżając Armanda? Mogłaby poprosić księcia. On dałby jej pieniądze. Ale jeśli zdobędzie tę sumę, to czy Charles nie zażąda więcej? Ten koszmar nigdy się nie skończy, chyba że…

Chyba że nie dałoby się jej szantażować. Nie chciała być oskarżona o morderstwo, ale to było jedyne wyjście. Może zwrócić się do władz i wyznać im prawdę. Opowie im, co mówił Charles, i o tym, jak chciał zastawić na nią pułapkę; jeśli jej nie uwierzą i postawią przed sądem – cóż, trudno. To nie ustrzeże Armanda przed skandalem. W końcu oni dwoje byli ze sobą związani, ale przynajmniej nie będzie oskarżony o udział w morderstwie. Możliwe jednak, że siebie w ten sposób nie ocali.

Myśl o więzieniu budziła w niej lęk; myśl o powieszeniu przerażała. Jednak Armand spędził wiele lat w więzieniu i przetrwał. Być może jej też się uda.

Czy ma jakieś inne wyjście?

Kiedy nadszedł ranek, jeszcze raz przeanalizowała swój plan, po czym stanowczym krokiem udała się do gabinetu księcia. Chciała porozmawiać z nim i z Armandem, przedstawić im swój plan i poprosić o wsparcie. Chciała wszystko wyjaśnić, zanim przyjdzie Charles.

Lecz lokaj poinformował ją, że w domu nie ma nikogo prócz księżnej, która źle się poczuła. Felicity przeklinała w duchu swoje niezdecydowanie. Teraz będzie musiała czekać, aż wrócą, zanim pójdzie na policję. Miała nadzieję, że Charles nie przyjdzie pierwszy. Poleciła lokajowi pod żadnym pozorem nie wpuszczać St. Johna i poszła do ogrodu czekać na Armanda. Wiedziała, że przyjdzie tam natychmiast po powrocie.

Pogoda była chłodna i wietrzna. Niebo poszarzało i zanosiło się na deszcz. Owinęła się szczelniej płaszczem i spacerowała. W końcu skierowała się do altany. Wspomnienia o chwilach, które spędziła tam z Armandem, sprawiały, że robiło się jej cieplej.

Usłyszała kroki i odwróciła się, przypuszczając, że zobaczy Armanda. Ale oddech uwiązł jej w gardle.

Charles uśmiechnął się.

– Myślałaś, że możesz mnie unikać.

– Nie. Ja…

– Powiedziałaś lokajowi, żeby mnie odprawił.

– Ja… – Myśl, Felicity. – Nie mam jeszcze pieniędzy. Czekam, aż książę wróci z pieniędzmi.

Wycelował w nią swoją laską, a ona nie mogła nie myśleć o ukrytym ostrzu.

– Chodźmy na spacer.

– Pogoda nie sprzyja spacerom. – Rzeczywiście zaczął padać zimny deszcz. – Może wejdziemy do domu księcia? Możemy się napić herbaty.

Przeklinała samą siebie za to, że zapuściła się aż do altany. Stąd nawet nie widziała domu.

– Nie obchodzi mnie pogoda. – Wiatr rozwiewał jego płaszcz. – Idziesz ze mną.

Pomyślała, że powinna zacząć krzyczeć, jednak bała się, że mógłby ją zranić, zanim ktokolwiek zdążyłby do niej dobiec. Ale kiedy znajdą się na ulicy, inni ludzie ją zobaczą. Będzie mogła uciec, poprosić o pomoc.

Skierowała się do wyjścia z ogrodu, Charles poszedł za nią. Wyszli boczną furtką, lecz na ulicy nie było nikogo. W czasie deszczu ludzie woleli zostać w domach, ale Felicity wiedziała, że wcześniej czy później ktoś się pojawi. Musiała tylko czymś zająć Charlesa przez kilka minut.

Charles odwrócił się do niej.

– Gdzie są pieniądze?

Serce jej waliło, starała się zapanować nad głosem i oddychać spokojnie.

– Ja... powiedziałam ci. Książę je ma. Jeśli możemy zaczekać w domu...

– Na to już jest za późno – powiedział, a ona zdrętwiała z przerażenia. Stała tyłem do ulicy, a teraz rozejrzała się na boki, mając nadzieję, że zobaczy kogoś, kto mógłby jej pomóc.

– Co masz na myśli? – spytała. Jeszcze tylko chwila, może dwie... Z pewnością nadjedzie jakiś powóz...

Czekała, aż Charles powie coś... cokolwiek, ale on milczał. To było dziwne milczenie. Nie patrzył na nią, jakby był myślami gdzie indziej.

– Charles – rzekła, kiedy wciąż się nie odzywał.

Zerknął na nią, ale szybko odwrócił wzrok. Nie wiedziała, jakiej reakcji się spodziewała, ale z pewnością nie takiej. Dlaczego nie wybuchnął? Czemu nie zaczął jej grozić?

Ciszę przerwały odgłosy miasta – gdzieś dalej jakiś uliczny sprzedawca zachwalał swój towar, dzwoniły kościelne dzwony i zbliżał się stukot końskich kopyt.

Dzięki Bogu!

Odwróciła się, żeby zawołać o pomoc, ale krzyk zamarł jej w gardle. Powóz zatrzymał się i wysiadł z niego mały człowieczek – Marius, o którym wspominał Armand. Próbowała krzyczeć, rzucić się do ucieczki, ale Charles złapał ją, ktoś jej narzucił na głowę płócienny worek i świat spowiła ciemność.

18

Dziękujemy za pańskie usługi, monsieur. Teraz może pan odejść.

– Dziękuję, ale chciałbym się upewnić, że nic jej nie grozi.

Felicity zamrugała, wciąż pogrążona w ciemnościach. Leżała na czymś twardym i zimnym. Och, jak bolała ją głowa. Ciemność wirowała i Felicity domyśliła się, że musiała o coś uderzyć głową, upadając. Próbowała odetchnąć głęboko, ale dusił ją gruby materiał.

– Nie przejmował się pan tym, kiedy się umawialiśmy. Dostał pan swoją zapłatę. Pańskie zadanie, monsieur, zostało wykonane.

– Co zamierzacie z nią zrobić?

Rozpoznała głos Charlesa i wiedziała, że mówią o niej. Zebrała siły, by usiąść, zacząć krzyczeć, ale ciemność zawirowała jeszcze szybciej.

– Ta informacja nie jest częścią naszej umowy – tego głosu nie znała, ale mówił z silnym francuskim akcentem. – A teraz, *au revoir*. Nie chciałby pan, żebym stał się nieprzyjemny.

Felicity wzdrygnęła się, gdy części układanki zaczęły do siebie pasować. Ten mały człowieczek, Marius, i jego syn. Charles oddał ją w ich ręce, a teraz ją zostawi, pozwoli im zrobić cokolwiek wymyślą, żeby dopaść Armanda i skarb. Może sądzą, że ona wie coś o skarbie.

A może po prostu zamierzają ją zabić. Co było napisane na cegle? Zniszczymy cię.

– Powinnaś była mi zapłacić, Felicity – usłyszała głos Charlesa. Stawał się coraz cichszy i zdała sobie sprawę, że gdzieś ją prowadzą. Dokąd? Gdzie się znalazła? Nie była już na zewnątrz. Zabrali ją do jakiegoś pomieszczenia. Leżała na jakiejś podłodze. – Nie chciałem, żeby do tego doszło – powiedział Charles.

Nienawidziła go, ale równocześnie chciała krzyknąć, błagać go, żeby nie zostawiał jej samej z tymi ludźmi. Jak mógł jej to zrobić? To było coś znacznie gorszego od żądania pieniędzy. Czyżby ją sprzedał? Charles by tego nie zrobił, prawda?

– *Chérie*… – cichy głos rozległ się tuż przy jej uchu. Nawet przez grube płótno czuła jego ciepło i smród.

Znieruchomiała, udając, że nadal jest nieprzytomna.

– Wiem, że mnie słyszysz, *chérie*. Twój przyjaciel już sobie poszedł.

Felicity zacisnęła oczy. Musiała obmyślić jakiś plan ucieczki. Charles odszedł, a nawet gdyby tu był, i tak by jej nie pomógł. Nie wiedziała, jak się tu znalazła. Ale skoro już była w opałach, musiała znaleźć drogę powrotu na Berkeley Square. Powie Armandowi i jego bratu, gdzie ukrywa się Marius. Razem pójdą na policję.

Nagle zdjęto jej z głowy płótno i zamrugała oślepiona światłem. Świat znowu zawirował, ale po chwili udało jej się skupić wzrok. Marius trzymał świecę i kucał obok niej, syn stał za nim, trzymając worek.

– Ach, tak. Jesteś piękna. Rozumiem, dlaczego mu się podobasz. Jak się nazywasz?

Patrzyła na niego, zaciskając usta. Nie zamierzała rozmawiać z tymi przestępcami. Nie dostarczy im żadnych informacji. Nie patrząc na nich, rozejrzała się po otoczeniu.

Była w jakimś domu, w czymś w rodzaju salonu. Miejsce wyglądało na opuszczone. Meble były przykryte białym materiałem, w oknach wisiały ciężkie zasłony. Ale natychmiast zauważyła, że drzwi do salonu są otwarte. Gdyby jej się udało wymknąć porywaczom i dobiec do frontowych drzwi, mogłaby się wydostać na ulicę. Nie znała drogi do domu de Valère'ów, ale zawsze mogła zatrzymać dorożkę. Modliła się, żeby wciąż byli w Londynie. Muszą być w Londynie. Nie mogła długo być nieprzytomna…

– Nie odpowiadasz? – Marius pochylił się bliżej, jego cuchnący oddech musnął jej policzek. – Ach, oczywiście. Cóż za niedopatrzenie z mojej strony. Nie przedstawiłem się – ukłonił się szyderczo. – Jestem Marius, a to mój syn Claude. Jesteśmy starymi przyjaciółmi twojego kochanka, hrabiego de Valère. Może wspominał ci o nas?

Wpatrywała się w drzwi. Claude jest tak wielki i niezgrabny, że jeśli będzie dostatecznie szybka, może jej się udać go ominąć. Marius jest mniejszy i zapewne zwinniejszy, ale już niemłody.

– Myślisz, że możesz uciec, *chèrie*?

Zerknęła na niego i zauważyła sprytny uśmieszek. Jego zęby były ostre, jakby je spiłował.

– Nie uciekniesz. Mamy pewne plany związane z tobą – dał znak Claude'owi, który zbliżył się ociężale i bez najmniejszego wysiłku, jakby brał do ręki kociaka, podniósł ją z podłogi i postawił. – A teraz powiesz mi, jak się nazywasz, czy Claude ma cię o to spytać?

Spojrzała na Claude'a, który zacisnął pięści, aż trzasnęły kości. Czuła, że woli, aby Claude nie zadawał jej żadnych pytań.

– Felicity Bennett – jej głos był zachrypnięty i piskliwy, ale przynajmniej nie drżał tak jak całe jej ciało.

– *Merci*, mademoiselle Bennett. Czy wolno mi spytać, dlaczego mieszka pani z księciem de Valère i jego rodziną?

Tuzin odpowiedzi przemknął jej przez głowę. Czy powinna powiedzieć prawdę? A jeśli powie, to czy skrzywdzi tym Armanda? Ale co będzie, jeżeli Marius domyśli się, że skłamała? Jeszcze raz zerknęła na Claude'a i przyjrzała się jego pięściom, wielkości bochenków chleba.

– Jestem służącą. Zostałam zatrudniona jako nauczycielka hrabiego de Valère.

– Więc tak to się dzisiaj nazywa? – Marius uśmiechnął się i spojrzał na syna. Wyglądali, jakby to był jakiś zrozumiały tylko dla nich żart. – Widzieliśmy was w ogrodzie dwie noce temu. To była interesująca lekcja.

Felicity wzdrygnęła się z odrazy. Na myśl o tym, że ci dwaj byli świadkami tak prywatnych i intymnych chwil jej i Armanda, zrobiło się jej niedobrze.

– Ale ja sądzę, że zostałaś zatrudniona, żeby nauczyć hrabiego mówić. Słyszeliśmy, że poczynił postępy, i jesteśmy ci za to wdzięczni. Chcemy, żeby z nami porozmawiał, a ty nam w tym pomożesz.

Felicity przełknęła ślinę.

– Jak mam to zrobić?

– Odbędziesz z nami krótką podróż, mademoiselle. Do Francji.

Jeszcze nie skończył mówić, gdy pokręciła głową.

– Anglia i Francja prowadzą wojnę. Nie można między nimi podróżować.

Marius uśmiechnął się pobłażliwie, jak mógłby się uśmiechać do dziecka.

– Nie obchodzą mnie wojny i polityka. Interesuje mnie tylko skarb. Myślę, że już wiesz, iż nic nam nie stanie na drodze. Czekaliśmy całe lata, żeby go zdobyć, tylko po to, by zobaczyć, jak hrabia wymyka nam się z rąk. Za to zapłaci książę de Valère.

Claude roześmiał się i rozprostował palce. Marius odwrócił się do niego.

– Ale jeszcze nie teraz. Najpierw musimy zdobyć skarb i hrabiego.

– Hrabia nawet nie wie, że zniknęłam. Nie było go w domu, kiedy wyszłam z panem St. Johnem.

– Och, nie obawiaj się, mademoiselle. Znajdzie cię, albo sam, albo z pomocą brata. De Valère'owie bywają bardzo zaradni. A kiedy zwabimy ich do Francji, oddadzą nam skarb.

– Oni nie mają tego skarbu.

– A więc go znajdą. A wiesz dlaczego? – pochylił się bliżej, a Felicity cofnęła się z odrazą. – Ponieważ jeśli nie znajdą, Claude cię zabije.

Felicity wzięła głęboki oddech i poczuła, jak robi się jej zimno. W oczach Mariusa wyczytała, że nie żartuje. Zabiją ją, jeśli Armand nie zdobędzie dla nich skarbu.

– Claude, spakuj nasze rzeczy. Zabierzemy mademoiselle Bennett na statek.

– Poczekaj – chwyciła Mariusa za rękaw, teraz już przerażona. Nie chciała znaleźć się na statku z tymi ludźmi. Nie wątpiła, że jeśli opuści Anglię, nigdy już nie wróci. Lepiej zostać tutaj najdłużej, jak to będzie możliwe. Musi myśleć szybko, znaleźć jakiś sposób, żeby ich zatrzymać.

– Spędziłam kilka tygodni z Armandem... z hrabią. On niewiele pamięta z tego, co działo się wcześniej. Zablokował te wspomnienia. Nie sądzę, żeby wiedział, gdzie jest skarb. Nawet jeśli kiedyś wiedział, już tego nie pamięta.

– Więc musimy pobudzić jego pamięć.

– A jeśli nigdy tego nie wiedział? – mówiła teraz szybko, słowa same cisnęły się jej na usta. – Jeśli nigdy nie wiedział nic o tym Skarbie Szesnastego?

Marius zatrzymał się i uśmiechnął do niej, po czym wyciągnął kieszonkowy zegarek, spojrzał na niego i skinął głową.

– Czy wie pani, dlaczego został zamknięty w więzieniu?

– Nie. Nie sądzę, żeby on to pamiętał.

Marius pokręcił głową.

– Umysł to skomplikowany instrument, nieprawdaż, Claude? – Claude uśmiechnął się i wzruszył ramionami. Marius wskazał jej ręką sofę, której płócienne przykrycie leżało na podłodze. – Proszę, usiądź. Mamy jeszcze kilka chwil, zanim będziemy musieli się stąd wynosić.

Felicity zrobiła, jak powiedział, nie dlatego, że chciała usiąść, ale ponieważ to opóźniało ich odejście. Teraz musi szybko myśleć. Jak może uciec? A jeśli ucieczka nie jest możliwa, to musi ostrzec Armanda. On ją uratuje. Nie wątpiła w to.

– Kiedy pierwszy raz zobaczyłem hrabiego, był brudnym, chudym ulicznikiem – powiedział Marius. – Przynajmniej na takiego wyglądał. Ale ja mam pewien talent, mademoiselle. Potrafię zajrzeć głębiej i widziałem, że on nie jest żadnym wieśniakiem. Codziennie przychodził do więzienia. Zadałem sobie pytanie, po co taki urwis miałby tam przychodzić? Odpowiedź była prosta. Ktoś, kogo zna albo kocha, jest wewnątrz. A w tym więzieniu siedzieli tylko arystokraci, mademoiselle.

– Więc domyśliłeś się, że jest synem arystokraty.

– Właśnie. Wtedy arystokraci nie cieszyli się popularnością. To były ciężkie czasy. Cena bochenka chleba mogła doprowadzić człowieka do ruiny. Ale mały arystokrata... okup za niego pozwoliłby nam kupić chleb i wino.

Na jej twarzy musiał pojawić się wyraz obrzydzenia, ponieważ Marius pokręcił głową i roześmiał się.

– Takie były czasy, mademoiselle. Nie spodziewam się, że to zrozumiesz. Ale kiedy już prawie go miałem, moje wysiłki zostały udaremnione.

– Dwaj Jacques'owie – szepnęła.

Skinął głową.

– Tak. Widzisz, hrabia jednak coś pamięta. Tak, dwaj Jacques'owie zabrali go, chronili, stał się jednym z nich.

– Dlaczego?

– Jak sądzę, przypuszczali, że może być dla nich użyteczny. Zapewne przydał im się jako chłopiec na posyłki. Był inteligentnym dzieckiem. W każdym razie udało mu się uciec przede mną i przekonał obu Jacques'ów, że jest niemową. Chyba uznali, że ich sekrety są przy nim bezpieczne.

– Jakie sekrety? – musi zadawać pytania. Musi skłonić go do mówienia.

Skinął głową z uznaniem.

– Nieźle, mademoiselle. Szybko kojarzysz. Sekret Skarbu Szesnastego. Jacques'owie chcieli go zdobyć. Cały Paryż chciał go zdobyć, ale większość uważała, że to tylko legenda. Wydawał się zbyt wielki, żeby mógł być prawdziwy.

– Co to było?

Odpowiedzi udzielił nie Marius, ale postać, która pojawiła się w drzwiach za nim.

– Zaginiony królewski skarb Ludwika Szesnastego.

– Armand!

Marius zerwał się na równe nogi, ale Claude już szedł ku niemu. Armand spokojnie uniósł rękę.

– Jestem sam, nieuzbrojony. Ale wciąż pamiętam, jak się walczy – posłał znaczące spojrzenie Claude'owi, który popatrzył na ojca, czekając na instrukcje.

– Zostaw go – powiedział Marius. – Na razie.

Usiadł obok Felicity, która nie mogła oderwać wzroku od Armanda. Zupełnie jakby spadł z nieba. W jednej chwili go tu nie było, a w następnej już był. Jak ją znalazł? Czy Charles wrócił i mu powiedział? Aż się roześmiała, tak absurdalna wydała się jej ta myśl. Charles wziął swoje pieniądze i poszedł prosto do jakiejś jaskini hazardu.

Armand musiał zobaczyć ją w ogrodzie z Charlesem i przyszedł tutaj, śledząc ich. Dzięki Bogu.

Armand spojrzał jej w oczy i natychmiast odwrócił wzrok. Były teraz ciemne jak kobalt i Felicity aż przełknęła ślinę, widząc, jak nieswojo się czuje. Wiedziała, że Armand nie chce tutaj być, nie chce rozmawiać o swojej przeszłości w takich okolicznościach. Ale zrobił to – dla niej.

Ogarnęła ją fala miłości, ale wolała, żeby Marius i jego syn tego nie zauważyli, więc spuściła wzrok. Nie chciała dostarczyć im niczego, co mogliby wykorzystać przeciwko Armandowi.

– Sporo czasu minęło, odkąd się ostatni raz widzieliśmy, monsieur – powiedział Marius.

Mówił po francusku i Felicity, która na lekcjach francuskiego zawsze oddawała się rozmyślaniom o niebieskich migdałach, musiała się mocno skoncentrować, żeby wszystko zrozumieć.

– Zbyt krótko. – Armand oparł się ostrożnie o ścianę i gdyby Felicity nie widziała go zaledwie kilka tygodni wcześniej, dzikiego i nieumiejącego mówić, nie uwierzyłaby, że to ten sam człowiek.

Nie miał krawata, a długie włosy opadały mu swobodnie na ramiona, ale włożył płaszcz i buty do konnej jazdy. Szyję miał odsłoniętą, kołnierzyk koszuli rozpięty, przez co sprawiał wrażenie niedbałego arystokraty.

– Miałem nadzieję, że pańska przyjaciółka – Marius wskazał ręką na Felicity – sprowadzi pana do nas. Ale nie liczyłem na tę przyjemność tak szybko.

– A więc macie mnie tutaj – powiedział Armand, przyglądając się swoim paznokciom, jakby cała ta sytuacja była dla niego wyjątkowo nudna. – Co chcecie wiedzieć?

– Chyba nie muszę odpowiadać na to pytanie, monsieur. Chcę tego, czego chce cały Paryż. Skarbu Szesnastego.

– A co was skłania do przypuszczenia, że wiem, gdzie on jest? Nikomu jeszcze nie udało się go znaleźć. Już od ponad tuzina lat.

– Jacques'owie wiedzieli, gdzie jest.

Armand wzruszył ramionami.

– Nie znaleźli go.

Marius zerwał się na równe nogi; całe jego małe ciało trzęsło się, choć Felicity nie była pewna, czy z podniecenia, czy z wściekłości.

– Nigdy nie mieli okazji…

– To wasza zasługa – spojrzał znacząco na Claude'a. – Wy ich zabiliście. Jaka szkoda, że nie wiedzieliście, iż uwięzili mnie… dla ochrony przed wami.

– Szukałem pana we wszystkich więzieniach w kraju. Na łapówki dla policjantów wydałem małą fortunę. I szukałem pana w Le Grenier. Nie mogłem uwierzyć, kiedy się dowiedziałem, że pański brat tam pana znalazł.

– Musieliście przekupić niewłaściwego urzędnika. Albo wtedy, kiedy pytaliście, nikt o mnie nie pamiętał.

– Mogę pana zapewnić, monsieur, że ja nigdy nie zapomniałem. A teraz wracamy do Le Grenier. Myślę, że coś tam pan zostawił, nieprawdaż?

Spojrzenie Armanda pociemniało, ale jeśli myśl o powrocie do więzienia go zaniepokoiła, nie dał tego po sobie poznać.

– Zgadzam się wrócić z wami. Ale panna Bennett zostaje tutaj.

– Och, ma mnie pan za głupca, monsieur? Sądzi pan, że zostawimy tutaj jedyne, co wiąże pana ze mną? Ona jedzie z nami, a jeśli nie da nam pan tego, czego chcemy, umrze.

Armand miał ochotę złapać małego człowieczka za gardło i ścisnąć, aż oczy wyjdą mu na wierzch i zaczną krwawić. Miał ochotę wyjąć ostry nóż, który ukrył w bucie, i wbić Mariusowi w brzuch. Ale musiał sobie przypomnieć, że to nie ci dwaj umieścili go w więzieniu, lecz Jacques'owie. Marius chciał tylko tego samego, co wszyscy inni – skarbu.

Bogactwo, majątek, prestiż. Ludzie są gotowi zabić, żeby je zdobyć. Ci dwaj zabili.

Armand nie był pewien, czy skarb w ogóle istnieje. Wiedział tylko, że dla skarbu zostało poświęcone jego życie, i to mu wystarczyło. Nie pozwoli, żeby życie Felicity zostało również złożone na ołtarzu chciwości.

Ale kiedy Marius siedział obok niej, a jego tępy syn stał zaledwie kilka stóp dalej, gotów w każdej chwili skręcić jej kark, Armand nie miał innego wyjścia, jak tylko zgodzić się na ich warunki.

Na razie. Potem uwolni ją i…

Sam nie wiedział, co dalej. Zabije Mariusa i Claude'a? Wróci z nimi do Le Grenier? Będzie szukał skarbu? Nie zależało mu na pieniądzach, ale po tych wszystkich latach zastanawiał się, czy był uwięziony za nic. Zastanawiał się, czy jego podejrzenia mogą się potwierdzić.

– Doskonale – rozłożył ręce w geście, który zaobserwował u swego brata, geście charakterystycznym dla ojca. – Jestem do waszej dyspozycji.

Ledwie wypowiedział te słowa, zapakowano ich do powozu i powieziono przez miasto. Już czekał na nich statek; mały, szybki statek, który przy sterze miał człowieka wyglądającego, jakby niejedno gardło już poderżnął.

Pirat, pomyślał Armand. Czytał o nich w książkach. W czasie wojny piraci sami nazywali siebie korsarzami i zarabiali fortunę. Zastanawiał się, ile Marius zapłacił temu człowiekowi, żeby w środku nocy przewiózł ich przez kanał. Zastanawiał się też, czy uda się to zrobić.

Nie żeby martwił się o siebie. Nie przejąłby się, gdyby sam skończył na dnie morza, ale nie może stracić Felicity. Trzymał się blisko niej, kiedy wsiadali na pokład statku, starając się ją osłaniać przed oczami załogi. Ale, co dziwne, nikt nie patrzył na nią. Oczy wszystkich były utkwione w nim.

Kapitan, który zapewne miał około pięćdziesiątki, ale wyglądał na siedemdziesiąt lat, podszedł niespiesznie do niego.

– Zwę się Wiggin. Tak się przynajmniej przedstawiam – wyciągnął rękę, a Armand spojrzał zdziwiony. Czy powinien ją ucałować?

Po chwili Wiggin cofnął rękę.

– Wyglądasz pan jak ktoś, kogo znałem. Może nadal znam. Jak się pan nazywasz?

– Armand Harcourt.

– Francuz? – Wiggin uniósł brwi. – On też. W każdym razie był, kiedy go ostatnio widziałem. Ale pewnie już nie żyje.

– To wszystko jest bardzo interesujące – przerwał Marius. – Ale chcielibyśmy już ruszać…

– Jak on się nazywa?

– Mówią na niego Kapitan Kord. Ale to chyba nie jest jego prawdziwe nazwisko – spojrzał na Armanda, mrużąc oczy. – Słyszałem, jak kwatermistrz nazwał go Bastien. Ale może powiedział Bastard. Byłem wtedy wstawiony.

Armand poczuł ucisk w gardle, lecz starał się nie okazać żadnych emocji.

– Zdaje się, że to pirat. Jak go mogę poznać?

Wiggin pokręcił głową.

– Proste. Wyglądasz pan dokładnie jak on.

– Dosyć już tej pogawędki – wtrącił się znowu Marius.

Wiggin dał znak jednemu ze swoich ludzi.

– Zabierz tych czworo na dół. Pokaż im miejsca. Ruszamy z odpływem.

Marius wyszedł na pokład, zostawiając Claude'a, by pilnował Armanda i Felicity. Wielki mężczyzna stanął w drzwiach do kajuty kapitana z rękoma skrzyżowanymi na piersi, nie spuszczając ich z oka. Armand stał przy oknie, wpatrując się w zapadający zmrok, a Felicity siedziała na koi z rękoma na kolanach. Starał się zachować kamienną twarz, ale w duchu miał ochotę krzyczeć. Zamknięty w tej ciasnej kajucie czuł się jak na torturach. Ledwie mógł oddychać i musiał zebrać całą silę woli, żeby nie rzucić się na Claude'a i nie wybiec na pokład.

Potrzebował świeżego powietrza. Potrzebował światła. Potrzebował wolności.

Spojrzał na Felicity, która siedziała spokojnie, zerkając na niego co chwilę z ufnością w oczach. Nie mógł jej zostawić, choć instynkt podpowiadał mu, by się ratował. Ta kajuta go nie zabije, a on wolał być z nią niż gdziekolwiek indziej.

Rozległo się pukanie do drzwi i Claude otworzył. Ojciec dał mu znak, by wyszedł na zewnątrz, i drzwi zamknęły się za nimi.

Po raz pierwszy zostali sami i Felicity natychmiast się poderwała.

– Przepraszam, Armandzie. Nie miałam pojęcia, że Charles zrobi coś takiego. Nigdy nie wspominał o Mariusie ani o skarbie, ale przypuszczam, że jeśli wypytywał o ciebie, oni mogli na niego trafić – wyciągnęła do niego rękę, a on ją przytrzymał, pragnąc w duchu, żeby zamilkła choć na chwilę i pozwoliła mu pomyśleć. – Czy kiedykolwiek mi wybaczysz? Wiem, że nie chcesz wracać do Paryża. Nie potrafię sobie wyobrazić niczego gorszego. Może moglibyśmy zaplanować ucieczkę albo…

– Felicity.

Zamknęła usta i spojrzała na niego.

– Przestań mówić.

– Dobrze. Ale co zamierzamy…

Przyciągnął ją do siebie i uciszył w najskuteczniejszy sposób, jaki znał. Odszukał jej usta i pocałował, długo i mocno. Jak można się było spodziewać, pocałunek oderwał jego myśli od ciasnej kajuty i poczucia uwięzienia. Gdyby mógł ją całować przez całą drogę do Francji, jakoś przetrwałby tę podróż.

Rozdzielili się, a kiedy na nią spojrzał, jej błękitne oczy były rozszerzone, a policzki zarumienione. Ale nic nie mówiła.

– Wkrótce wypłyniemy.

Skinęła głową, patrząc na zachodzące słońce.

– Nie ma sposobu, żeby wydostać się z tego statku, zanim dopłyniemy do Francji. Ale ja będę cię chronił.

Skinęła głową.

– Wiem, że będziesz. Ale…

Położył jej palec na ustach.

– Kiedy dotrzemy do Paryża, musisz robić wszystko, co powiem. Żadnych pytań. Żadnych dyskusji. Żadnego mówienia.

Skinęła głową z powagą.

– Teraz ja jestem nauczycielem – pochylił się i pocałował ją znowu, a dotyk jej warg był jak łyk chłodnej wody.

Bardziej niż czegokolwiek pragnął wziąć ją w ramiona i zabrać stąd jak najdalej, do Southampton, gdzie byłaby bezpieczna. Ale najpierw musi się rozprawić z Mariusem i Claude'em, a wtedy będą bezpieczni, gdziekolwiek się znajdą.

Przerwała pocałunek i odgarnęła włosy, które opadły mu na czoło.

– Mam tylko jedno pytanie, zanim wrócą – spojrzała na drzwi, jakby chciała się upewnić, że są zamknięte i nikogo z nimi nie ma.

Skinął głową. Czy naprawdę sądził, że powstrzyma ją przed zadawaniem pytań? Wyglądało na to, że ona potrzebuje słów tak samo jak powietrza.

– Czy napawdę istnieje Skarb Szesnastego?

Rozumiał, dlaczego o to pyta. Chciała wiedzieć, czy może dać tym ludziom to, czego chcą, czy też na koniec tego wszystkiego będą musieli przyznać, że nic nie mają.

Postanowił być z nią szczery.

– Nie wiem.

Westchnęła głęboko.

– Rozumiem. Na pewno coś wymyślimy.

– Ale mam coś, co mogę im dać. Coś w Le Grenier.

Pokręciła głową.

– Nie chcę, żebyś tam wracał.

– Zdaje się, że nie można tego uniknąć. – I być może zawsze wiedział, że będzie musiał wrócić.

Nawet kiedy Julien wszedł do jego celi i zabrał go stamtąd przed tyloma miesiącami, wiedział, że ta cuchnąca dziura jeszcze z nim nie skończyła. Prześladowała go w koszmarach, a teraz do niej wracał.

– Mam już dosyć walczenia z tym – powiedział. – Muszę stawić temu czoło.

– Och, Armandzie...

I chciała go pocałować, ale drzwi szczęknęły i do środka wszedł Marius.

– Czy przeszkadzam? – Na jego twarzy malowało się szyderstwo. – Wybaczcie, ale chciałem wam powiedzieć, że za chwilę wypływamy. Przy sprzyjających wiatrach dotrzemy do Paryża w niecałą dobę.

19

*F*elicity nigdy wcześniej nie była we Francji, więc nie wiedziała, czego się może spodziewać. Słyszała straszliwe pogłoski o Bonapartem, ale kiedy dwa dni później zeszła ze statku i spojrzała na Calais, okolica wydawała się niewiele różnić od Anglii – jeśli nie liczyć tego, że wszyscy mówili po francusku. Pamiętając, że Anglia i Francja prowadziły ze sobą wojnę, starała się mówić jak najmniej. Jej łamana francuszczyzna i silny angielski akcent i tak by ją zdradziły.

Armand także milczał. W drodze mieli niewiele okazji, by porozmawiać, ale obserwując go, raz po raz patrząc mu w oczy, wywnioskowała, że planuje ucieczkę. Ulga ogarniała ją za każdym razem, kiedy na niego patrzyła, kiedy go dotykała. On ich uratuje. Zaopiekuje się nią.

Będzie musiał.

Im dłużej obserwowała Mariusa i jego syna, Claude'a, tym większej nabierała pewności, że nawet gdyby Armand poprowadził ich prosto do skarbu, i tak go zabiją. A jeszcze mniejszą motywację mieli, żeby ją zostawić przy życiu.

W czasie podróży co najmniej sto razy chciała dotknąć Armanda, po prostu potrzymać go za rękę, ale trzymano ich po przeciwnych stronach kajuty. Był poza jej zasięgiem tak samo jak teraz, gdy siedział naprzeciwko niej w powozie jadącym do Paryża.

– Niedługo będziemy w Le Grenier, monsieur – powiedział Marius.

Rozchylił zasłony i Felicity zobaczyła wschodzące słońce.

– Mam tam pewne znajomości. O zmroku będziemy w pańskiej dawnej celi – uśmiechnął się, pokazując rząd nierównych zębów, a Felicity zerknęła na Armanda.

Nie okazał żadnych emocji, zdawał się wręcz znudzony całą sytuacją. Wiedziała jednak, że musi walczyć z zalewającymi go wspomnieniami. Przypłynęli do Francji pod osłoną ciemności, a teraz w ciemności wejdą do jego więzienia. Wzdrygnęła się na myśl o więzieniu nocą. Kiedy tam wejdą, czy uda im się jeszcze wyjść? Czy to będzie ich ostatni wschód słońca?

Armand spojrzał jej w oczy, a ona z trudem powstrzymała łzy. Musi być teraz dzielna. On nie pozwoli, żeby cokolwiek się jej przytrafiło. Armand ochroni ich oboje.

Marius najwyraźniej miał wszystkie papiery i dokumenty potrzebne, by dostać się do Paryża. U bram miasta przepuścili ich żołnierze, którzy wyglądali na głodnych i zmęczonych. Całe miasto wyglądało na głodne i zmęczone, lecz wszędzie wisiały francuskie flagi i hasła na cześć Republiki. Paryż tętnił życiem, wszędzie krzątali się ludzie, którzy coś sprzedawali, kupowali, żyli swoim życiem. Dla Felicity było to fascynujące, ale mężczyźni w powozie nawet nie podnieśli wzroku, by wyjrzeć na zewnątrz.

Dopiero kiedy skręcili w małą, zapuszczoną uliczkę, zauważyła, że Armand zesztywniał.

Siedzący obok niej Marius parsknął śmiechem.

– Widzę, że poznaje pan to miejsce, monsieur. Tak właśnie myślałem.

Woźnica zatrzymał się przed obskurną tawerną, a Marius otworzył drzwi i wyskoczył na zewnątrz. Claude popchnął ją, by także wysiadła, i Felicity na drżących nogach zeszła na ulicę. Było już popołudnie i zmrużyła oczy, oślepiona jasnym światłem.

– Do środka, mademoiselle – rozkazał Marius. – Zarezerwowałem dla nas pokoje.

Tawerna była mała i ciemna, pełna ludzi o skwaszonych twarzach pochylonych nad kubkami czegoś, co musiało być kwaśnym winem. Nawet nie spojrzeli na grupkę przybyszów. Marius najwyraźniej znał drogę i skierował ich schodami na piętro. Felicity szła posłusznie, ale poczuła zapach świeżego chleba i zaburczało jej w brzuchu. Na statku niewiele mieli do jedzenia. Na piętrze ona i Armand zostali rozdzieleni. Ją wepchnięto do małego pokoiku z pryczą, stołem, miską i dzbankiem. Nie widziała, dokąd zabrali Armanda, ale usłyszała, jak zamykają drzwi na zamek. Kiedy kroki się oddaliły, spróbowała nacisnąć klamkę. Zamknięte.

Westchnęła, podeszła do stołu i podniosła dzbanek. Był pusty – nie miała nawet wody, żeby obmyć twarz. Znalazła się sama w pokoju, we wrogim kraju. Nie miała pojęcia, jak Armandowi uda się ich stąd wyciągnąć. Nie potrafiła zrozumieć, jak się tu znalazła. Ona, Felicity Bennett, córka pastora. Nie miała pensa przy duszy. Nie miała żadnej pozycji, żadnych koneksji. A została uprowadzona, wywieziona do Francji i będzie więziona, dopóki nie znajdzie się Skarb Szesnastego.

Gdyby nie siedziała na statku płynącym przez kanał przez dwa dni, a potem w powozie jadącym przez Francję, musiałaby się uszczypnąć, żeby uwierzyć, że to wszystko dzieje się naprawdę. To było po prostu niewiarygodne.

W brzuchu znowu jej zaburczało, a za małym oknem pokoiku gasło ostatnie światło dnia. Wyjrzała na zewnątrz, ale zobaczyła tylko wąską uliczkę daleko w dole. Brudne okienko było szczelnie zamknięte, więc nie mogła nawet wołać o pomoc.

A gdyby mogła – co by powiedziała? Była tu wrogiem. Gdyby powiadomiła ludzi o swojej obecności, tylko pogorszyłaby sytuację.

W półmroku usłyszała skrobanie i zauważyła wielkiego szczura znikającego pod łóżkiem. Zamknęła oczy i wzdrygnęła się.

Jakoś udało się jej zasnąć na twardej pryczy i szorstkim kocu. Szczur zamarł na wystarczająco długi czas, by przestała sobie wyobrażać, jak podskakuje i chodzi jej po twarzy, kiedy się położy. Nie zamierzała spać, ale była wyczerpana. Kiedy leżała nieruchomo, docierały do niej z dołu głosy mężczyzn i kobiet, a jakaś część jej umysłu cały czas nasłuchiwała.

Gdy usłyszała pukanie, odwróciła się na bok i próbowała rozluźnić obolałe plecy. Ale pukanie nie ustawało, więc otworzyła oczy. Było już ciemno, nie całkiem ciemno, ale wieczorny mrok, i zastanawiała się, czy Marius i Claude zabrali Armanda do Le Grenier bez niej. Stukanie stało się głośniejsze; zerknęła na okno i omal nie wrzasnęła, kiedy zobaczyła za nim twarz.

Zamknęła jednak usta, kiedy się zorientowała, że patrzy na nią Armand. Wielkie nieba! Co on robi za jej oknem?

Zerwała się i podbiegła do okna, starając się nie myśleć o błotnistej uliczce poniżej.

– Co ty...?

Położył palec na ustach, uciszając ją. Ten gest przeraził ją, ponieważ oznaczał, że Armand trzyma się budynku tylko jedną ręką. Dał jej znak, by otworzyła okno, a ona pokazała, że jest zamknięte. Skinął głową i wskazał koc na łóżku. Zmarszczyła brwi i sięgnęła po niego. Pokazał jej gestem, że ma rozbić szybę. Oczywiście, koc miał ochronić jej rękę.

Felicity popatrzyła z powątpiewaniem na cienki koc, westchnęła i owinęła sobie dłoń. Skoro Armand może balansować na wąskim gzymsie za oknem, to ona może rozbić szybę. Jednak nie chciała myśleć o tym, czego będzie od niej oczekiwał, kiedy okno zostanie już rozbite.

Dała mu znak, żeby się odsunął, po czym, biorąc głęboki oddech, uderzyła w szybę. Otworzyła oczy i zobaczyła, że szkło popękało, ale się nie rozpadło. Ręka ją bolała, lecz Armand pokazał, by spróbowała jeszcze raz. Zacisnęła zęby i zrobiła to. Tym razem jej wysiłek został nagrodzony i ręka przeszła na wylot. Szkło rozprysnęło się na uliczce poniżej, a Armand sięgnął przez otwór i chwycił ją za obolałą dłoń.

– Co robisz? – szepnęła.

– Uciekam. Wybij resztę szyby i wyjdź tutaj do mnie.

Popatrzyła na niego. Jego spojrzenie było spokojne, oddychał miarowo i chociaż wiatr rozwiewał mu włosy, zupełnie nie wyglądał na szaleńca.

– Oszalałeś?

– Powiedziałem, że kiedy dotrzemy do Francji, będziesz musiała mnie słuchać.

– Ale nie sądziłam, że będę musiała skakać na złamanie karku! – zerknęła w dół na uliczkę.

Było przerażająco wysoko. Być może nie na tyle, żeby się zabiła, ale z pewnością dość, by połamała większość kości.

– Nie zejdziemy tutaj, a ja nie mam czasu rozmawiać – słowo „rozmawiać" wypowiedział, jakby oznaczało coś zbliżonego do końskiego łajna. – Marius i Claude wkrótce zauważą, że uciekłem. Wychodź.

Spojrzała na niego, potem na pokój. Ten przynajmniej wydawał się bezpieczniejszy niż wąski gzyms, na którym stał Armand. Ale skoro on mógł na nim stać, to ona też może.

Odetchnęła głęboko, wyjęła resztę szkła i upuściła koc. Dłoń ją piekła, lecz nie zwracała na to uwagi i wysunęła jedną nogę przez okno. Zakręciło się jej w głowie i starała się nie patrzeć w dół.

– Odwróć się – poinstruował ją Armand. – Wyczuj stopą gzyms.

Jego głos brzmiał władczo, a Felicity doszła do wniosku, że woli rolę nauczycielki niż uczennicy. Miała przy tym niepokojące przeczucie, że nieodwracalnie zamienili się rolami.

W końcu dotknęła stopą gzymsu i trzymając się kurczowo ramy okna, wysunęła na zewnątrz drugą nogę. Wiatr rozwiewał jej suknię i zdawała sobie sprawę, że wystarczy jeden fałszywy krok, by runęła w dół i roztrzaskała się o ziemię. Ale nie chciała o tym myśleć. Postanowiła sobie, że wytrzyma, więc zamknęła oczy i skoncentrowała się na tym, by nie spaść.

– Wspinaj się – polecił Armand.

– Co?

Popatrzył w górę, a ona podążyła za jego spojrzeniem. Dach nie był aż tak wysoko, jak myślała. Mimo wszystko jednak nie odważyła się puścić ramy okna.

– Pracowałem tu przez kilka miesięcy, zanim zostałem uwięziony. Kiedy znajdziemy się na ulicy, będziemy mogli uciec.

– Więc robiłeś to już wcześniej?

Skinął głową i wykorzystując szczeliny między nierówno położonymi cegłami, podciągnął się o stopę w górę.

– Chodź.

Felicity spojrzała w górę, potem jeszcze raz na względnie bezpieczny pokój za oknem. Nigdy, nawet jako dziecko, nie wdrapywała się na drzewa, a teraz miała wspinać się na budynek? W spódnicy!

– Chodź! Nie mamy czasu.

Armand był już kilka stóp ponad nią i wisiał uczepiony ściany niczym małpa. Ale prawie dotarł na dach. To wcale nie tak daleko…

– Nie mogę uwierzyć, że to robię – mruknęła i sięgnęła do pierwszej cegły. Cała się trzęsła, kiedy puszczała ramę okna, lecz starała się panować nad strachem. Pomyślała, że będzie mogła się trząść i płakać na dachu – jeśli tam dotrze.

Boleśnie powoli wspinała się coraz wyżej, wierzgając, kiedy spódnica czepiała się jej kostek. Armand był na dachu przed nią, a kiedy znalazła się dwie stopy od szczytu, podał jej rękę i podciągnął w górę.

Przewróciła się na niego i przez chwilę leżeli, obejmując się.

– Nie chcę więcej robić czegoś takiego. Myślę, że odtąd będę starała się unikać wszystkiego powyżej parteru – spojrzała na niego, on zaś uniósł brwi, rozglądając się znacząco dookoła. Dachy Paryża lśniły w blasku księżyca. – Och, nie – pokręciła głową. – Nie chcesz chyba iść...

– To najbezpieczniejsza droga do Le Grenier.

– Le Grenier! – niemal podskoczyła. – Po co idziemy do Le Grenier? Wracajmy do Anglii.

– Wrócimy – wstał i pomógł jej się podnieść. – Ale najpierw Le Grenier.

Zaczął iść po dachu, a ona za nim, lecz zatrzymała się na krawędzi.

– Ale dlaczego chcesz wracać do Le Grenier? Mamy szansę uciec!

Spojrzał na nią.

– Żeby Marius znowu nas znalazł? Chcę się go pozbyć – cofnął się o kilka stóp, podbiegł i skoczył przez szczelinę między dachami, lądując bezpiecznie na sąsiednim budynku.

– Chodź! – wyciągnął rękę.

Felicity patrzyła na nią, jakby była jadowitym wężem.

– Ja nie skoczę.

– Złapię cię.

– Nie skoczę! – cofnęła się. – Musi być inna droga.

Ten człowiek naprawdę oszalał. Chyba że był po części kotem. Ona zaś była tylko człowiekiem, do tego raczej niezdarnym.

– To jest droga – powiedział, a w jego głosie usłyszała zniecierpliwienie. – Skacz.

– Nie – rozejrzała się dookoła, szukając jakiegoś innego wyjścia. Nie znalazła żadnego.

– Skacz!

– Nie!

Ale nie było żadnej innej drogi.

A co najgorsze, po tym skoku czekał ją następny i następny. Tego była pewna.

– Skacz, Felicity.

Uniosła ręce.

– Och, dobrze.

Cofnęła się o dwa kroki, podciągnęła spódnicę i pobiegła. Przez chwilę czuła pod sobą pustkę – a przynajmniej wyobrażała sobie, że ją czuje – a potem wpadła w ramiona Armanda. Był silny i stał pewnie, ona zaś miała ochotę wtulić mu się w pierś i rozpłakać, tak bezpiecznie się poczuła.

Lecz poczucie bezpieczeństwa nie miało trwać długo. Już prowadził ją na przeciwległy koniec dachu i wiedziała, że będzie chciał, żeby znowu skoczyła. Budynki stały tutaj blisko siebie, nachylone ku sobie jak starzy przyjaciele, ale Felicity nie lubiła wysokości, a jeszcze mniej podobała się jej myśl o spadaniu z niej.

Armand nie dał jej dużo czasu do namysłu. Pociągnął ją na skraj dachu, skoczył z rozbiegu i nalegał, żeby poszła w jego ślady. Przeszli w ten sposób z pół tuzina budynków. Popełniła błąd tylko raz, kiedy spojrzała w dół. Świat zawirował, miała wrażenie, jakby jej głowa odłączyła się od ciała, a nogi zaczęły drżeć. Odtąd patrzyła już tylko na Armanda.

Robiło się coraz ciemniej i z dachów widać było migoczące światełka w całym mieście. Mogłoby to być piękne, gdyby oglądali widoki z innego miejsca. I gdyby nie kierowali się do więzienia. Teraz nie miała już wątpliwości, że uciekli Mariusowi i Claude'owi, ale zastanawiała się, czy uciekną z Le Grenier. Armand chyba wie, co robi.

Wie, prawda?

– Tutaj – wskazał drzwi na dachu, na którym zatrzymali się, żeby złapać oddech. – Schodzimy na dół.

Felicity spojrzała na niego z niedowierzaniem.

– Naprawdę?

To była dobra wiadomość.

Żadnego więcej skakania po dachach. Z drugiej strony, skoro schodzą na ulicę, to znaczy, że są już blisko więzienia.

– Już niedaleko do Le Grenier?

Skinął głową, wziął ją za rękę i poprowadził do drzwi. Były stare i spróchniałe, wisiały na jednym zawiasie. Przytrzymał je, żeby mogła zejść pierwsza po stromych, wąskich schodach. Może jednak udało się jej wpoić mu trochę dobrych manier, chociaż puszczanie jej przodem na schody, z których mogła spaść i skręcić kark, trudno uznać za przejaw dobrych manier.

– Resztę drogi przejdziemy pieszo – odezwał się.

Felicity była skoncentrowana na szukaniu następnego stopnia, ale szepnęła:

– Myślisz, że dotrzemy do Le Grenier przed Mariusem?

– Jeśli nie, będzie niedobrze.

Och, nie. Niczego bardziej nie pragnęła nie usłyszeć, niż tego. Zatrzymała się i zerknęła na niego przez ramię.

– Mógłbyś się zdobyć na odrobinę optymizmu.

W półmroku zauważyła, że zmarszczył brwi.

– A co to jest?

– No właśnie.

Dotarli na parter i wyszli w spokojnej dzielnicy mieszkalnej. Zanim się zorientowała, Armand złapał ją za rękę i pociągnął za sobą; mijali domy, drzewa i wozy ostatnich handlarzy wracających do domu.

Kiedy skręcili za róg, stanął nagle i w coś się wpatrywał. Podążyła za jego spojrzeniem, ale nie zobaczyła nic interesującego.

– Co to jest?

Wskazał ruchem głowy na pożółkły ze starości kamienny budynek.

– To Le Grenier.

Ten widok nie zrobił na niej wrażenia.

– To?

Parsknął krótkim, ponurym śmiechem.

– Z zewnątrz nie wygląda imponująco.

Musiała przyznać mu rację. Budynek był szeroki, przysadzisty i ponury. Za bramą, przy której stał jeden wyglądający na znudzonego żołnierz, wznosiła się szeroka wieża. Miała prawdopodobnie trzy piętra wysokości i ciężkie drewniane drzwi. Za wieżą wznosił się prostokątny budynek z nielicznymi oknami i bez żadnych ozdób.

– Czy to tam są więźniowie? – spytała.

Armand nie odrywał wzroku od budynku.

– Niektórzy.

Ścisnęła jego rękę; chciałaby umieć ulżyć mu w bólu, tak wyraźnie malującym się na twarzy. Dlaczego tu wrócili? Wolałaby raczej już zawsze uciekać przed Mariusem i Claude'em, skakać po wszystkich dachach w mieście, niż patrzeć, jak cierpi.

– A gdzie ty byłeś?

– Na poddaszu. Prawie zupełnie zapomniany.

Ale zrozumiała, że to nie było do końca prawdą. Nikt o nim nie zapomniał. Został wtrącony tam, gdzie nikt nie mógł go znaleźć. Być może ostatecznie to go uratowało. Nie rozumiała, jak ten mały chłopiec mógł utrzymać w sekrecie miejsce ukrycia skarbu i przetrwać.

– Jesteś pewien, że chcesz tam wejść?

– Tak. Muszę wrócić do mojej celi.

Cudownie. Będą musieli dotrzeć aż na poddasze, przejść przez całe więzienie.

– Jak się tam dostaniemy?

Spojrzał na nią ze zdziwieniem.

– Ty nie idziesz. Zostaniesz tutaj i ukryjesz się aż do mojego powrotu.

Popatrzyła na pogrążającą się w ciemności ulicę, dziwnie cichą, jeśli nie liczyć szczęku więziennych drzwi i podzwaniania kluczy strażników po drugiej stronie ulicy.

– Och, nie sądzę. Nie mam wielkiej ochoty znaleźć się w więzieniu, ale nie zamierzam też siedzieć tutaj sama. A co będzie, jeśli Marius i Claude się tu pojawią?

– Przyjdą. Ty się ukryjesz.

Odwróciła się i spojrzała na niego.

– Idę z tobą.

– Nie...

Położyła mu palec na ustach.

– Nie mamy czasu na dyskusje. Idę z tobą. Cokolwiek ma stać się z jednym z nas, stanie się z obojgiem. Bez ciebie i tak jestem skazana na zagładę w tym mieście.

Widziała, że nie podoba mu się ten pomysł, ale jej nie podobała się myśl, że miałaby tu czekać – godziny, dni, wieczność – dopóki on nie wróci.

– Chcesz czy nie – powiedziała stanowczo – idę z tobą.

Spojrzał na nią ponuro, ale ona nie ustąpiła, więc odwrócił się w stronę więzienia.

– Jest tylko jedno wejście i jedno wyjście z więzienia. Tam – wskazał na bramę. – Za nią jest druga brama.

Podwójna brama. Poczuła ciężar na piersi.

– Jak dostaniemy się do środka? – spytała jeszcze raz.

– Zostaw to mnie.

Przeszli przez ulicę, kierując się w inną stronę niż więzienie, żeby potem podejść do niego z boku. Kiedy byli już blisko, dał jej znak, żeby poczekała, podczas gdy sam podszedł do bramy z sennym strażnikiem. Kiedy przejeżdżał jakiś wóz, starała się sprawiać wrażenie zainteresowanej architekturą. Tymczasem Armand stanął przed strażnikiem i zadał mu jakieś pytanie. Widziała, że rozmawiają przez chwilę, dopóki wóz nie zniknął im z pola widzenia. I wtedy, szybko jak błyskawica, wyrwał żołnierzowi bagnet i uderzył go nim w głowę.

Felicity aż się skrzywiła i ją samą niemal zabolało. Strażnik zachwiał się i przewrócił, a wtedy Armand sięgnął do buta i wydobył nóż. Felicity rzuciła się ku niemu.

– Co robisz? – Ostrze błysnęło w świetle księżyca. – Nie chcesz go chyba zabić, prawda?

Spojrzał na nią i zobaczyła w jego oczach dzikość, której nie widziała nigdy wcześniej.

– Dlaczego nie? Jego nie obchodziło, czy ja tutaj umrę. Przynosili mi jedzenie raz albo dwa razy w tygodniu, ale widać było, że czekają tylko, kiedy umrę.

Popatrzyła na żołnierza, który właściwie był jeszcze chłopcem, i położyła rękę na ramieniu Armanda. Jego mięśnie były napięte jak struna i twarde jak skała.

– To chłopiec, on tylko wykonuje swoją pracę. Zwiąż go i zaciągnij w krzaki. Mam nadzieję, że już nas tu nie będzie, zanim ktokolwiek zauważy, że nie ma go na posterunku.

Widziała wahanie w jego oczach, kiedy Armand przerzucał nóż z jednej ręki do drugiej. Wreszcie wsunął go za cholewę buta, oderwał kawałek materiału z płaszcza żołnierza i związał mu ręce. Odciągnął go gdzieś dalej i wrócił do Felicity. W ręce trzymał pęk kluczy.

– Chodźmy.

Wszystko w niej chciało się wycofać, uciec jak najdalej – gdziekolwiek, byle nie wchodzić do tego więzienia. W końcu, kto zdrowy na umyśle włamuje się do więzienia? Ale teraz nie mogła zawrócić. Armand jej potrzebował. Dlatego, zamiast uciekać, podeszła za nim do bramy. Za pierwszymi wrotami były drugie, a po prawej stronie drzwi, za którymi, jak się domyśliła, siedzieli żołnierze wpuszczający odwiedzających w ciągu dnia. Po lewej stronie znajdował się drewniany stojak, o który oparto karabiny i bagnety. Druga brama była zamknięta na solidny zamek.

Armand sprawdzał klucze, Felicity usłyszała echo, kiedy zadzwoniły. Napięła wszystkie mięśnie pewna, że na ten odgłos przybiegnie oddział żołnierzy, żeby ich aresztować. Ale w więzieniu panował zupełny spokój.

Armand wybrał jeden klucz, stuknął nim o zardzewiałą żelazną bramę – słysząc ten dźwięk, zamknęła oczy i zaczęła się modlić – po czym wsunął do zamka. Proszę, proszę, proszę.

Ale klucz nie pasował i Armand musiał wziąć następny. Czas wydawał się wlec w nieskończoność, a Felicity wiedziała, że im dłużej tutaj stoją, tym bardziej ryzykują. W pęku było tylko pięć kluczy, ale wyglądało na to, że żaden z nich nie pasuje do bramy.

W końcu Armand sięgnął po ostatni klucz.

– Proszę – wyszeptała.

Spojrzał na nią i uśmiechnął się.

– To ten – i wsunął klucz do zamka.

Kiedy go obrócił, usłyszała najgłośniejsze szczęknięcie, jakie mogłaby sobie wyobrazić, a potem brama otworzyła się ze zgrzytem. Armand wyciągnął klucz, wydobył nóż zza cholewy i weszli do środka.

20

Więzienie pachniało tak samo. Armand nie wiedział, jak to możliwe. Niewiele poza tym rozpoznawał w korytarzu, którym szli, ale znał zapach tego miejsca. Nigdy go nie zapomni.

To woń śmierci i rozpaczy

Gdyby miał więcej czasu, gdyby miał armię, uwolniłby wszystkich, którzy byli tu uwięzieni. Nie wiedział, czy ktoś z nich naprawdę zasługiwał na uwięzienie, i nie obchodziło go to. Nie mógł znieść myśli o pozbawieniu wolności. Wolność jest bezcenna, a on, wracając tutaj, ryzykował, że ją utraci.

Felicity także ryzykowała. Miał nadzieję, że nie popełnili błędu. Miał nadzieję, że wyjdą stąd żywi i wolni, ale wcale nie był tego pewien.

Kierując się instynktem, skręcił w lewo, wchodząc w głąb więzienia. Szukał schodów prowadzących na strych, do jego dawnej celi. Mijali wiele cel, ale żaden z więźniów nawet na nich nie spojrzał. Widział kościste wybrzuszenia pod cienkimi kocami, a odgłosy chrapania, kaszlu i łkania rozlegały się na tle miarowego kapania wody, dobiegającego gdzieś z ciemności.

Przed nimi zamajaczyły w ciemności schody, niczym ciemny klif wznoszący się nad otchłanią więzienia. Zatrzymał się, wiedząc, dokąd powinni iść, i zbierał siły, zanim ruszy dobrze znaną drogą. Nie chciał wracać do celi.

Armand nie obawiał się, że będzie zajęta. Nawet żołnierze w Le Grenier nie byli tak okrutni, by wtrącić kogoś do tego grobu na szczycie więzienia. Jego zostawili tam tylko dlatego, że bali się go przenieść, bali się naruszyć rozkaz, którego wydania zapewne żaden z nich nie pamiętał. Armand wątpił, by jego cela została choćby dotknięta, odkąd ją opuścił z Julienem kilka miesięcy wcześniej. Jakie wspomnienia obudzi w nim widok tej celi? Czy uda mu się, choć przez kilka chwil, stawić czoło bolesnej przeszłości?

Spojrzał na Felicity. Zatrzymała się i obserwowała go z niepokojem, nerwowo rozglądając się dookoła. Bała się, że zobaczy ich któryś z żołnierzy.

Powinna się bać.

– Dobrze się czujesz? – szepnęła.

Pokręcił głową. Nawet w takiej sytuacji myślała o nim. Poczuł, jak serce mu się ściska, i zastanawiał się, czy to właśnie jest miłość.

– Nic mi nie jest. To tam, na górze.

Skinęła głową i szepnęła, idąc za nim:

– Nie widzę żołnierzy.

– Był tu garnizon, około pięćdziesięciu ludzi – odparł, również szeptem. – Ale Bonaparte przypuszczalnie zabrał większość na front. Ci, którzy zostali, pełnią służbę w dzień.

Wyjął zapaloną pochodnię z uchwytu na ścianie, żeby oświetlić drogę. Kiedy ruszyli po stromych schodach, wzięła go za rękę, żeby się nie poślizgnąć.

– Bądź ostrożna – powiedział, pomagając jej wyjść na podest. – I czujna. Strażnicy od czasu do czasu robią obchód. Marius powiedział, że ma sposób, żeby wejść do środka. Zapewne przekupił jednego z żołnierzy.

– Musieli się już zorientować, że uciekliśmy.

Wspinali się coraz wyżej, mijając kolejne rzędy cel i wchodząc coraz głębiej w trzewia więzienia.

– Przyjdą tutaj – rzekł, kiedy stanęli na ostatnim podeście. – Wiedzą, że nie wyjadę, nie przychodząc wcześniej tutaj. Po sekret ukryty na strychu.

– Jaki sekret? – szepnęła. – Co tu jest ukryte?

– Pokażę ci.

Wszedł w mrok najwyższego poziomu więzienia. Była tu tylko jedna cela; cela, która była jego domem przez dwanaście długich lat. Widział przed sobą jej drzwi. Zwykłe drewniane drzwi, naznaczone starością i zaniedbaniem, lecz dość masywne, by oprzeć się jego pięściom i błaganiom o wypuszczenie. Tak przynajmniej było na początku, kiedy został uwięziony. Pod koniec więzienie było już w jego głowie i drzwi nie miały większego znaczenia.

– Czy to tu? – szepnęła Felicity.

Zrobił krok naprzód i wyciągnął rękę. Drżała i Armand zacisnął pięść z niesmakiem. Przetrwa to. Nie załamie się. Nie teraz.

Pchnął mocno drzwi, które uchyliły się, skrzypiąc.

W pomieszczeniu panowała ciemność. Kiedyś była tu pochodnia. Odwrócił się i zobaczył jej wypalony kikut w uchwycie na ścianie. Wziął go, poczekał, aż się rozpali, i podał Felicity. W celi nadal było jednak ciemno i stał przez chwilę, czekając, aż oczy przywykną do mroku.

Nie trwało to długo, ponieważ dobrze znał tę celę i jej zawartość. Słoma na podłodze. Szare kamienne ściany. Wygasłe palenisko.

Palenisko. Właśnie tego potrzebował.

Podszedł szybko do niego, ukląkł i wsunął rękę do środka. Komin dawno został zamurowany, więc nawet gdyby chciał tu rozpalić ogień, dym nie miałby się którędy wydostawać. Czy to był jeszcze jeden sposób, żeby go upokorzyć, żeby marzł i był nieszczęśliwy, czy też komin zamurowano w jakimś innym celu?

Poczuł gładką cegłę nad paleniskiem i położył się na plecach, żeby ją dokładniej obejrzeć.

– Co robisz? – spytała Felicity.

– Zbadałem każdy skrawek tej celi – odparł, wsuwając się w zimny, brudny otwór. – Komin jest zamurowany.

– I co?

Sięgnął wyżej, wyczuł szary kamień. Był nowszy niż kamienie w ścianach. A może po prostu on nie dotykał go na tyle często, by wygładzić jego powierzchnię.

– Podaj mi światło – polecił, a Felicity uklękła i pochyliła pochodnię tak, że migotliwe światło padało na jego twarz.

Nie dawała wiele światła, ale wystarczyło, żeby potwierdzić jego podejrzenia. Ta cegła była nowsza i różniła się kolorem od reszty celi.

Nigdy wcześniej nie miał dość światła, by to zobaczyć. Zbadał tę część komina palcami i umysłem. Jako więzień nigdy nie ośmielił się zrobić tego, co zamierzał teraz. Ale robił to w marzeniach, i tutaj, i potem w Londynie.

Kiedy cegła z ostrzeżeniem Mariusa wpadła z hukiem przez okno londyńskiego domu, śnił o tym palenisku. Czuł pod palcami gładką cegłę i znowu, po wszystkich tych latach, myślał o skarbie.

– Nigdy nie odważyłem się przebić – powiedział, wyjmując nóż i uderzając nim w kamień. Był miękki od starości i wilgoci, deszcz drobnych odłamków spadł na głowę Armanda. – Ale zawsze zastanawiała mnie wielkość tego poddasza. Tutaj jest tylko jedna cela.

– I? – pochyliła się nad nim, zaglądając do komina i patrząc na cegłę, którą rozłupywał.

– Jeśli popatrzysz na tę część więzienia z zewnątrz... Ja nie miałem okazji często tego robić, ale nawet psu takiemu jak ja pozwalali raz do roku wyjść na dziedziniec... Przekonasz się, że jest wystarczająco duża, by pomieścić dwie cele.

Światło przygasło; Armand podniósł wzrok i zobaczył, że Felicity spogląda na drzwi celi.

– To są jedyne drzwi. Na końcu schodów są tylko cegły i kamień.

– Wiem. To znaczy, że tu jest jedyne wejście.

Uklękła znowu, dając mu więcej światła.

– Jedyne wejście do celi?

– Jedyne wejście do czegoś, co jest tutaj ukryte. Cela to tylko początek. Ja byłem w tej celi. Jako stróż albo... jak to się mówi? Dla odwrócenia uwagi?

– Twierdzisz, że Skarb Szesnastego jest ukryty tutaj?

– Tak – nóż wbił się głębiej i Armand zakasłał, gdy pył i odłamki posypały mu się na twarz.

– Jesteś pewien?

– Nie. Ale wiem, że tak. Kiedy usłyszałem, jak Jacques'owie rozmawiają o skarbie, kiedy zrozumieli, że nie jestem niemy, jak sądzili, uwięzili mnie tutaj. Ostatnia rozmowa, jaką usłyszałem, dotyczyła tego, gdzie ukryć skarb. Zawsze myślałem, że mówili o tym, gdzie go ukryją, kiedy go już zdobędą.

– Ale teraz sądzisz, że już go mieli i szukali dla niego bezpiecznego miejsca – w jej głosie zabrzmiała nuta podziwu. – Więzienie to świetny pomysł. A kiedy ty byłeś tutaj, kto by pomyślał, że jest tu ukryty skarb?

– Właśnie. – Nóż wbił się głębiej i kamień był już niemal całkiem obluzowany. Armand cofnął się pospiesznie na wypadek, gdyby wypadł niespodziewanie. – Problem polega na tym, że ktoś dopadł ich wcześniej. Prawdopodobnie Marius. Zabił ich, zanim zdążyli wyjawić, gdzie ukryli skarb. A może zabił ich, ponieważ nie chcieli mu tego powiedzieć. A ja zostałem tutaj, zapomniany.

– A gdyby Jacques'owie przyszli po ciebie?

– Już bym nie żył. Proszę!

Kamień spadł z donośnym hukiem i Felicity spojrzała nerwowo na drzwi.

– To było głośne.

Armand odsunął kamień z drogi i znowu wcisnął się do paleniska. Spojrzał w górę i zobaczył długi kanał komina. Ale zdawało mu się, że widzi coś jeszcze.

– Więcej światła.

– Armandzie.

– Chyba coś widzę, ale potrzebuję więcej światła.

– Armandzie, nie sądzę...

Zniecierpliwiony, sięgnął w ciemność. Jest! Coś wystającego z boku komina. Coś, czego z pewnością nie powinno tu być. Jakaś dźwignia?

– Myślę, że ta dama próbuje pana przed czymś ostrzec, monsieur.

Na dźwięk głosu Mariusa Armand poderwał się i uderzył głową w cegłę nad paleniskiem. Wyjrzał i zobaczył Mariusa, Claude'a i wściekłego żołnierza stojącego w drzwiach celi.

Ten widok zmroził mu krew w żyłach. Zacisnął zęby, szykując się na to, co się wydarzy.

– Nie trwało to tak długo, jak sądziłem – usiadł.

Marius skinął głową w kierunku paleniska.

– A więc jest tutaj. Klucz do skarbu.

Wzruszył ramionami.

– Ty mi powiedz.

– Nie sądzę, monsieur. Myślę, że to pan mi powie.

Claude, wielki mężczyzna, chwycił Felicity za ramię. Wyglądała na zaskoczoną, ale nie skrzywdził jej, zaciskając potężne przedramię na jej szyi.

– Pokaż nam klucz do skarbu albo zabijemy dziewczynę.

Armand patrzył na nich, czując, jak krew się w nim gotuje. Zacisnął palce na nożu, ale wiedział, że jest na przegranej pozycji.

– A kiedy dam wam klucz do skarbu, zabijecie nas oboje.

– Nie, monsieur. Ma pan moje słowo.

Armand niemal się roześmiał. Słowo kryminalisty i mordercy.

– Myślisz, że nie wiem, co zrobiłeś – powiedział, nie odrywając wzroku od Mariusa. – Myślisz, że nie wiem, że to ty wysłałeś mojego ojca na gilotynę.

– Pański ojciec trafiłby na gilotynę z moją pomocą albo bez niej, hrabio – parsknął kpiąco, wypowiadając ten tytuł. – Mieliśmy misję: wytępić wszystkie pasożyty, arystokratów.

– Mój ojciec nie był pasożytem.

– Trybunał uznał inaczej.

– Trybunał? Ty postawiłeś go przed sądem... o ile to żałosne przedstawienie można nazwać sądem... Sprowadziłeś wieśniaków z naszych ziem, żeby zeznawali przeciwko niemu. Zapłaciłeś im, żeby kłamali.

– Gdyby książę de Valère dobrze traktował swoich wieśniaków, twierdziliby inaczej.

– Powiedzieliby cokolwiek za cenę bochenka chleba. Spalili zamek, a potem zrozumieli, że umrą z głodu, kiedy nadejdzie zima. Tak było wszędzie, w mieście wcale nie lepiej.

– Takie były czasy, monsieur.

– Tak, ale nie wszyscy głodowali. Ty miałeś pieniądze. I polubiłeś smak krwi. Widziałem cię w czasie egzekucji, jak wiwatowałeś z resztą tłumu. Krew płynęła ulicami, a motłoch prawie się w niej kąpał.

Marius uśmiechnął się blado.

– Zemsta jest słodka. Ale pan, monsieur, nie ma się czego wstydzić. Pański ojciec umarł dobrą śmiercią, jak pan wie. Był pan wśród tłumu tamtego dnia.

– Byłem i niech pan mi coś powie, monsieur. Czy sprawiło ci większą przyjemność patrzenie, jak ścinają głowę arystokracie, czy łzy małego chłopca?

– Och, łzy oczywiście. To był taki żałosny widok. Powinien pan być na szafocie razem z nim. Zastanawiam się – dał znak Claude'owi, a ten zacisnął mocniej rękę na szyi Felicity – czy będzie pan płakał również dzisiaj.

– Chcesz skarbu? – Armand cofnął się do paleniska i chwycił za dźwignię. – Jest cały twój.

Pociągnął mocno; ściana za nim zadrżała i rozdzieliła się na dwoje.

– Armandzie! – krzyknęła Felicity, lecz on już odsunął się od paleniska. Deszcz pyłu posypał się ze ściany i wypełnił pomieszczenie, na moment zasłaniając Felicity. Rozległ się donośny kaszel, a potem żołnierz powiedział:

– Nie wierzę!

Ale Armand wierzył. Dźwignia zniszczyła tylną ścianę paleniska i tam, gdzie wcześniej był kamień, teraz ziała dziura prowadząca do drugiego pomieszczenia. Otwór był wystarczająco duży, by człowiek mógł się przez niego przecisnąć. Marius odepchnął Armanda i ukląkł przed wejściem.

– Jest tam! – szepnął z zachwytem. – Widzę blask złota!

– Daj mi zobaczyć – żołnierz odsunął go i po chwili obaj wciskali się do ukrytego pomieszczenia.

Claude, niepewny, co ma robić, stał, trzymając Felicity. Armand spojrzał jej w oczy i zobaczył tylko niepokój o niego.

– Claude, chodź tutaj! – zawołał Marius. – Potrzebujemy twojej pomocy, żeby wynieść ten skarb.

Felicity została nagle uwolniona i wielki mężczyzna wcisnął się w otwór w palenisku

– Co tam jest? – spytała Felicity. – Czy to naprawdę Skarb Szesnastego?

Armand skinął głową.

– Złoto, srebro, diamenty. Chcesz zobaczyć?

– Nie. Chcę się stąd wydostać. Chcę wrócić do domu.

– Więc chodźmy.

– Ale... – wskazała na ukryte pomieszczenie ze skarbem. – Czy oni pozwolą nam odejść? Nie pójdą za nami?

Armand położył się na zakurzonej podłodze i jeszcze raz wcisnął się do komina. Sięgnął w górę, wymacał dźwignię i przesunął ją w poprzednie miejsce. W jednej chwili kamienna ściana z hukiem zamknęła wejście do pomieszczenia ze skarbem. Światło zgasło, ale dało się słyszeć zaskoczone krzyki ludzi zamkniętych wewnątrz. Ich głosy były jednak stłumione i ledwie słyszalne.

Armand wstał, otrzepał spodnie i koszulę, po czym wziął Felicity za rękę.

– Myślę, że powinniśmy ich zostawić ze skarbem. Tak bardzo im na nim zależało.

Felicity wpatrywała się w zamknięte przejście w palenisku.

– Czy ktoś ich znajdzie?

Armand pociągnął ją w stronę drzwi do celi, stanął w nich i ostatni raz spojrzał za siebie. Potem pchnął drzwi i aż drgnął, kiedy zatrzasnęły się z głuchym hukiem. Wyjął klucze, które zabrał żołnierzowi przy bramie i wsunął jeden z nich do zamka. Zardzewiałe zapadki zaskoczyły, a Armand ruszył w dół pogrążonymi w mroku schodami.

Dotarli na pierwszy poziom, skręcili w kręty korytarz i stanęli twarzą w twarz z zaskoczonym żołnierzem.

– Co tu się dzieje? – powiedział żołnierz i wyjął pistolet.

21

*F*elicity odskoczyła, ale Armand nie wahał się ani chwili. Patrzyła z przerażeniem, jak wydobył nóż i ciął żołnierza przez policzek. Równocześnie przycisnął jego broń do ściany, nie pozwalając mu strzelić.

Dwaj mężczyźni walczyli, a Felicity szukała sposobu, w jaki mogłaby pomóc Armandowi. Żołnierz odzyskał siły i nie zważając na krew płynącą mu po twarzy, odepchnął Armanda. Felicity usłyszała, jak głowa hrabiego uderzyła o ścianę. Ale wyglądało na to, że Armandowi nic się nie stało. Wysunął stopę i podciął nogi żołnierzowi, który padł na podłogę.

Niestety, pociągnął Armanda za sobą. Stoczyli się po kamiennych stopniach, a Felicity pobiegła za nimi. Armand wylądował na górze i wciąż starając się utrzymać broń żołnierza, spojrzał na Felicity.

– Idź! Uciekaj stąd!

– Nie zostawię cię!

Zobaczyła, że żołnierz się podnosi, a Armand usiłuje utrzymać jego broń w bezpiecznym położeniu. Upuścił nóż, który ze szczękiem potoczył się po kamiennych stopniach i zniknął w ciemności.

– Spotkamy się w tawernie – powiedział Armand przez zaciśnięte zęby. – Biegnij!

Felicity wahała się jeszcze przez mgnienie oka, ale wiedząc, że najlepiej pomoże Armandowi, pozwalając mu skoncentrować się na walce, ominęła obu walczących i zbiegła po schodach. W którymś momencie upuściła pochodnię i teraz w więzieniu panowały ciemności. Słyszała dobiegające gdzieś z boku pomruki ludzi, ale mury były grube i dźwięk nie niósł się daleko.

W miarę jak schodziła coraz niżej, odgłosy walki cichły. Pomodliła się w duchu, żeby Armand wyszedł stąd żywy. Nie myślała o swoim bezpieczeństwie, dopóki coś nie brzęknęło jej pod stopą.

Zatrzymała się i stała w zupełnym bezruchu. Zrozumiała, że to musi być nóż Armanda. Pochyliła się, szukając po omacku, i nagle jej palce zacisnęły się na ostrzu. Cofnęła gwałtownie rękę, po czym spróbowała jeszcze raz ostrożniej, aż natrafiła na rękojeść. Podniosła nóż i ruszyła dalej schodami. Co będzie, jeśli spotka następnych żołnierzy? Jak wyjaśni swoją obecność?

U podnóża schodów zatrzymała się i wyjrzała za róg. Tu zaczynał się długi korytarz z celami po obu stronach. Jeśli przejdzie nim niezauważona, to będzie już tylko musiała przedostać się przez podwójną bramę. Niestety, klucze żołnierza zostały z Armandem, ale może bramy będą nadal otwarte.

Zapewne będą, jeśli nikt dotąd nie odkrył, że na posterunku nie ma strażnika.

W korytarzu panowała cisza i słychać było tylko szmer jej butów na kamiennej posadzce oraz kapanie wody. Nieustający odgłos, który przez lata musiał doprowadzać więźniów do szaleństwa. Starała się unikać zaglądania do cel, ale czuła na sobie spojrzenia, wiedziała, że jest obserwowana. Mimo to żaden z więźniów nie zawołał ani nie podszedł do krat, żeby się jej lepiej przyjrzeć. Może byli zbyt przybici, żeby się nią interesować, a może sami nie wierzyli własnym oczom.

Na końcu korytarza lśniło wąskie pasmo światła i słychać było szmer głosów. Felicity zauważyła, że drzwi do pomieszczenia dla żołnierzy są otwarte na oścież. Ostrożnie podeszła bliżej, ściskając w dłoni nóż. Ukryła się w cieniu na skraju korytarza i patrzyła na pięciu żołnierzy grających w karty. Palili, pili i śmiali się, nie zdając sobie sprawy z jej obecności i z tego, że na schodach, kilka kroków od nich, trwa walka.

Nie mogła przejść przez bramę, nie mijając szeroko otwartych drzwi. Żołnierze nie patrzyli w stronę wejścia, ale któryś z nich mógł w każdej chwili się odwrócić – zwłaszcza jeśli zauważą ruch.

Pomyślała, że jest na tyle blisko, iż nawet gdyby ją zauważyli, mogłaby wybiec na ulicę i uciec, ale wtedy zaalarmowałaby całe więzienie. Armand mógłby się nigdy z niego nie wydostać. Musiała przejść tak, żeby żołnierze jej nie zauważyli.

Stała w cieniu, zdawało się, że przez całą wieczność. Żołnierze grali, a Armand wciąż nie przychodził. Czy został pokonany? Znalazł inne wyjście? Proszę, Boże, pomóż mu.

Nie mogła dłużej czekać. Czuła, że z każdą minutą rośnie ryzyko, iż zostanie odkryta. Wcześniej czy później nadejdzie pora na zmianę warty albo jeden z nich wyruszy na obchód. Musi iść teraz.

Zmówiła krótką modlitwę, wzięła głęboki oddech i ruszyła naprzód. Jeden ze strażników odwrócił się nieznacznie i zamarła, wstrzymując oddech.

On jednak wrócił do gry, a Felicity ruszyła dalej. Jeszcze jeden krok i będzie mógł ją zobaczyć każdy z żołnierzy, który by się odwrócił. Czy powinna iść szybko, ryzykując, że nagły ruch zwróci ich uwagę? A może powoli, ale wtedy jeden z nich może przypadkowo się odwrócić i ją zauważyć?

Serce jej waliło, nogi drżały. Miała ochotę pobiec, ale zacisnęła pięści, wbijając paznokcie w rękojeść noża i powolutku przesunęła się przed otwartymi drzwiami. Dla dobra Armanda musi iść powoli. Teraz, kiedy była widoczna dla każdego, który by się odwrócił, światło lampy wydawało się jej jasne i ostre jak promienie słońca. Myślała, że nigdy nie minie tych drzwi. Wszystkie jej mięśnie się buntowały, pragnąc znieruchomieć. Miała ochotę upaść na podłogę i zwinąć się w kłębek, ale zmusiła się, by iść dalej. Parła w stronę plamy cienia, którą widziała przed sobą.

W pomieszczeniu żołnierzy wybuchnął chór śmiechów i okrzyków, a ona przygryzła język, żeby nie krzyknąć. Na jedną przerażającą chwilę serce jej zamarło i już była pewna, że zostanie złapana. Ale rzut oka do środka uspokoił ją – żołnierze byli pochłonięci grą. Resztę drogi przeszła niezauważona.

Kiedy już znalazła się w owej plamie cienia, popędziła co sił w nogach do pierwszej bramy. Wciąż była lekko uchylona, ale Felicity obawiała się, że może zaskrzypieć, gdy rozchyli ją bardziej, by się przecisnąć. Może, jeśli pociągnie powoli…

Przełożyła nóż do lewej ręki i prawą pociągnęła skrzydło bramy. Otwierała powoli, po odrobinie, pewna, że lada chwila któryś z żołnierzy ją zobaczy i podniesie alarm. W myślach grała sonatę. Jej palce przebiegały po klawiszach, gdy powoli zmagała się z bramą.

W końcu udało się uchylić ją na tyle, że mogła się przecisnąć przez szczelinę. Po drugiej stronie odetchnęła z ulgą i przy dźwiękach sonaty pobiegła do drugiej bramy.

Powietrze Paryża nigdy nie pachniało tak słodko, jak wtedy, gdy minęła drugą bramę i stanęła na zewnątrz, wolna. Spędziła w więzieniu niecałe pół godziny i czuła ogromną ulgę. Mogła sobie tylko wyobrażać, co poczuł Armand, kiedy uciekł.

Może jest tuż za nią. Może za moment do niej dołączy. Niczego nie pragnęła bardziej, niż paść mu w ramiona. Spojrzała za siebie, pełna nadziei, i zauważyła ruch w samą porę, by się uchylić.

Krzyknęła i odskoczyła do tyłu. Żołnierz, którego zostawili przy bramie, chwiejnym, pijackim krokiem szedł w jej stronę.

– Wiedziałem, że wrócisz – powiedział, zbliżając się.

Żołnierz leżący pod Armandem zyskiwał przewagę. Był starszy, mógł mieć około trzydziestki, ale był silny. Czapka spadła mu z głowy, odsłaniając ciemnożółte włosy, a jego twarz znalazła się w plamie światła. Armand wstrzymał oddech. Znał tego człowieka, pamiętał go. To był jeden z tych, którzy przynosili mu pożywienie – jeśli breję, którą dostawał, można uznać za pożywienie. To jeden z żołnierzy, którzy bili Armanda, starając się wydobyć z niego informacje, dowiedzieć się, dlaczego był w więzieniu.

– Znam cię – parsknął.

Usiadł na nim okrakiem i przycisnął mu ręce do ziemi, ale czuł, że zaczyna tracić siły.

– Ja też cię znam. Uciekłeś i sprawiłeś nam mnóstwo problemów. Powinienem cię zabić, kiedy miałem okazję. Bezwartościowy śmieciu.

Armand stracił nóż, a żołnierz mocno trzymał swój pistolet. Armand próbował mu go wyrwać, ale jeśli koncentrował się na jednej ręce, uwalniała się druga. W końcu był zbyt zmęczony, żeby zapanować nad przeciwnikiem, i żołnierz uwolnił jedną rękę. Armand przyciskał jego pistolet do podłogi, ale dostał potężny cios pięścią w podbródek. Przez moment widział jasne plamy na ciemnym tle, a potem wzleciał w powietrze.

Uderzył głową o schody, ale udało mu się przetoczyć na bok, zanim żołnierz skoczył na niego. Potoczył się w dół po schodach, obijając i tak już obolałe ciało. Wylądował na szerokim stopniu, spojrzał w górę i zobaczył, że żołnierz unosi pistolet.

– Teraz umrzesz – żołnierz uśmiechnął się.

Nie miał się gdzie ukryć, więc tylko zamknął oczy, czekając na uderzenie pocisku.

Ale usłyszał jedynie stuknięcie zamka.

Armand otworzył oczy, uśmiechnął się i powiedział po francusku:

– Niewypał.

Żołnierz ryknął z wściekłości, odrzucił broń i skoczył na niego. Armand czekał w połowie drogi, ich ciała się zderzyły i runęły w dół stromych schodów. Armand, wiedząc, że zbliżają się do podłogi, zebrał wszystkie siły. Zginie, jeśli żołnierzowi uda się zaalarmować innych. Felicity także zginie. Nie był człowiekiem religijnym, ale teraz się modlił. Modlił się, żeby była bezpieczna i daleko stąd. Nie zniósłby, gdyby coś złego jej się przydarzyło. Nigdy by sobie tego nie wybaczył.

Widział zbliżającą się pięść, ale miał spowolniony refleks, uchylił się za późno i dostał cios w oko. Przez moment zakręciło mu się w głowie, a potem ogarnęła go furia. Ze zdwojoną energią cisnął żołnierzem o ścianę. Usłyszał, jak jego głowa trzasnęła o twardą powierzchnię.

– Teraz widzisz, jak to jest – wydyszał. – Teraz widzisz, jak się czułem.

Żołnierz przez chwilę był oszołomiony, ale potem ruszył znowu na niego. Tym razem Armand uchylił się w porę i przeciwnik, pchany siłą rozpędu, runął w dół schodów.

Zanim zdążył się podnieść, Armand był już na jego plecach i zacisnął mu ramię na szyi. Żołnierz wyrywał się, wierzgał wściekle i nagle znieruchomiał.

Nie był martwy. Armand wiedział, że jest tylko nieprzytomny. Jakaś jego część pragnęła zaciskać mięśnie, aż wydusi z niego resztki życia. Ten człowiek mógłby zapłacić za wszystko, co Armand wycierpiał. Już pora, żeby ktoś za to zapłacił.

Ale przed oczami pojawiła mu się twarz Felicity. Jak stanie przed nią? Czy kiedykolwiek spojrzy jej w oczy, jeśli okaże się potworem, którego istnienia w sobie zawsze się obawiał?

Powoli puścił żołnierza, ciało opadło bezwładnie na schody. Wstał niepewnie i ciężko dyszał. Miał tylko kilka minut, zanim ktoś nadejdzie, znajdzie nieprzytomnego żołnierza i podniesie alarm. A wtedy będzie już za późno dla Felicity i dla niego.

O ile już nie jest za późno.

Potykając się, ruszył po schodach. W duchu modlił się, żeby Felicity zdążyła się wydostać z Le Grenier.

Felicity nieporadnie zmagała się z nożem. Strażnik, zataczając się, szedł w jej kierunku, a ona wciąż nie mogła pewnie chwycić rękojeści. Cofała się, próbując unieść nóż, ale niemal wyślizgnął się jej z palców. W końcu, gdy strażnik był tuż przy niej, udało się jej i skierowała w jego stronę ostrze.

– Stój. Nie chcę cię zranić.

Przechylił głowę i zauważyła, że jego brązowe oczy są przekrwione i strużka krwi sączy się ze skroni, gdzie musiał trafić go Armand, pozbawiając wcześniej przytomności. Jego mundur był rozdarty, a pas materiału, którym miał skrępowane ręce, zwisał mu z nadgarstka.

– Jesteś Angielką – powiedział po francusku. – Do tego wszystkiego jesteś Angielką!

Felicity skrzywiła się. Nie powinna była się odzywać. Jej francuski był przyzwoity, ale mówiła z silnym akcentem.

– Chodź tutaj, mała angielska dziewczynko – wyciągnął do niej rękę, a ona pisnęła, uchyliła się i odskoczyła. Zrobił krok do przodu i znowu wziął zamach. – Złapię cię.

– Nigdy, jeśli tylko mogę coś na to poradzić – mruknęła po angielsku i jeszcze raz machnęła nożem.

Poza wymachiwaniem, nie wiedziałaby, co z nim zrobić. Nigdy nie użyła noża przeciwko innej osobie. Nie wyobrażała sobie, że mogłaby zranić wściekłego psa, a co dopiero drugiego człowieka. Spojrzała za siebie. Ulica była pusta. Mogłaby rzucić się do ucieczki, i nawet gdyby żołnierz zaalarmował swoich kompanów, ona byłaby już daleko. Strażnik nie nadawał się do pogoni za nią.

Ale musiała myśleć o Armandzie. On był wciąż wewnątrz. Gdyby żołnierze zorientowali się, że ktoś nieuprawniony wszedł do więzienia, mógłby nigdy się stamtąd nie wydostać. Nie mogła być odpowiedzialna za jego uwięzienie. Wolałaby już zostać schwytana, nawet zabita przez tego strażnika, niż żyć ze świadomością, że Armand jest znowu zamknięty w tamtej celi na poddaszu. Jeśli uda się jej zająć strażnika choć na kilka minut, odwrócić jego uwagę, może zyskać dla Armanda dość czasu, by do niej dołączył.

Strażnik szedł w jej kierunku i chociaż ona się cofała, był coraz bliżej. Rana na jego głowie musiała się znowu otworzyć, ponieważ po policzku popłynął mu świeży strumyk krwi, zalewając oko. Otarł go ręką, tworząc makabryczną karmazynową smugę na twarzy.

Uderzyła plecami o zewnętrzną bramę więzienia i poczuła, jak ostry metal przebija się przez cienki materiał sukni i kaleczy skórę. Patrzyła na nadchodzącego strażnika i wiedziała, że jeszcze może mu się wymknąć. Jeszcze może uciec.

Ale stała nieruchomo; cierpliwie czekała. Pomyślała, że właśnie to jest miłość. Że jest gotowa oddać życie za Armanda. Gotowa pójść do więzienia zamiast niego. Tak, gdyby ją schwytano, mogłaby odwrócić uwagę żołnierzy, aby dać Armandowi możliwość ucieczki. Nie miała złudzeń co do konsekwencji, gdyby została złapana. Byłaby kobietą wydaną na pastwę pół tuzina wściekłych żołnierzy. Do tego cudzoziemką, należącą do wrogiego narodu. Trafiłaby do więzienia na bardzo długo i to nie byłaby najgorsza z rzeczy, jakie mogły ją spotkać.

Mimo to stała i czekała. Strażnik był tuż przy niej. Uśmiechał się, a krew spływała po jego policzku niczym gęsta czerwona rzeka. Uniosła nóż, a on parsknął śmiechem.

– Tylko spróbuj.

Podszedł bliżej, a wtedy cięła. Odskoczył, ale miał zwolniony refleks. Nóż przeciął materiał jego płaszcza. Niestety, było to tylko draśnięcie i nie wyrządziło poważniejszej szkody.

Poza tym, że rozwścieczyło strażnika.

– Mała dziwka!

Skoczył na nią, wystawiła nóż, ale on był na to przygotowany i uniknął ostrza. Wziął zamach i uderzył ją w ramię, aż skuliła się z bólu. W pierwszym odruchu omal nie upuściła noża, ale zacisnęła zęby i wytrzymała. Skoczyła pod jego uniesionym ramieniem, ale zdążył ją złapać. Chwycił ją za rękę i obrócił, przytrzymając na tyle daleko od siebie, by nie dosięgła go nożem. Wykręcił jej rękę za plecy; dużo ją kosztowało, by nie krzyknąć z bólu. Gdyby krzyknęła, zaalarmowałaby przecież żołnierzy.

– Rzuć nóż – wydyszał, wykręcając jej rękę, aż ból stał się niemal nie do zniesienia.

W oczach jej pociemniało, kolana się pod nią ugięły. Ale jak przez mgłę przed oczami stanęła jej twarz Armanda. Musi być silna dla niego.

Uniosła nóż.

– Rzucę!

– Zrób to! – syknął strażnik.

– To boli – jęknęła, starając się, by jej głos zabrzmiał jak najbardziej płaczliwie.

Nie było to trudne, ponieważ od pulsującego bólu w ręce łzy napłynęły jej do oczu. Jeszcze chwila i złamie jej rękę. Czuła, jak mięśnie się naciągają, czuła, że kość jest bliska pęknięcia.

Jednak jej płacz musiał zadziałać, ponieważ poluzował nieco uchwyt i mogła skupić myśli. Nagle, nie przejmując się bólem, wzięła zamach i pchnęła nożem. Uderzała na oślep, ale szczęście jej dopisało. Poczuła, że ostrze napotkało opór, przecięło coś i zobaczyła krew.

Krzyknął, lecz ku jej rozpaczy nie puścił. Wykręcił jej rękę, a Felicity aż zaklęła, gdy usłyszała trzaśnięcie.

Tym razem nie udało jej się powstrzymać okrzyku bólu. Kolana się pod nią ugięły i osunęła się na ziemię. Strażnik dopadł ją natychmiast i sięgnął po nóż, który trzymała w drugiej ręce. Była gotowa go oddać. Była gotowa zrobić wszystko, byle tylko ból ustąpił.

Ale wtedy zobaczyła Armanda. Nie w wyobraźni. Nie tym razem. Był tu naprawdę. Zamrugała, nie wierząc własnym oczom. Wybiegł z bramy i pędził ku niej. Spojrzenie miał dzikie, pełne pasji. Och, jakże kochała to spojrzenie, uwielbiała to, że było utkwione w niej. Strażnik sięgnął po nóż, a ona uniosła go ostatkiem sił – i ostrze wbiło się w coś miękkiego.

Krzyknął, a ona padła jak długa, kiedy ją puścił. Uderzyła czołem o bruk, ale ten ból był niczym w porównaniu z tym, który rozdzierał jej rękę.

I nagle Armand był już przy niej. Słyszała jęki strażnika, a Armand wziął ją w ramiona, pomógł jej wstać i delikatnie popchnął.

– Biegnij, *chérie*. Biegnij!

Chciała mu powiedzieć, że nie może biec. Całkiem już opadła z sił, ale jemu nigdy nie umiała odmówić. Dlatego pobiegła, słysząc za sobą coraz cichsze krzyki strażnika i tupot podkutych butów.

Zdawało się, że uciekają całymi godzinami. Jej płuca płonęły, ręka płonęła, nogi płonęły. W pewnym momencie potknęła się i omal nie upadła, lecz Armand złapał ją i przytrzymał, dopóki nie odzyskała równowagi. Była już ciemna noc, lecz Paryż nie spał. Wkrótce znaleźli się w ruchliwej dzielnicy, wśród wychudzonych, głodnych ludzi, którzy mieli poważniejsze zmartwienia niż kobieta w zakrwawionej sukni i biegnący obok niej mężczyzna o dzikim wyglądzie.

– Proszę – wydyszała. – Dalej już nie dam rady.

– Jeszcze nie możemy się zatrzymywać – pociągnął ją za sobą, a ona, potykając się, posłusznie pobiegła za nim. Ale czuła, jakby jej płuca wypełnił ołów. Ledwie mogła oddychać.

– Nie mogę. Armandzie – chwyciła go za rękę. – Już nie mogę.

Przez moment wyglądał, jakby chciał się z nią spierać, ale nagle jego rysy złagodniały. Wepchnął ją w drzwi jakiegoś sklepu, zamkniętego na noc, i wziął w ramiona. Zatopiła się w nim, ledwie jej dotknął. Nawet po tylu dniach podróży, pokryty więziennym brudem, pachniał cudownie. Jego dotyk był niezrównany. Czuła otaczające ją silne ramiona, zamknęła oczy i oparła głowę na jego piersi. Chciałaby tak zostać już na zawsze.

– Jak twoja ręka? – spytał szeptem.

Poruszyła nią ostrożnie.

– Obolała, ale nie złamana.

– To dobrze. Musimy się stąd wydostać – jego głos zadudnił jej w uszach. – Kiedy żołnierze w Le Grenier podniosą alarm, miasto zostanie odcięte. Nie będziemy mogli uciec.

Usłyszała nutę niepokoju w jego głosie; odchyliła się do tyłu i objęła dłońmi jego twarz.

– Ukryjemy się. Nigdy nas nie znajdą.

– Musimy dotrzeć do Calais. Jeśli znajdziemy kapitana, którego wynajął Marius, i przekonamy go, żeby nas zabrał do Anglii, będziemy bezpieczni. To jedyne wyjście.

Przytaknęła. Oczywiście miał rację. Muszą się stąd wydostać, dopóki to jeszcze możliwe.

– Co proponujesz? Jestem zbyt wycieńczona, żeby dojść do Calais.

– Zdobędę wóz i konia.

– Masz pieniądze? – spytała.

Pokręcił głową.

– Kilka funtów, co i tak na nic się nam tutaj nie przyda. Będę musiał je ukraść.

Wielkie nieba. Wyglądało na to, że będzie musiała wziąć kolejny grzech na swoje sumienie. Jeszcze trochę i złe uczynki przeważą nad dobrymi.

– A jeśli cię złapią?

Popatrzył na nią, unosząc brwi.

– Nie złapią. Poczekaj tutaj.

Chwyciła go za rękaw, kiedy odchodził.

– A co będzie, jeśli w Calais nie znajdziemy tego kapitana?

Wzruszył ramionami.

– Marius zapłacił mu, żeby poczekał. Będzie tam.

– Ale ty nie jesteś Mariusem.

– Nie. Znacznie lepiej – przez jego twarz przemknął dziwny uśmiech. – Jestem bratem Kapitana Korda.

Kradzież konia i wozu okazała się wręcz nazbyt łatwa. Krótkie życie kryminalisty na ulicach Paryża dało mu umiejętności, których pewnie nigdy nie zapomni. I był zaskoczony, jak łatwo je sobie przypomniał. Poczuł się na tyle pewnie, że ukradł jeszcze bochenek chleba, kilka jabłek i płaszcz. W Paryżu było zimno, a Felicity drżała, kiedy ją opuszczał.

Nie cierpiał zostawiać jej samej, ale zabierając ją na tę wyprawę, zwracałby na siebie większą uwagę. Teraz miał tylko nadzieję, że zachowała czujność i jeśli ktokolwiek próbowałby się z nią zbyt blisko zaprzyjaźnić, będzie gotowa użyć noża, który wyciągnął ze strażnika.

Pokierował konia przez zatłoczoną dzielnicę, aż dotarł do sklepu, przy którym ją zostawił. Zeskoczył natychmiast, gdy zobaczył błysk jej żółtych włosów.

– Nie mogę uwierzyć, że to zrobiłeś – na jej twarzy malował się podziw i coś jakby potępienie jednocześnie.

– To dopiero początek – posadził ją na koźle obok siebie i ruszyli do Calais.

Jak się spodziewał, kapitan Mariusa wciąż czekał w porcie. Upewniwszy się, że Marius nie wróci, nie zadawał wielu pytań. Interesowała go tylko zapłata, lecz Armand powołał się na nazwisko de Valère, obiecując mu wynagrodzenie po dotarciu do Anglii.

Podróż powrotna nie była tak spokojna jak droga do Francji. Zimowy sztorm uniemożliwił wypłynięcie na kanał i stał się przyczyną kilkudniowego opóźnienia. Armand wykorzystał część tego czasu, by porozmawiać z kapitanem. Miał nadzieję, że pozna odpowiedzi na przynajmniej część swoich licznych pytań.

Później dołączył do Felicity w kajucie kapitana, którą im przydzielono. Miała na sobie tylko *chemise*. Nauczyła go angielskiej i francuskiej nazwy tej części garderoby, lecz on wolał francuskie określenie. W blasku świec widział zarys jej ciała. Kiedy stanął w drzwiach kajuty i jej widok sprawił, że krew w nim zawrzała, zdał sobie sprawę, że nie dotknął jej od chwili, gdy byli razem w Londynie. Nie żeby o tym nie myślał. Ale ona była zmęczona, a kiedy zobaczył sińce, które zostawiły na jej ramieniu palce strażnika, wpadł we wściekłość i tylko chodził niespokojnie tam i z powrotem po pokładzie, choć wysokie fale mogły w każdej chwili zmyć go za burtę.

Teraz jednak kolor wrócił na jej policzki, a sińce zaczęły blednąć. Poczuł, że ręce mu się zaczynają pocić na widok jej żółtych włosów – nie powiedziała mu, że ten kolor nazywa się blond – opadających na ramiona i aż na plecy.

Kiedy zamknął drzwi, odwróciła się i spojrzała na niego.

– Myślałam, że już nigdy nie wrócisz. Byłeś z kapitanem cały ten czas?

– Tak.

Uniosła brwi.

– Jak na kogoś, kto nie lubi mówić, rozmawiałeś zaskakująco długo.

– Pozwoliłem mówić jemu.

Uśmiechnęła się.

– Oczywiście. O czym rozmawialiście?

Nie był jeszcze gotów, by się z nią tym podzielić. Chciał najpierw porozmawiać z Julienem, więc wzruszył tylko ramionami, podszedł do niej i położył dłonie na jej prawie nagich ramionach.

– Wyglądasz na zmarzniętą.

Spojrzała na niego ze zdziwieniem.

– Chyba nie o tym rozmawialiście, ale rzeczywiście, jest mi trochę chłodno.

– Ogrzeję cię.

Przyciągnął ją do siebie, objął rękoma w talii i pochylił się, żeby pocałować. Chętnie odwzajemniła pocałunek. Nie spodziewał się tego. Przywykł, że początkowo stawia opór, że musi ją przekonywać, ale teraz jej palce już były wplecione w jego włosy, a ona domagała się więcej.

– Potrzebuję cię, Armandzie – szepnęła.

Te słowa go zdumiały. Nigdy nie sprawiała wrażenia, jakby kogoś potrzebowała, a już zwłaszcza jego. Nawet kiedy wybiegł z Le Grenier i zobaczył ją na kolanach, zmagającą się ze strażnikiem, wyglądało, jakby za moment miała opanować sytuację. I to ona zabiła strażnika, nie on. Ona nie zapytała, a on nie zamierzał jej mówić, w co trafiła nożem. Ale kiedy wyciągał ostrze, wiedział, że strażnik już nigdy nie otworzy oczu.

Pocałował ją mocniej, zastanawiając się, czy to zaspokoi jej potrzebę.

– Czy ty mnie potrzebujesz?

To było dziwne pytanie, ale może odzwierciedlało jakiś aspekt miłości, którego nie rozumiał.

– Oczywiście – odparł, całując ją w szyję. – Pragnę cię od pierwszej chwili, gdy cię zobaczyłem.

Cofnęła się o krok.

– Nie o to pytałam. Nie chodziło mi o to, czy mnie pragniesz. Pytałam, czy mnie potrzebujesz? Czy mnie kochasz?

Armand zmarszczył brwi. Wydawało mu się, że to dwie różne rzeczy. Rozumiał potrzebę. Potrzebował pożywienia i wody. Potrzebował trzymać ją w objęciach, czuć jej dotyk. Ale nie rozumiał, czym jest miłość. Co to takiego? Ujął w dłonie jej twarz, podziwiając kolejny raz, jak miękka jest jej skóra.

– Potrzebuję cię. Ty jedna możesz mnie dotykać.

Zamrugała i dostrzegł nieme pytanie w jej oczach.

– Armandzie, dlaczego ja mogę cię dotykać? Obserwowałam cię. Widziałam, jak reagowałeś, kiedy inni cię dotykali. Wyglądałeś, jakby sprawiało ci to ból.

Skinął głową, a potem wzruszył ramionami.

– Zbyt wiele lat bez dotyku. Zbyt wiele lat bez mówienia. Traci się na to ochotę.

– Ale ja cię mogę dotykać – i jakby chciała tego dowieść, przesunęła dłońmi po jego ramionach i piersi.

Czuł, jak jego skóra staje się gorąca tam, gdzie jej dotknęła, i zapragnął pocałować ją, żeby na tym zakończyć dyskusję. Czemu ona musi tak dużo mówić?

– Ty jesteś inna – pochylił się, lecz ona przytrzymała go dłonią.

– Dlaczego? Dlaczego ja?

– Nie wiem.

I to była prawda.

Nie wiedział, dlaczego jej dotyk działał na niego tak upajająco, podczas gdy w każdym innym przypadku sprawiał mu ból, chociaż, prawdę mówiąc, zaczynał się przyzwyczajać. Nie cierpiał już tak bardzo.

– Czy myślisz, że to przeznaczenie? Że jesteśmy sobie przeznaczeni?

Znał to słowo, czytał je jako dziecko, ale nie umiał powiedzieć, co znaczy.

– Nie wiem. Nie obchodzi mnie to. Ja potrzebuję ciebie – pochylił się, żeby ją pocałować, i tym razem, gdy próbowała mówić coś jeszcze o przeznaczeniu, położył dłoń na jej piersi, poczuł, jak twardnieje, i zadbał o to, by zapomniała o wszystkich słowach.

Położył ją na łóżku i rozebrał ostrożnie, by nie urazić obolałej ręki. Nie patrzył jednak na jej ciało, choć budziło w nim fascynację. Teraz patrzył w jej oczy, ponieważ zobaczył w nich coś nowego, coś, czego nie widział nigdy wcześniej.

I w końcu poczuł, że rozumie, co to takiego.

22

Armand zsunął ramiączka koszulki, całując równocześnie jej ramiona. Zdumiało ją, że czasami potrafi być tak delikatny, a czasami tak dziki. Teraz był delikatny, całował jej skórę u podstawy szyi, łaskotał zagłębienie językiem, kreślił ognistą linię od szyi aż do wypukłości piersi. A potem jego usta dotarły i tam. Poczuła, jak materiał koszuli zwija się jej na biodrach, poczuła na sobie jego dłonie i jego usta, badające, drażniące, niedające spokoju.

Otworzyła oczy i spojrzała na jego miękkie, ciemne włosy. Chciała przytulić go do siebie, przytrzymać, ale wtedy on objął wargami jej pierś i poczuła, jak przeszywa ją piorun namiętności.

Zapomniała na chwilę o czułości, gdy wyprężyła ciało, wychodząc na spotkanie jego dłoniom i ustom.

– Nosisz za dużo ubrań – mruknęła.

Nie oczekiwała, że jej odpowie, ale on posłusznie wstał i zaczął zdejmować poszarpaną koszulę. Uklękła na łóżku i ujęła jego szorstkie dłonie.

– Pozwól mi to zrobić.

Uniósł brwi, ale posłusznie opuścił ręce. Lubiła tę stronę jego osobowości – posłuszną, ugodową. Wiedziała, że to nie potrwa długo, ale podobało się jej, że – przynajmniej na razie – to ona przejęła kontrolę.

Powoli zdjęła z niego koszulę, przesuwając palcami po gładkiej brązowej skórze. Zastanawiała się, dlaczego ma taki kolor? Czy chodził bez koszuli? Mogła to sobie wyobrazić całkiem łatwo. Armand nigdy nie był człowiekiem, który przejmowałby się modą albo jej nakazami. Zdjęła mu przez głowę koszulę, która opadła na podłogę kajuty. Teraz, w migotliwym blasku świec, widziała ślady nocy spędzonej w więzieniu. Dotknęła ciemnych sińców na jego żebrach i piersi.

– Jesteś ranny – szepnęła, patrząc w jego kobaltowe oczy.

Pokręcił głową, jakby mówił „nic to", a potem chwycił jej dłonie i ucałował. Już pochylał się do następnego pocałunku, ale powstrzymała go. Teraz to ona dyktuje warunki.

– Nadal jesteś za bardzo ubrany – skarciła go.

– A ty za dużo mówisz.

Uśmiechnęła się figlarnie, wysuwając dłonie z jego uścisku i kładąc mu na piersi. Czuła gęsią skórkę pod palcami.

– Spieszy ci się, nieprawdaż?

Nie przypuszczała, że odpowie, a już wiedziała, że tego nie zrobi, kiedy wsunęła palec do jego spodni. Wyczuła go cal poniżej pasa, czuła, że jest twardy i gotowy. Ale nie spieszyła się. Wyjęła dłoń i przesunęła nią po jego twardości. Jęknął z zadowolenia; nie pamiętała, by robił to wcześniej. Powiodła dłonią po jego pośladkach.

Widziała już wyraźnie niecierpliwość w jego oczach, na jego twarzy. Sięgnął do spodni i zaczął je rozpinać.

– O, nie, nie! – zaprotestowała. – Pozwól mi.

Posłał jej spojrzenie, które mówiło, że jego namiętność lada moment może wziąć górę nad cierpliwością, więc przystąpiła do rozpinania spodni. Kiedy skończyła, zsunęła je w dół. Pospiesznie uwolnił się od nich, lecz ona była szybsza i zacisnęła palce na jego twardej męskości.

Armand zupełnie znieruchomiał pod wpływem jej dotyku, co tak ją zaskoczyło, że postanowiła sprawdzić, jak jeszcze może reagować. Przesunęła dłoń wzdłuż aksamitnej długości i z powrotem. Kiedy spojrzała mu w oczy, jego spojrzenie, mroczne i skupione, było utkwione w niej.

– Jeszcze raz – wychrypiał.

Uśmiechnęła się.

– I któż to się odezwał? – ale spełniła życzenie, nagradzając jego i siebie.

Wyciągnął ku niej rękę, lecz ona pokręciła głową.

– Felicity – jego zachrypnięty głos przyprawił ją o dreszcz.

– Poczekaj – ponownie przesunęła dłoń po całej długości, aż drgnął w jej dłoni. Uczyła się tak szybko! I zastanawiała się...

Spojrzała w jego pociemniałe oczy, pochyliła się i dotknęła go końcem języka. Jego ręce natychmiast znalazły się na jej ramionach, mięśnie się naprężyły i... tak, to była rozkosz w oczach.

– Jeszcze raz? – drażniła się z nim.

Nie odpowiedział, ale jego spojrzenie wystarczyło. Powtórzyła, tym razem zaciskając na nim wargi. Jęknął głośno, a ona miała nadzieję, że żaden z marynarzy nie przechodzi obok kajuty. Ten jęk trudno byłoby pomylić z jakimkolwiek innym.

Podobało się jej, że może mu sprawić aż tak wielką przyjemność. Że może wywołać taką reakcję. Pochyliła się znowu i musnęła go językiem, ucząc się jego smaku i dotyku. Był gładki i twardy, i wydawał się rosnąć, tak że mogła mieć go coraz więcej w sobie. W końcu zacisnął palce na jej ramionach i delikatnie odsunął ją od siebie.

– Moja kolej.

– Ale…

Tu jednak jego posłuszeństwo się skończyło. Wyraz jego twarzy mówił jednoznacznie, że teraz on przejmuje kontrolę. Przez chwilę czuła się rozczarowana, ale potem zdjął jej koszulkę i poczuła na sobie jego ręce. To były szorstkie ręce, nie wypielęgnowane dłonie arystokraty, a ich szorstkość podniecała. Lubiła czuć zgrubienia na jego skórze, ocierające się o jej sutki, dotykające brzucha, przesuwające wzdłuż ud i… och…

Położyła się na łóżku – a raczej opadła na nie – i jego kciuk musnął delikatne miejsce w jej wnętrzu. Robiło jej się na przemian zimno i gorąco, czuła niecierpliwość i nie chciała, żeby to uczucie kiedykolwiek ustało. Rozchyliła nogi, a on ukląkł między nimi. Zastanawiała się, czy poczuje wstyd, leżąc tak przed nim, ale nie poczuła. Wiedziała, że on jest dla niej tym jedynym, tak jak ona dla niego. Widziała w jego oczach podziw i zachwyt, a to sprawiło, że chciała się przed nim otworzyć, przyjąć go w siebie.

Widziała jego erekcję i wiedziała, że jest gotów, ale nie zbliżył się do niej. Uśmiechał się tylko.

Felicity zmarszczyła brwi. To nie było do niego podobne.

– O czym myślisz?

Pochylił się i dotknął ustami jej brzucha. Jego gorący oddech łaskotał i Felicity wyprężyła się z zadowolenia i podniecenia. Chciała poczuć go w sobie, jego ciepło i twardość.

Tymczasem on nakreślił językiem gorącą ścieżkę od pępka do jej środka. Wiedziała, co teraz robił. I choć bardzo pragnęła mieć go już w sobie, zastanawiała się, jak to by było poczuć jego usta.

Wtedy on dotknął jej językiem, a ona aż się wygięła. Ale nie wycofał się – ujął jej uda, przytrzymał mocno i rozchylił przed sobą. Liznął ją jeszcze raz, ona zaś wyprężyła się, przywierając do niego, zaciskając palce na pościeli i krzycząc z rozkoszy. Nie odezwał się ani słowem, ale czuła, że jest zadowolony z jej reakcji, zdała sobie sprawę, że chce jej pokazać, jak może reagować, kiedy będzie jej dotykał to w taki, to w inny sposób. I nie mogła się oprzeć, by nie zatopić się w tych eksperymentach. Jęczała, niemal krzyczała, kiedy w końcu nadeszło spełnienie. Czuła na sobie jego wzrok, widziała, że sprawia mu przyjemność, i czuła jego zapał, kiedy w nią wchodził, prowadząc na jeszcze większe wyżyny rozkoszy.

Zaparła się więc mocno, pragnąc mieć go jeszcze głębiej, pragnąc, aby ją wypełnił, a on zaspokajał jej pragnienia. Był szorstki i szybki, a eksplodując w jej wnętrzu, wykrzyknął jej imię.

Żadne słowo nie mogłoby być dla niej słodsze; objęła go, kiedy na nią opadł, jego włosy rozsypały się na poduszce, jego tors przygniatał jej piersi przyjemnym ciężarem.

– Kocham cię, Armandzie – szepnęła, a on wtulił twarz w jej szyję.

Myślała, że spali jakiś czas spleceni w objęciach. Gdy się obudziła, niebo za oknem było szare i zamglone. Nie wiedziała, czy jest świt, czy zmierzch, ale łagodne kołysanie statku wskazywało, że trwający od kilku dni sztorm ucichł.

Armand miał zamknięte oczy i pogrążony we śnie wyglądał tak spokojnie. Poczuła, jak serce jej się ścisnęło z miłości. Wtedy otworzył oczy i choć wypełniała je czułość i coś, co mogło być miłością, Felicity nie była pewna. Potrzebowała słów. Chciała wiedzieć, czy on czuje to samo, co ona. Że jest w tym coś więcej niż tylko pożądanie i przyjemność. Pragnęła jego serca, nie tylko ciała. I, jak zawsze, pragnęła usłyszeć jego słowa.

Uśmiechnęła się.

– Od jak dawna nie śpisz?

Zamiast odpowiedzi pocałował ją i powoli, leniwie kochali się jeszcze raz. To nie było wszystkim, czego chciała, ale na razie wystarczyło. Kilka godzin później, kiedy umyli się i zjedli bardzo smaczny posiłek złożony z chleba i sera, położyli się razem na koi i drzemali. Nie pamiętała, kiedy ostatnio pozwoliła sobie na takie lenistwo, ale była zmęczona i nie wiedziała, co ich czeka w Londynie.

Rodzina de Valère z pewnością szaleje z niepokoju i będzie się domagać wytłumaczenia ich niespodziewanego, tajemniczego zniknięcia. A co mogłaby im powiedzieć? Została zdradzona przez Charlesa. A jeśli on nadal był w Londynie, to stanowi bardzo realne zagrożenie. Wciąż może ją oskarżyć o morderstwo. Z drugiej strony, ona może mu zarzucić porwanie. Tak czy inaczej, rodzina de Valère będzie uwikłana w skandal.

– Czym się martwisz? – szepnął jej do ucha Armand. Odwróciła głowę i spojrzała mu w oczy. – Jesteś spięta.

– Myślę o tym, co będzie, kiedy wrócimy. Twoja rodzina będzie wzburzona.

– Ale żyjemy.

Nie mogła odmówić temu stwierdzeniu logiki.

– Oczywiście będą zadowoleni, że nic nam się nie stało, ale będą też chcieli wiedzieć, gdzie byliśmy i co się stało. Muszą konać ze zgryzoty, nie mając od nas żadnych wiadomości.

– Dużo słów.

Przytaknęła.

– Zasługują na wyjaśnienia.

– Damy im słowa, a potem cię zabiorę.

Uniosła się na łokciu i spojrzała na niego.

– Co masz na myśli?

– Chcę wyjechać z Londynu. Pojedziemy do Ogrodów.

– Twojego domu na wsi?

– Tam też jest fortepian. Będziesz mogła grać, kiedy zechcesz.

Roześmiała się.

– Jestem pewna, że to by ci się podobało, ale nie możemy razem pojechać na wieś. Nie jesteśmy małżeństwem.

Wzruszył ramionami.

– Więc się pobierzemy.

– To nie jest takie proste. – I to z większej liczby powodów, niż chciała wyjaśniać.

Teraz on uniósł się na łokciu, a na jego twarzy pojawił się wyraz irytacji.

– Dlaczego?

Mogłaby podać mu tuzin powodów – od niewątpliwego sprzeciwu rodziny po trudność w uzyskaniu specjalnej zgody. Zamiast tego jednak wypaliła:

– Nie jestem dla ciebie dość dobra.

Zmarszczył brwi, nic nie rozumiejąc.

– Jesteś dla mnie bardzo dobra – powiódł po jej piersi długim, arystokratycznym palcem. – Jesteś moja.

Nie, jeszcze nie była. Chciała być jego, naprawdę chciała, ale jak mogłaby go poślubić, wiedząc, że w ten sposób ściągnie na niego oskarżenie o morderstwo. Wiedząc, że jeśli oskarży Charlesa o porwanie, będzie musiała wydobyć na światło dzienne przeszłość Armanda; przeszłość, o której on chciał zapomnieć. Dla niego i dla jego rodziny najlepiej będzie, jeśli Felicity zniknie. Być może dadzą jej trochę pieniędzy, pomogą znaleźć jakieś miejsce, w którym mogłaby się ukryć. Może pewnego dnia wróci...

Musiał dostrzec wątpliwości na jej twarzy, ponieważ usiadł i spojrzał na nią poważnie.

– A więc nie wyjdziesz za mnie?

Ona także usiadła.

– Nie wiem. Są jeszcze inne problemy. Inne powody.

Rozłożył ręce.

– Jakie?

– Jestem zaręczona.

– St. John.

Skinęła głową.

– Po tym, co zrobił, nikt nie będzie oczekiwał, żebym honorowała tę umowę, ale on może nam narobić kłopotów. Może wywołać skandal.

Armand machnął lekceważąco ręką.

– Nie przejmuję się skandalami.

– Ale twoja rodzina się przejmuje. Będą upokorzeni, jeśli znajdą się w samym centrum takiego skandalu. A Charles...

– On już nie żyje. Zabiję go za to, co zrobił.

Chwyciła go za łokieć.

– Armandzie, nie możesz tego zrobić. Pójdziesz do więzienia.

Siedział odwrócony tyłem do niej, ale poczuła, że cały zesztywniał.

Powoli odwrócił się i spojrzał na nią.

– Tylko jeżeli mnie złapią.

Wielkie nieba. Poderwała się, stanęła przed nim i położyła mu rękę na piersi.

– Nie chcę, żebyś go zabijał. – W jego oczach pojawił się ostrzegawczy błysk, ale ona mówiła dalej. – To nie dlatego, że coś do niego czuję. Kocham ciebie, tylko ciebie, Armandzie, ale on ma nade mną władzę. Czy wiesz, co to znaczy?

– Sprzedał cię Mariusowi. Ja cię odzyskałem. Nigdy więcej nie zbliży się do ciebie.

– Nie musi. Może mnie skrzywdzić, nawet się nie zbliżając.

– Opowiedz.

Wahała się tylko przez chwilę, zanim popłynął z niej potok słów.

– Mój ojciec był chory, bardzo chory. Nie zdawałam sobie sprawy, jak bardzo, a on odesłał mnie na dwa tygodnie do ciotki. W każdym razie to miały być dwa tygodnie, ale ciotka potrzebowała pomocy... ma szóstkę dzieci... i poprosiła mnie, żebym została dłużej, a ja się zgodziłam. Nie wiedziałam, że mój ojciec... – zamilkła i pierś jej zafalowała, gdy starała się powstrzymać łkanie.

– Umarł? – głos Armanda był rzeczowy, a jednak pełen współczucia. Wiedział, co to znaczy stracić ojca. Nie móc być z nim na koniec.

Przytaknęła.

– Kiedy mnie nie było w domu. Mogłabym się nawet o tym nie dowiedzieć, gdyby Charles nie wysłał listu. Skłamał, powiedział wszystkim w Selborne, że walczył na wojnie, ale wrócił, kiedy mnie nie było. Pielęgnował mojego ojca w czasie choroby i był z nim do samego końca. Po jego śmierci napisał do mnie i poprosił, żebym wróciła do domu. A kiedy wróciłam, pokazał mi kontrakt zaręczynowy. Ojciec zobowiązał mnie do poślubienia Charlesa. Napisał, że chce, żebym miała opiekę.

Armand zacisnął pięści, kiedy mówiła o małżeństwie, a teraz wstał i chodził nerwowo po kajucie.

– Nie wyjdziesz za niego. Jesteś moja.

Czuła promieniujący z niego gniew i żar; podeszła do niego i złożyła głowę na jego szerokich plecach.

– Jestem twoja. Nigdy nie chciałam poślubić Charlesa. Kiedy wróciłam, przekonałam się, jaki jest naprawdę. To pijak i hazardzista. Pewnie myślał, że może coś zyskać, pielęgnując mojego ojca, ale my nie mieliśmy nic. Powiedziałam mu, że za niego nie wyjdę, a on zagroził, że ujawni kontrakt i powie wszystkim, że nie honoruję zobowiązań. Najpierw musiałam mu obiecać dwadzieścia pięć funtów. Potem zażądał stu.

– Nic mu nie zapłacisz.

– Nie rozumiesz. On... on zabił kobietę. Prostytutkę. Widziałam ich razem, kiedy byłam na zakupach z twoją matką. Ludzie widzieli, jak rozmawialiśmy. Teraz Charles mówi, że jeśli nie dam mu stu funtów, oskarży mnie o to morderstwo. Powie, że byłam o nią zazdrosna, a ty mi pomagałeś. Oboje pójdziemy do więzienia, Armandzie. A nawet jeśli nie, to skandal...

– Zajmę się tym.

– Armandzie, powiedziałam ci, nie chcę, żebyś go zabijał. Nie chcę, żebyś poszedł do więzienia. On nie jest tego wart. W pierwszej chwili pomyślałam, że mogłabym pójść na policję i opowiedzieć, co się zdarzyło, ale teraz sądzę, że będzie najlepiej, jeśli odejdę. Może jeśli on mnie nie znajdzie, oboje będziemy bezpieczni.

– Ale nie razem.

Spuściła wzrok.

– Nie...

Ujął ją pod brodę i spojrzał w oczy.

– Będziemy razem. Zostaw St. Johna mnie. Nie będę musiał go zabijać.

Chciała zapytać, co ma na myśli, ale rozległo się pukanie do drzwi i kapitan oznajmił, że na horyzoncie widać już klify Dover.

Od tej chwili czas wydawał się pędzić i nie miała już okazji porozmawiać z Armandem o Charlesie. Dopiero kiedy siedzieli w wynajętej dorożce jadącej na Berkeley Place, mogła o to zapytać.

Jak należało oczekiwać, nie odpowiedział; zostało jej tylko posyłać mu ponure spojrzenia i patrzeć, jak za oknem biedne, brudne przedmieścia ustępują miejsca wysadzanym drzewami, spokojnym ulicom eleganckiej dzielnicy Mayfair.

Woźnica krzyknął, kiedy stanęli przed domem de Valère'ów i Armand niemal natychmiast wysiadł z powozu. Chwycił ją w talii i postawił na ziemi, po czym spojrzał na nią surowo:

– Pozwól mi mówić.

Uniosła brwi ze zdumieniem. Nie potrafiła się powstrzymać. To była ostatnia rzecz, jaką spodziewała się od niego usłyszeć. Wszedł energicznym krokiem po schodach, ona zaś stała przy krawężniku, patrząc na niego z niemym niedowierzaniem. Woźnica zawołał, domagając się zapłaty za przejazd, więc zapewniła go, że za chwilę dostanie pieniądze.

Rzeczywiście, sekundę później z domu wybiegł lokaj i pospieszył zapłacić woźnicy. Po chwili przy drzwiach pojawiła się księżna, która wciągnęła Felicity do środka, paplając bez ustanku o tym, jak bardzo wszyscy się martwili. Jej powitanie było ciepłe, niemal siostrzane, a Felicity była wstrząśnięta i takim przyjęciem, i tym, że poczuła się, jakby wróciła do domu.

Lecz kiedy stanęła w holu, przywitał ją książę, który wcale nie wydawał się przyjazny. Wyraźnie oczekiwał natychmiastowych wyjaśnień, lecz Armand był na to przygotowany.

– Czy możemy porozmawiać w bibliotece? – spytał.

Jeśli książę był zaskoczony tą uprzejmą prośbą, nie dał nic po sobie poznać, a jedynie skinął głową i poszedł za Armandem. Felicity patrzyła, jak drzwi się za nimi zamknęły.

Armand zaczął wyjaśnienia, zanim jeszcze Julien zdążył usiąść. Mówił krótko i rzeczowo. Kiedy przeszedł do powrotu do Le Grenier, Julien wstał i nalał mu szklaneczkę bursztynowego płynu, który tak lubił. Armand nigdy za nim nie przepadał, lecz teraz wziął i wypił bez namysłu. Potrzebował czegoś, co pomogłoby mu uwolnić się od najświeższych obrazów z więzienia.

Kiedy skończył mówić, Julien odchylił się do tyłu i zaklął cicho.

– A więc skarb był tam cały czas.

Armand przytaknął.

– Ja byłem psem na straży, ale Marius zabił moich opiekunów, Jacques'ów.

– Sądzisz, że ktoś znajdzie Mariusa?

Armand wzruszył ramionami.

– Nawet jeśli tak, tutaj nie wróci.

– A ty nie wróciłeś na długo – spojrzał przez drzwi balkonowe na ogołocony przez zimę ogród. – Chcesz pojechać do Southampton i zabrać ze sobą pannę Bennett, jak sądzę.

Milczenie Armanda było jednoznaczne.

– Przypuszczam, że nie uda mi się nakłonić cię do pozostania. *Ma mère* będzie tęskniła.

– Może przyjechać. Ty też możesz przyjechać.

– Nie możesz zabrać ze sobą panny Bennett, dopóki się z nią nie ożenisz. Zorganizowanie tego zajmie kilka dni.

Armand wstał, podszedł do okna i wyjrzał na zewnątrz.

– Czy nadal chcesz poślubić pannę Bennett?

– Ona jest moja – powiedział cicho Armand. – Ale…

Widział odbicie Juliena w szybie i widział, że brat pochylił się w jego stronę.

– Ale?

– Ale są pewne komplikacje. Musimy sobie poradzić z St. Johnem.

Julien skinął głową.

– Oczywiście. Mam o nim informacje...

Armand machnął ręką.

– St. Johnem zajmiemy się za chwilę.

Julien uniósł brwi.

– Czy chciałbyś porozmawiać o czymś jeszcze?

Armand, sfrustrowany, zacisnął pięści. W końcu odwrócił się do Juliena.

– Ona ciągle mówi o miłości! Zdaje się, że potrzebuje tej miłości, żeby być szczęśliwą.

– A kochasz ją?

Armand machnął rękoma zirytowany.

– Skąd, u diabła, mam wiedzieć? Co to jest miłość?

– To dobre pytanie.

Armand odszedł od okna i oparł dłonie na biurku Juliena. Julien wyglądał na wyraźnie zdezorientowanego. Rozluźnił krawat. Armand zastanawiał się, po co brat nosi coś tak niewygodnego. Może reguły nakazywały, by zakładać to, kiedy się wychodzi z domu, ale teraz Julien nigdzie nie wychodził.

– Odpowiedz – zażądał.

Julien przeczesał palcami włosy.

– Nie wiem. To jest coś, o czym chętnie mówią kobiety. Myślę, że... miłość to uczucie.

– Czuję różne uczucia do panny Bennett.

Julien uniósł brwi.

– Coś poza tym, że chcesz zobaczyć ją nago?

– Oczywiście. Ona... – zawahał się.

Jak ma wyjaśnić, co czuł, kiedy pierwszy raz ją zobaczył, pierwszy raz jej dotknął, kiedy uświadomił sobie, że ona może go dotykać, nie sprawiając mu bólu? Jak wyjaśnić, że to dzięki niej znowu chce żyć, wydostać się ze swojej bezpiecznej nory i podjąć dla niej każde ryzyko? Jak ma ująć w słowa strach i rozpacz, które poczuł, kiedy myślał, że ją stracił w Le Grenier? Nic nigdy tak bardzo go nie przeraziło. I nic go tak nie przerazi.

Julien uśmiechnął się znacząco, widząc, jak nie może znaleźć słów.

– Na tym właśnie polega problem. I jednocześnie twoje rozwiązanie.

Armand patrzył, nic nie rozumiejąc, jak Julien wstaje, żeby nalać jeszcze jedną szklaneczkę bursztynowego płynu.

– To nie ma sensu.

– Miłość nie ma sensu – wypił połowę, a Armand zacisnął pięści. Miał ochotę udusić brata.

– To nie może być aż takie skomplikowane. Chcę, żeby Felicity była szczęśliwa.

– Powiedz jej, że ją kochasz.

– Jak?

– Musisz wdać się w szczegóły. Musisz powiedzieć, kiedy zdałeś sobie sprawę, że ją kochasz, jak to było, dlaczego, i że zawsze ją będziesz kochał.

Armand poczuł, że coś go ściska w żołądku.

– Dużo słów.

– A ona będzie chciała je usłyszeć jeszcze raz i jeszcze. Nawet Sara wciąż pyta, czy ją kocham. Mówiłem jej to z tysiąc razy.

Armand opadł na fotel.

– Nie możesz jej tego po prostu pokazać?

– A ty nie próbowałeś?

Brat trafił w sedno. Armand przełknął ślinę. Jakoś uda mu się znaleźć odpowiednie słowa.

– Czy zajmiesz się regułami, które dotyczą małżeństwa? – spytał.

Julien uniósł brwi.

– Oczywiście. Zdobędę dla was specjalne zezwolenie. Kiedy chcesz wyjechać do Southampton?

– Nie od razu. Mam jeszcze coś do załatwienia.

– Jesteś gotów porozmawiać o St. Johnie?

Armand skinął głową.

– Zapłaci za to, co zrobił.

Julien oparł się o ścianę i złożył ręce na piersi.

– Gdy ty zniknąłeś, ja popytałem nieco o naszego przyjaciela St. Johna. Myślę, że mam doskonałe rozwiązanie.

23

Charlesowi niedużo czasu zajęło znalezienie jej. Następnego ranka po powrocie Felicity siedziała w swoim pokoju, kiedy usłyszała jakieś poruszenie na parterze i podniesiony męski głos. Podbiegła do marmurowych schodów i serce jej zamarło na widok Charlesa, który kłócił się z lokajem, Grimsbym.

– Powinien pan już pójść, sir. Rodziny nie ma w domu.

– Wiem, że Felicity jest tutaj, i nie odejdę stąd, dopóki się z nią nie zobaczę.

– Będę musiał poprosić tych służących – tu Grimsby wskazał na dwóch potężnie zbudowanych mężczyzn, którzy właśnie pojawili się w jednych z drzwi wychodzących na westybul – żeby wyprowadzili pana na zewnątrz.

– A więc będę stał na zewnątrz i urządzę scenę. Nie pozbędziesz się mnie, dopóki... – nagle przerwał i uśmiechnął się szeroko, widząc na schodach Felicity. – O proszę. Widzisz, to nie było takie trudne.

Grimsby odwrócił się i spojrzał na nią ponuro. Felicity odniosła wrażenie, że wolałby wyrzucić Charlesa na ulicę.

– Ja się tym zajmę, Grimsby – powiedziała. – Dziękuję ci.

Grimsby ukłonił się sztywno i oddalił się pospiesznie w kierunku biblioteki księcia, jakby miał jakąś niecierpiącą zwłoki sprawę do załatwienia. Nawet mimo obecności obu służących, Felicity poczuła się bardzo samotna. Chciałaby mieć obok Armanda, ale jednocześnie cieszyła się, że go nie ma. Obawiała się tego, co by się stało, gdyby stanął twarzą w twarz z Charlesem.

– Co tutaj robisz? – spytała oschle.

Ale Charles albo nie usłyszał jej tonu, albo go zignorował. Ruszył w jej stronę, a kiedy ona uniosła ręce, ujął je w ciepłym geście.

– Kochanie! Tak się martwiłem! Jak się czujesz? Nic ci się nie stało? Przyszedłem, kiedy tylko usłyszałem, że wróciłaś do miasta.

Felicity wyszarpnęła ręce z jego uścisku.

– Nie dotykaj mnie. Wynoś się stąd.

Cofnął się o krok i uśmiechnął.

– Nie tak szybko – powiedział z groźbą w głosie. – Czyżbyś zapomniała o naszej maleńkiej rozmowie? Jestem pewien, że policja chętnie usłyszy wszelkie informacje, jakich mogę im udzielić na temat zabójstwa biednej Celeste.

Omal się nie roześmiała.

– Po tym, co zrobiłeś, wciąż myślisz, że możesz mnie zastraszyć?

– A co ja takiego zrobiłem? – spojrzał na nią pustym wzrokiem. – Twoje słowo przeciwko mojemu. Umierałem z niepokoju o moją narzeczoną. A kiedy ja odchodziłem od zmysłów tutaj, w Londynie, ty i szalony hrabia de Valère brykaliście w jakimś sekretnym gniazdku.

– To nieprawda.

– A kogo to obchodzi? Policjanci pomyślą, że uciekłaś, żeby uniknąć podejrzeń. Zresztą nieważne. „Times" będzie się sprzedawał jak nigdy, kiedy opowiem im moją historię o szalonym hrabi i zazdrosnej narzeczonej.

Mogłaby protestować, krzyczeć, błagać i przekonywać go, ale wiedziała, że żadna z tych metod nie pomoże. Teraz było jej wstyd, że kiedykolwiek wcześniej tego próbowała. Nie, nie będzie prosić ani błagać. I nie pozwoli, żeby ten człowiek wciągnął Armanda i jego rodzinę do rynsztoka. Już za późno, żeby uciec. Musi stawić czoło swojemu losowi. Musi chronić Armanda.

– Dobrze – powiedziała, poprawiając suknię. – Gdy hrabia wróci, poproszę go, żeby zaprowadził mnie do „Timesa". Możemy razem porozmawiać z dziennikarzami. A potem pójdziemy na policję. Zobaczymy, komu uwierzą.

Charles uniósł brwi.

– Umiem rozpoznać blef.

Pokręciła głową.

– Ja nie blefuję. Opowiem swoją wersję historii, a ty swoją. Zobaczymy, która okaże się bardziej wiarygodna.

W swojej wersji oczywiście pominie wszystko, co łączyło ją z Armandem. Jego i de Valère'ów przedstawi jako łaskawych dobroczyńców. A jeśli nie trafi do więzienia, to wyjedzie stąd przy pierwszej okazji.

– Nie zrobisz tego – parsknął Charles. – Nie zrobisz, jeśli możesz dać mi pięćset funtów i mieć spokój.

– Teraz już pięćset funtów? – uśmiechnęła się. – To niemożliwe. Wolę iść do Newgate.

– A co z de Valère'em?

Widziała, że teraz Charles zaczął się niepokoić.

– Słyszałem, że chce się z tobą ożenić.

– Odmówiłam mu. Nie chcę wciągać tej rodziny w żaden skandal – mówiła z pełnym przekonaniem i Charles musiał wyczytać to z jej twarzy.

– On cię nie puści – wyjąkał. – De Valère pojechał za tobą do Francji. Uratował cię. Wyjdziesz za niego, a jeśli myślisz, że ja pozwolę ci to zrobić za darmo, to zapomniałaś, co mam – wyjął dobrze jej znany papier z umową podpisaną przez jej ojca. Kontrakt zaręczynowy.

Och, ojcze. Gdybyś widział to, co ja teraz widzę.

– Nie zapomniałam i nie przejmuję się tym. Jeszcze dzisiaj pójdziemy do „Timesa". Nie zamierzam tracić z tobą ani chwili dłużej.

– Ale... – i nagle wyraz zaskoczenia na jego twarzy zamienił się we wściekłość. – Nic z tego, ty mała dziwko! – Chwycił ją za ramię żelaznym uściskiem, prawie podnosząc nad podłogę. – Jesteś moja i jeśli myślisz, że wypuszczę cię tak łatwo, to przemyśl to jeszcze raz.

– Zabierz od niej ręce.

Felicity odwróciła się i zobaczyła stojącego w westybulu Armanda. Nie usłyszała, kiedy wszedł, i nie wiedziała, jak długo tam stał. Charles także był zaskoczony. Poczuła, że drgnął, ale jej nie puścił.

– To moja narzeczona. Na dowód mam dokument podpisany przez jej ojca. Jeśli chcesz ją mieć, to musisz zapłacić

Felicity zauważyła wyraz twarzy Armanda i zamknęła oczy. To była czysta furia – kontrolowana wściekłość, której mógłby użyć, by zniszczyć Charlesa, jak obiecywał.

– Armandzie, nie rób tego – ostrzegła.

Charles wybuchnął śmiechem.

– Ależ nie, Armandzie, zrób. Mogę przyjąć zapłatę za moją narzeczoną nie tylko w jeden sposób.

Armand zrobił krok naprzód.

– Zabierz od niej ręce, zanim ja je z niej zdejmę.

– Chcesz ją? – spytał Charles, potrząsając nią. – Możesz ją mieć, ale jeśli chcesz się pozbyć tego kontraktu, to będziesz musiał za to zapłacić.

Armand zrobił następny krok, a Felicity syknęła:

– Puść mnie albo pożałujesz.

– Tysiąc funtów – rzucił triumfalnie Charles. – Za te pieniądze zniknę i nigdy więcej mnie nie zobaczycie. Oddam wam nawet kontrakt. Będziemy mogli udawać, że to wszystko nigdy się nie wydarzyło.

Ale Armand już go nie słuchał. Jego spojrzenie było zimne i obojętne, gdy uniósł pięść i wbił ją w twarz Charlesa. Charles, zaskoczony, zachwiał się i puścił Felicity. Stracił równowagę i runął na podłogę. Jednak podniósł się niemal natychmiast.

– Zapłacisz mi za to! – rzucił się na Armanda, a Felicity uskoczyła w tył, kiedy Armand zrobił unik, wziął zamach i uderzył

Charlesa ponownie. Tym razem kropelki krwi rozprysnęły się łukiem po nieskazitelnej, czarno-białej marmurowej posadzce.

– Armandzie – krzyknęła. – Przestań!

Przez moment wydawał się jej nie słyszeć. Pochylił się, chwycił Charlesa za kołnierz, podniósł i uderzył znowu, aż coś chrupnęło. Charles wydał dziwny, świszczący dźwięk i opadł na podłogę, kiedy Armand go puścił.

– Otwórz drzwi – powiedział Armand, patrząc przez ramię na Felicity.

– Co takiego? – spojrzała na niego zdezorientowana.

– Otwórz drzwi – powiedział, wskazując na wejście.

A wtedy, w końcu, udało się jej skłonić nogi do posłuszeństwa. Chwyciła chłodną klamkę i nacisnęła. Na zewnątrz stali dwaj zwaliści mężczyźni w płaszczach i bryczesach, o wyglądzie oprychów. Trzeci był nieco mniejszy i bardziej tłusty. Uchylił przed nią kapelusza.

– Madame. Państwa lokaj posłał po nas. Zdaje się, że jest tutaj nasz przyjaciel.

– Przepraszam?

Mężczyzna uśmiechnął się i wskazał palcem gdzieś poza nią. Armand stał nad Charlesem z wyrazem obrzydzenia na twarzy.

– Czy możemy?

Powoli zaczynało do niej docierać. To musieli być wierzyciele Charlesa. Armand zapewne się z nimi skontaktował, a Grimsby posłał po nich. Próbowała wzbudzić w sobie współczucie dla Charlesa z powodu tego, co go teraz spotka, ale czyż sam nie wpędził się w kłopoty, zaciągając karciane długi?

– Tak, sądzę, że tak – odparła.

Usunęła się na bok, aby mogli wejść. Armand także się odsunął i skinął przyzwalająco głową. Po chwili Charles został wrzucony do czarnego, nierzucającego się w oczy powozu. Trzeci mężczyzna uprzejmie się ukłonił.

– Nie będzie już państwa niepokoił. Jest nam winien sporą sumę. Zadbamy, żeby ją zwrócił. Dziękujemy panu, milordzie – skinął głową. – Miłego dnia.

Zszedł po frontowych stopniach, wskoczył z gracją do powozu i już go nie było. Felicity stała w drzwiach przez dłuższą chwilę i spoglądała na ulicę. Pozbyła się Charlesa. Naprawdę się go pozbyła. Poczuła, jakby ktoś jej zdjął wielki głaz z barków.

Powoli zamknęła drzwi i odwróciła się do Armanda, który uważnie oglądał swoją poobijaną pięść.

– Czy to... Czy oni...?

– Znajomi St. Johna. Szukali go już od jakiegoś czasu.

– Co się stanie z Charlesem?

Wzruszył ramionami.

– Pójdzie do więzienia za długi? Nic, na co by nie zasłużył.

To była prawda, a jednak Felicity poczuła ból głowy rodzący się między oczami. Uniosła rękę, żeby to rozmasować. Wszystko działo się tak szybko. Potrzebowała chwili, żeby pomyśleć.

– Felicity, wyjdziesz za mnie.

Otworzyła oczy i zobaczyła, że stoi przed nią, trzymając kartkę papieru. W pierwszej chwili pomyślała, że to kontrakt zaręczynowy Charlesa, ale papier był zupełnie nowy i gładki. Wzięła go do ręki, rozłożyła i wstrzymała oddech. Spojrzała na Armanda.

– To... to... specjalne zezwolenie. Słyszałam, że jest coś takiego, ale nigdy nie widziałam – wiedziała, że dokument jest trudny do zdobycia i kosztowny.

Podszedł bliżej i widziała, że zamierza ją pocałować. Uchyliła się – musiała zebrać myśli. Czy Charles naprawdę zniknął? Czy naprawdę jest wolna?

– St. Johna już nie ma – powiedział rzeczowo. – Brat pomógł mi zdobyć zezwolenie. Julien i Sara chcą, żebyśmy się pobrali. Nie masz już powodu, żeby mi odmówić.

Miał rację. Kiedy de Valère'owie usłyszeli o tym, co ich spotkało we Francji, przyjęli ciepło Felicity, która poczuła się jak jedna z nich. Wdowa traktowała ją niemal jak córkę, a księżna odnosiła się do niej ciepło i przyjaźnie. Nawet książę złagodniał nieco – na tyle, na ile było to możliwe w przypadku takiego człowieka jak on. Rozpaczliwie pragnęła mieć znowu rodzinę, a teraz zaczęło do niej docierać, że będzie ją miała.

– Armandzie, ja...

Armand władczym gestem uniósł rękę.

– Jest jeszcze coś, co chcę ci powiedzieć.

Zmarszczyła brwi.

– Zamierzałam się zgodzić.

– Ale dopiero kiedy to usłyszysz.

Uniosła brwi i czekała.

Przełknął ślinę, otworzył usta, zamknął je znowu. Felicity nie miała pojęcia, co mógł chcieć jej powiedzieć. Zmienił zdanie? Nie chce się z nią ożenić?

– Kocham cię – powiedział.

Serce jej zamarło. Naprawdę poczuła, że na chwilę przestało bić, a potem znowu ruszyło. Pompowało krew w żyłach tak mocno, że nie słyszała niczego oprócz jej szumu w uszach.

– Co? – usłyszała własny głos jakby z oddali i drżący, zupełnie niepodobny do głosu, który znała.

Pokręcił głową, sięgnął i wziął jej zimną dłoń w swoją, gorącą.

– Julien powiedział, że będziesz chciała słów. Ja nie jestem w tym dobry.

– Spróbuj – szepnęła, ponieważ chciała słów.

Czy on naprawdę ją kocha? Ona kochała go od tak dawna. Serce jej się ścisnęło i musiała zmusić je siłą woli, by znowu zaczęło bić.

– Kocham cię od pierwszej chwili, gdy cię zobaczyłem – machnął ręką w stronę schodów. – Siedziałaś przy fortepianie, a ja nigdy nie widziałem nic tak pięknego jak ty. Chciałem być blisko ciebie, a od lat nie czułem potrzeby bliskości innego człowieka. Ale ciebie chciałem.

– Ja czułam to samo do ciebie.

Uśmiechnął się, lecz natychmiast znowu spoważniał.

– A potem mnie dotknęłaś. Nikt nie mógł mnie dotykać. Na początku w więzieniu bito mnie tak często, że każdy dotyk oznaczał dla mnie ból. A potem nadeszły lata bez żadnego dotyku, żadnego kontaktu z drugim człowiekiem. Prawie chciałem być znowu bity, gdyby tylko to miało oznaczać kontakt z człowiekiem. Kiedy Julien mnie odnalazł, każdy dotyk sprawiał mi ból. Do dzisiaj sprawia. Matka nie może mnie dotykać, brat też. Ale ty możesz. Tylko ty – uniósł jej rękę i przyłożył sobie do serca.

Ponieważ miał na sobie tylko cienką lnianą koszulę, poczuła przez nią ciepło jego skóry i wyobraziła sobie, że czuje bicie serca.

– Kochać to znaczy chcieć być z tobą, kiedy się budzę, prawda? Kochać to znaczy zrobić wszystko dla twojego uśmiechu. Umrzeć dla ciebie. Jestem gotów, jeśli trzeba będzie.

Poczuła, że łzy napływają jej do oczu. Uczucie niemal rozsadzało jej serce.

– Ja to samo czuję do ciebie. Dokładnie tak samo się czuję.

– Kochać to znaczy chcieć, żebyś była moja. Zawsze – uniósł specjalne zezwolenie, które trzymał w dłoni. – Wyjdź za mnie.

– Och, Armandzie...

– Zaczekaj, Julien powiedział, że jest jeszcze jedna reguła – ukląkł przed nią, uniósł jej dłoń i pocałował. – Czy wyjdziesz za mnie, Felicity?

Nie potrafiła opisać, co działo się w jej sercu, kiedy patrzyła na tego dzikiego, nieposkromionego mężczyznę, który przed nią klęczał. Nie chciała go poskramiać, ale jego miłość to było coś, co przekraczało jej najśmielsze marzenia. Uklękła przed nim i wzięła go za ręce.

– Tak, wyjdę za ciebie. I ja też cię kocham.

Zerwał się i porwał ją w ramiona, zanim zdążyła dokończyć.

– Dobrze. Pobierzmy się teraz.

– Armandzie! – roześmiała się, a on objął ją mocniej. – Nie sądzę, żebyśmy mogli się pobrać w tej chwili. Potrzebuję sukni i chcę, żeby przyjechała moja ciotka. I jestem pewna, że twoja matka też chciałaby kogoś zaprosić.

Armand posłał jej spojrzenie, które mówiło, że jego cierpliwość jest bliska wyczerpania, więc ujęła w dłonie jego twarz.

– Niedługo. Najszybciej, jak się da – pocałowała go, a kiedy on odwzajemnił pocałunek, poczuła, jak jego miłość przepełnia ją ciepłem i radością.

W końcu ją miał. Przygotowania zajęły tydzień. Armand nie rozumiał, dlaczego to wszystko jest konieczne, lecz Felicity najwyraźniej uważała, że to ważne. I jego matka była szczęśliwa. I Sara. Pomyślał, że Julien wolałby, żeby pobrali się od razu, ale to nie mężczyźni tworzą reguły.

A teraz, kiedy już był w Ogrodach, naprawdę nie przejmował się regułami. Za oknami padał śnieg, co zazwyczaj nie zniechęciłoby go do codziennego spaceru, lecz Felicity tak przymilała się do niego, że postanowił zostać w salonie. W kominku płonął ogień, a jego świąteczny prezent – mały czarny kundel – drzemał na podłodze u jego stóp. Felicity siedziała przy fortepianie, grając powolną, senną melodię. Uwielbiał słuchać jej gry. A teraz mogła grać dla niego w każdej chwili. Cały czas.

Zegar zadzwonił trzy razy i jej ręce znieruchomiały. Zmarszczył brwi.

– To już trzecia? – powiedziała. – Będą lada chwila, a ja nie skończyłam pakowania.

Nikt się tym nie będzie przejmował. Mówił jej to już wcześniej, ale bezskutecznie. Felicity chciała, żeby święta były idealne.

– Słyszałeś? – wstała i podbiegła do jednego z okien. – To końskie dzwonki. Tak! Już są! Chodźmy.

Wolałby siedzieć tam, gdzie siedział, ale ona chwyciła go za rękę i pociągnęła do wejścia. Zanim lokaj zdążył wypełnić swoje obowiązki, otworzyła drzwi i już była na śniegu, witając matkę, Juliena i Sarę. Były słowa, uściski i pocałunki, co Armand znosił, ponieważ widział, jak szczęśliwa była Felicity, mając wokół siebie rodzinę. Powiedziała mu, że chce mieć dużą rodzinę, a kiedy dotarło do niego, co to oznacza, z przyjemnością podporządkował się jej życzeniu.

Sara była już w widocznej ciąży, a on zastanawiał się, jak będzie wyglądała Felicity, nosząc w brzuchu jego syna albo córkę.

Kilka chwil później wszyscy byli w środku i Felicity poleciła gospodyni podać gorący cydr i czekoladę. Julien nalegał, aby Sara położyła się w swoim pokoju, a ich matka poszła ją odprowadzić. Kiedy zostali tylko oni troje i pies, Felicity usiadła znowu przy fortepianie, a Julien stanął przy wielkim kominku.

– Sprawdziłem informacje o Kapitanie Kordzie, które mi podałeś.

– Kto to jest Kapitan Kord? – spytała Felicity.

– Pirat, który nęka angielską flotę od kilku lat. Napada statki niedaleko angielskiego wybrzeża, rabuje ich ładunek i pewnie czerpie pokaźne zyski ze sprzedaży luksusowych dóbr. Flota próbuje go schwytać od dłuższego czasu, ale na razie bez powodzenia. Z tego, czego się dowiedziałem, wynika, że on bawi się, walcząc z nimi, uważa to za rodzaj gry.

Armand skinął głową.

– To bardzo podobne do Bastiena.

Teraz Felicity znieruchomiała.

– Bastien? Wasz brat? Myślałam, że mówicie o jakimś piracie.

Armand spojrzał na Juliena, a jego brat kiwnął przyzwalająco głową.

– Sądzę, że to może być jedna i ta sama osoba.

– Ale jak to możliwe?

– Będziemy musieli go zapytać – rzekł Julien. – Starałem się zasięgnąć informacji, znaleźć jakiś sposób, żeby się z nim skontaktować. Jeśli nam się uda, może cała rodzina będzie znowu razem.

Armand podszedł do Felicity i położył jej rękę na ramieniu.

Felicity przykryła dłonią jego dłoń.

– Mam nadzieję, że go znajdziecie... nawet jeśli jest piratem. Nie mogłoby się chyba zdarzyć nic lepszego niż połączenie całej waszej rodziny.

– Też tak sądzę...

– Julien, nie mam zamiaru leżeć całe popołudnie. Nie jestem zmęczona – z korytarza dobiegł głos Sary, a Julien spojrzał w tamtą stronę karcąco.

– Ta kobieta wcale nie chce odpoczywać. Wolałbym, żeby nie przyjeżdżała. Taka długa droga w powozie była dla niej męcząca. Zaraz wracam – chwilę później usłyszeli głosy spierającej się pary: stanowczy Juliena i równie uparty Sary.

Felicity wstała.

– Może w następne święta wasz brat Bastien będzie tu z nami.

Objął ją ramieniem i przyciągnął do siebie. Westchnęła z zadowoleniem i razem patrzyli na trzaskający w kominku ogień. Kiedyś ogień oznaczał zniszczenie, popioły jego życia. Teraz, mając u boku Felicity, cieszył się jej ciepłem. Spojrzał na swoją żonę skąpaną w miękkim blasku płomieni. Uśmiechnęła się i pocałowała go.

– Kocham cię – szepnęła.

– Kocham cię.

W końcu wiedział, co znaczą te słowa.